Manual de reparación y
MANTENIMIENTO AUTOMOTRIZ

Paul Brand

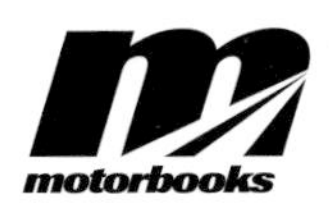

Agradecimientos

Mi gratitud a Lee Klancher de Motorbooks por plantearme el reto de escribir este libro. Debido a que MBI tiene su sede en St. Paul, Minnesota, Lee estaba familiarizado con mi trabajo como conductor del programa *AutoTalk* en la estación de radio KSTP en 1500 de AM y como autor de la columna "Motoring" para el *Star Tribune* durante los últimos 25 años.

Al no haber escrito nunca antes un libro, confieso que me sentía temeroso ante la idea de tener que sentarme y escribir de manera regular. Para mi agradable sorpresa, la mayor parte de la información ya se encontraba en mi "disco duro" mental, y llevarla al papel —es decir, a MS Word—no resultó ser un trabajo pesado.

Kris Palmer también merece una felicitación por su participación y sus creativas leyendas para las ilustraciones; y mi amigo de muchos años, Doug Dahlke, el tipo más inteligente que he conocido en el campo de los automóviles, merece un cordial agradecimiento por la revisión del manuscrito y las guías de solución de problemas, así como por ofrecer sus conocimientos y experiencia.

Finalmente, un agradecimiento de todo corazón a mi esposa, Jeri, por soportar durante más de dos décadas todas mis horas en la cochera, las manchas de grasa en mis pantalones, las refacciones viejas en la tina de lavado, por purgar conmigo las tuberías de los frenos —¡al comenzar nuestra luna de miel!— y por mantener durante todos estos años a nuestro equipo de carreras bien aprovisionado de agua y comida a lo largo del camino.

Desde cualquier punto de vista, un automóvil puede ser intimidante, pero créame, no es más inteligente que usted. Si cualquier información que pueda conseguir, guías para la solución de problemas o sugerencias le ayudan a ahorrar unos cuantos pesos en su vehículo, ¡qué bueno para usted! Y si decide trabajar en su vehículo usted mismo, ¡a darle duro! es la consigna de los fanáticos de autos y motores.

Paul Brand *– Stanchfield, Minnesota*

Un agradecimiento especial a las amables personas del Instituto Dunwoody, en especial al director del Departamento Automotriz, Chuck Bowen, por proporcionar los automóviles y un sitio para las fotografías de los proyectos del libro, y a los estudiantes-trabajadores Dan Moldan y Eric Anderson, quienes hicieron el trabajo que se muestra en las fotos. Dunwoody es uno de los mejores institutos para la enseñanza técnica automotriz en Estados Unidos y tiene una existencia casi tan larga como la de los automóviles (¡se fundó en 1914!).

Brand, Paul
Manual de reparación y mantenimiento automotriz = How to repair your car / Paul Brand. -- México : Limusa, 2009.
224 p.: fot.; 27 x 21 cm.
ISBN-13: 978-607-5-00033-6.
Incluye índice analítico.
Rústica.

1. Automóviles - Mantenimiento y reparación

Dewey: 629.28 | 22 / B8171m LC: TL146

Traducción autorizada al español de la obra
HOW TO REPAIR YOUR CAR publicada en inglés por
MBI Publishing Company and Motorbooks, una empresa
de MBI Publishing Company, 400 1st Avenue North, Suite 300,
Minneapolis, MN 55401 USA

CON LA COLABORACIÓN EN LA TRADUCCIÓN DE:
FERNANDO ROBERTO PÉREZ VÁZQUEZ
Ingeniero Mecánico de la ESIME,
Instituto Politécnico Nacional.
Profesor de Ingeniería Industrial y
Tecnología Informática en UPIICSA.
Profesor de la Maestría en Calidad,
Universidad la Salle.

GRUPO NORIEGA EDITORES
Balderas 95, México, D.F.
C.P. 06040
(5) 5130-07-00
(5) 5512-29-03
limusa@noriega.com.mx
www.noriega.com.mx

CANIEM Núm. 121

Hecho en México
ISBN 978-607-5-00033-6

Contenido

Acerca de los autores

Paul Brand es ampliamente conocido y respetado por su vasto conocimiento sobre automóviles. Es el conductor de *AutoTalk*, un programa de radio dedicado a los automóviles, y columnista especializado en automóviles para el *Star Tribune* de Minneapolis. Como reparador de automóviles, conductor de autos de carreras y respetado instructor en la persecución de vehículos para el cumplimiento de la ley, Brand hace que sus programas y columnas sean informativos y entretenidos gracias a su ingenio, conocimientos y consejos fáciles de seguir acerca de cualquiera de los problemas de un automóvil. En un programa típico podemos escuchar a Brand contestando de manera experta preguntas acerca de cómo cambiar uno mismo el aceite, encontrar el origen de rechinidos, ruidos raros y cascabeleos, o incluso descifrando el complejo funcionamiento interno de una transmisión automática, un motor o un mecanismo electrónico.

Una de las metas de Brand es simplemente ayudar a las personas a conocer más acerca de los automóviles para que puedan prolongar la vida de servicio de éstos y sean clientes más inteligentes. Es muy solicitado como conferencista en convenciones automotrices, ferias comerciales y en cualquier parte donde haya una reunión de personas relacionadas con la industria automotriz.

Brand vive en Lino Lakes, Minnesota.

Nacido en Buenos Aires, Argentina, **Héctor Cademartori** vende sus ilustraciones y pinturas a equipos de carreras, corporaciones, revistas y en fiestas privadas. El arte de Cademartori puede encontrarse en las oficinas de los *All American Racers* de Dan Gurney, en las portadas de los anuarios de las 500 Millas de Indianápolis, en la pista de carreras de Laguna Seca, en la pista de alta velocidad de California, en carteles de la Carrera Panamericana, en las oficinas de la NHRA (Asociación Nacional de Hot Rods), en revistas nacionales y extranjeras sobre automóviles y motocicletas, en las oficinas de fabricantes de motocicletas y en muchos otros lugares. Héctor Cademartori vive en La Verne, California, con su esposa Florencia y sus tres hijos: Eduardo, Florencia y Mercedes.

El escritor sobre automóviles **Kris Palmer** escribe para el *Star Tribune* y para MBI Publishing (*The Cars of the Fast and the Furious, Dream Garages*) cuando no se encuentra reparando y fabricando él mismo piezas para su Triumph TR6. Palmer aplicó sus conocimientos sobre automóviles y su talento en la dirección de películas al trabajar con el fotógrafo Jerry Lee para armar los 50 proyectos del libro.

Jerry Lee fue el fotógrafo del departamento de deportes de la Universidad de Minnesota durante más de 10 años antes de empezar a trabajar de manera independiente en 2005. Siendo Lee un gurú de la iluminación que ha cableado estadios completos con sistemas de flash, su sensibilidad para la iluminación y composición fueron críticas en la obtención de fotografías fáciles de entender para las imágenes de "cómo funciona".

Introducción

¿Se encuentra usted en este momento en el fondo de una librería, encorvado sobre este libro para que otros clientes no lo reconozcan? ¿Se siente un poco incómodo ante los demás y no quiere que lo vean hojeando un manual sobre reparación y mantenimiento del automóvil?

Nunca se imaginó que leería un libro como éste, ¿verdad? Durante años ha comprado autos, les ha puesto gasolina y los ha conducido hasta que ya no los quiere, y luego ha comprado otro. En una época, los autos y camionetas nuevos tal vez hayan costado mucho menos de 100 000 pesos. De hecho, el primer carro nuevo que yo compré tenía un precio al público de 30 000 pesos.

Actualmente, un auto sedán familiar ¡cuesta 10 veces más! Y con el continuo incremento en los precios de los automóviles nuevos, sencillamente no tiene sentido económico comprar y conducir un vehículo de motor por un capricho o porque tiene un color llamativo.

Su auto o camioneta bien podría ser el artículo más caro que alguna vez haya comprado. Sólo la compra de una casa sobrepasará la cantidad de dinero que gastará en un automóvil. Y, por supuesto, su casa incrementará su valor mientras que su automóvil terminará con el tiempo en el patio de reciclaje.

Si suma los costos de tenencia, operación, licencias, seguros, mantenimiento y reparación de su vehículo de motor, el total muy probablemente será superior incluso a la renta que está pagando por su departamento o casa.

Si usted puede y está dispuesto a comprar un automóvil nuevo más o menos cada tres años, tal vez no necesite la ayuda e información que aquí se ofrece. Sin embargo, como verá en este libro, hay un precio —un precio muy elevado— por la utilidad que brinda un auto. Si prefiriera administrar su dinero con mayor prudencia o se viera obligado a ello debido a restricciones de presupuesto, es más eficaz a nivel de costos conservar su vehículo por lo menos uno o dos años después del último pago. O también está la otra opción: comprar y conducir vehículos usados.

La forma de ahorrar dinero en su automóvil o camioneta consiste en ser inteligente —inteligente en cuanto al automóvil—. Edúquese, infórmese y prepárese para poseer y conducir de manera eficiente y económica su automóvil. Invierta un poco de tiempo y energía para saber qué es lo que su vehículo necesita de usted en términos de cuidado y mantenimiento, y cómo diagnosticar y resolver problemas de manera rápida y económica, ya sea que usted mismo haga el trabajo o lo encargue a un profesional.

¿Cuánto puede ahorrar? ¿Le interesaría conservar en su bolsillo varios miles de pesos en lugar de gastarlos en su vehículo?

Poseer y manejar un vehículo de motor nuevo puede costar fácilmente entre 80 000 y 100 000 pesos anuales. ¿No lo cree? Sume el pago mensual de su automóvil, la prima mensual del seguro y los costos mensuales de combustible; multiplique la suma por 12 para obtener el total anual y luego agréguele lo que gastó en mantenimiento, reparaciones y servicio durante los últimos 12 meses.

¿Sorprendido? No se sorprenda. Los automóviles modernos son costosos en todos los aspectos. Este libro le puede servir para controlar el costo de poseer y conducir su vehículo al ayudarlo a tomar buenas decisiones sobre cómo gastar los recursos que usted invierte en su automóvil.

Capítulo 1

Conocimientos básicos y solución de problemas

Cómo funciona

¡CUIDADO!

CONCEPTO CLAVE

TECNOLOGÍA DEL PASADO

SUGERENCIA DE MANTENIMIENTO

TECNOLOGÍA DEL MAÑANA

SUGERENCIA PARA AHORRAR DINERO

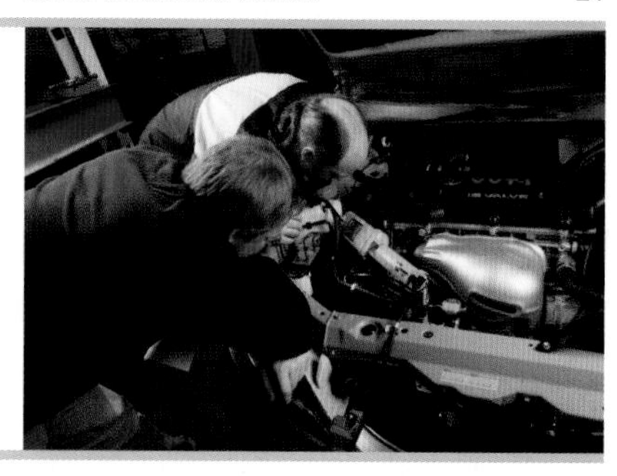

La idea básica detrás de este libro es desmitificar el automóvil moderno. Por más complejos que sean los automóviles y las camionetas de la actualidad, todavía siguen teniendo cuatro (o más) ruedas y llantas, un motor, una transmisión, así como sistemas de dirección, de frenos y de suspensión. Si está dispuesto a invertir el tiempo para leer el libro completo, aprenderá cómo funciona cada sistema de su automóvil, y cómo diagnosticar y solucionar problemas en cada uno de ellos. No, no se va a graduar como maestro mecánico, pero será capaz de codearse y comunicarse con los profesionales. Además, será capaz de dar mantenimiento y servicio y reparar usted mismo muchos de estos sistemas —si se decide a hacerlo—.

Cada capítulo trata a profundidad uno de los sistemas principales, y las guías para la solución de problemas le ayudan a identificar y confirmar problemas o puntos específicos relacionados con el sistema en cuestión. Si su vehículo de motor comienza a comportarse de manera diferente, debe reconocer que podría ser el inicio de algo grande —como una costosa reparación—. Use sus ojos, oídos, nariz y manos para identificar lo que está sucediendo, sea o no potencialmente serio, cuál podría ser la causa, cómo confirmar el diagnóstico y cómo corregir el problema —ya sea que lo arregle usted mismo o lo lleve con un profesional—.

Esperamos que este libro elimine todas sus dudas en cuanto a la posesión de un vehículo. Al usar este libro como referencia dinámica, sabrá cómo identificar lo que podría andar mal, qué se necesita para corregirlo y cuánto costará.

Vea este libro como lo haría con una cuenta bancaria. Invierta su tiempo y energía para conocer su automóvil, y el rendimiento de su inversión serán ahorros considerables y un mejor control de los pesos que vale su automóvil.

Y en el mundo actual, eso es algo muy bueno.

LOS SÍMBOLOS

Este libro emplea seis diferentes símbolos para llamar la atención a partes importantes del texto y para hacer más fácil que encuentre la información que necesita para hacer que su automóvil regrese al camino correcto.

Los símbolos son los siguientes:

¡Cuidado!

Este símbolo sirve para alertarlo sobre productos químicos peligrosos o maniobras delicadas que necesita conocer al llevar a cabo un procedimiento.

Tecnología del pasado

La información técnica relacionada con automóviles antiguos está marcada con este símbolo. Si usted es una persona práctica, probablemente pueda saltarse este material. Si le interesa la historia o tiene un auto antiguo, esta información es para usted.

Tecnología del mañana

Este símbolo indica información sobre tecnologías emergentes. Éstas probablemente no se aplicarán a su automóvil actual, pero podría darse con el tiempo.

Concepto clave

Son explicaciones prácticas acerca de cómo funcionan las cosas y cómo repararlas. Si desea entender rápidamente un sistema o un proceso, dirija su atención a estos símbolos.

Sugerencia de mantenimiento

Las sugerencias para el mantenimiento de su automóvil están marcadas con este símbolo. Aunque probablemente ya lo sabía, ¿cierto?

Sugerencia para ahorrar dinero

Estas sugerencias son acerca de cómo transferir su dinero para el mantenimiento del auto a causas más valiosas.

CONOZCA SU AUTOMÓVIL

Como dueño de un automóvil, ¿qué es lo que considera más importante en la propiedad del vehículo? Bueno, por supuesto, definitivamente ahí está la cartera; es costoso poseer, conducir y mantener vehículos de motor. Pero sin duda, el recurso número uno en el control del costo de poseer y conducir su automóvil o camioneta está en invertir un poco de tiempo y energía para conocer su vehículo: cómo operarlo, qué necesita en términos de mantenimiento y cómo manejar las cuestiones o problemas que surjan.

En el caso de la información más básica —como abrir el tapón del tanque de combustible, localizar la manija o el botón para abrir el cofre, operar el desempañador del parabrisas, ajustar el reloj, o incluso encontrar la llanta de refacción—, el manual del propietario suministrado por el fabricante le ofrece casi toda la información útil que necesitará para ser el feliz dueño de un automóvil.

Además de todas las fascinantes sugerencias de operación para ayudar a sacar el máximo provecho de su vehículo, esta pequeña biblia también cubre todos los requerimientos e intervalos de mantenimiento, identifica los componentes accesibles al propietario (como fusibles, el gato, la palanca para el gato), y explica todas las luces de advertencia y lo que debe hacer si se prenden al estar conduciendo.

Hay un viejo dicho que es popular entre los gerentes de flotillas de vehículos. Cuando el empleado devuelve el vehículo de la compañía después de varios meses o años de uso, el gerente le pregunta si encontró el billete de 100 pesos oculto en las páginas del manual del propietario. Al examinar la reacción del empleado —voltear a ver el vehículo lo delata—, el gerente sabe si el empleado alguna vez se dio tiempo para revisar el manual del propietario, y de esta forma sabrá si el empleado se preocupó o no de cuidar el auto de la compañía.

No, probablemente usted no hallará un billete de 100 pesos en el suyo, pero encontrará toda la información que necesita para poseer y conducir con éxito su vehículo, junto con la información que necesitará para cuidarlo mientras sea suyo.

A propósito, hay rumores de que el vehículo vale más cuando lo vende o lo cambia si el manual del propietario todavía se encuentra en la guantera. Y nunca lo sabrá hasta que lo examine, ¡ese billete de 100 pesos todavía podría estar ahí!

LA REVISIÓN ANTES DEL VUELO

¿Alguna vez ha observado a un piloto profesional revisar la aeronave que está a punto de volar? Se le conoce como la revisión antes del vuelo, y la idea es que el piloto revise los componentes críticos de la aeronave —superficies de control y función, tanques de combustible, tren de aterrizaje, etc.— antes de subir al asiento del piloto. Es bueno saber que las alas todavía están unidas correctamente antes de despegar, ¿verdad? Pero quizá más importante, la revisión antes del vuelo hace que la atención del piloto se concentre en la tarea que tiene enfrente, que es operar la aeronave de manera segura.

Tal vez usted desee llevar a cabo su propia revisión del vehículo antes del vuelo. No, por supuesto que usted

kilos que puede golpear su cabeza en un choque de frente a 50 kilómetros por hora. ¿La moraleja? Ponga todos los cachivaches en la cajuela.

no va a hacer esto cada vez que use su automóvil, pero valdría la pena hacerlo una vez a la semana en un vehículo que usted conduzca diariamente. Lo mantendrá concentrado en el cuidado de su automóvil y lo ayudará a identificar cualquier problema en una etapa temprana antes de que se vuelva serio o costoso.

Un buen hábito que puede desarrollarse es hacer un sencillo recorrido alrededor del auto, en el cual usted puede confirmar que las llantas están en buenas condiciones e infladas correctamente, que todas las luces están intactas y funcionando, que los limpiadores en realidad limpian el parabrisas, y que el escape, la carrocería y las molduras están en su lugar y unidos firmemente. Abra el cofre para una inspección rápida de las bandas, las mangueras, la tapa del radiador y el filtro de aire, y revise los niveles apropiados de los fluidos como el aceite, el fluido de la transmisión, el refrigerante y el líquido de los frenos.

Esto es algo que en lo personal cuido mucho: asegúrese de que todos los cristales estén limpios, por dentro y por fuera. Las huellas de dedos, las manchas de grasa, el polvo, la mugre e incluso las huellas dejadas por la nariz de los perros limitarán y distorsionarán, en particular por la noche, su visión del mundo exterior, incluyendo el tránsito, los ciclistas y los peatones.

Hablando de seguridad, no es necesario que le recuerde la importancia de abrocharse el cinturón, ¿cierto? Asegúrese de que usted y todos los que están dentro del vehículo tengan abrochado correctamente el cinturón incluso antes de encender el motor.

Y eche un vistazo rápido alrededor del área de la cabina. Asegure o guarde cualquier cosa que esté suelta. Recuerde que una caja de pañuelos de papel, que pesa medio kilo, en el extremo posterior puede convertirse en un cohete de 5

QUÉ SE NECESITA EN UN TALLER DOMÉSTICO

¿Cuál es definitivamente la mejor forma de ahorrar dinero al darle servicio a su automóvil? ¡Hágalo Usted Mismo! En los talleres y las agencias la mano de obra es muy cara. Sustitúyala con su propio trabajo gratuito y ahorrará una enorme cantidad de dinero a lo largo de la vida de su vehículo.

No, definitivamente en su cochera no va a poder reparar esa sofisticada transmisión automática, pero sí puede encargarse de la mayor parte de las reparaciones sencillas y el mantenimiento básico de su vehículo. Este libro tiene 50 proyectos que la mayoría de las personas pueden realizar en casa, donde se le muestran paso a paso formas para ahorrar tiempo y dinero en su automóvil. Para hacer este trabajo necesitará unas cuantas herramientas básicas y algunos equipos útiles en su cochera.

La siguiente es la lista de compras que necesitará; también resulta ser una maravillosa lista de regalos.

- ☐ **Una mesa de trabajo pequeña resistente con un tornillo de banco**
- ☐ **Un gato hidráulico y cuatro gatos fijos**
- ☐ **Una llave de cruz de calidad**
- ☐ **Juego de herramientas de pared/caja de herramientas portátil**
- ☐ **Herramientas manuales básicas, que incluyan:**
  - ☐ Juego de matraca/dados de 3/8 de pulgada
  - ☐ Juego de dados largos de 1/2 pulgada, extensión, barra articulada para dados
  - ☐ Juego de llaves combinadas métricas SAE
  - ☐ Pinzas: de punta larga, sin punta y de presión
  - ☐ Espátula larga
  - ☐ Medidor digital para neumáticos
  - ☐ Indicador de profundidad de la banda de rodamiento
  - ☐ Llave de torque (torquímetro), para apretar correctamente las tuercas de las ruedas
  - ☐ Embudo de plástico/papel para aceite/líquidos
  - ☐ **Juego de destornilladores de puntas múltiples, incluyendo:**
    - ☐ De punta plana
    - ☐ De punta Philips

- ☐ Allen/hexagonal
- ☐ De punta torx/estrella
- ☐ De punta cuadrada

Si desea impresionar a todos sus amigos y vecinos con sus habilidades en los motores, agregue una compresora de aire a su lista de deseos. Descubrirá que una compresora con las herramientas neumáticas básicas —llave neumática, mandril neumático y boquilla de soplado— será la herramienta más útil en su taller.

No es necesario decirle que es fácil excederse al equipar su pequeño taller de cochera, y el mejor plan consiste en comenzar con lo básico y agregar herramientas y equipo conforme sea necesario para el servicio de su vehículo específico.

CÓMO ENCONTRAR UN BUEN MECÁNICO

Debido a que usted tal vez no tenga el equipo o no le llame la atención, ni esté interesado en tener una relación activa y práctica con su automóvil, es sumamente importante que identifique un taller que realice trabajos de calidad que le ayude en el cuidado de su auto. Sea que se trate de una tarea de mantenimiento sencilla y rutinaria como un cambio de aceite y filtro o de diagnosticar y solucionar un problema con el motor, la clave para ser el propietario de un vehículo de manera exitosa y barata es encontrar y conservar un buen mecánico. De hecho, como pronto lo descubrió mi esposa, ¡casarse con uno tampoco es una mala idea!

Si a usted no le interesa tener esta relación de largo plazo, por lo menos encuentre un taller y un técnico para el servicio de su vehículo. Obviamente, si el vehículo todavía está cubierto por la garantía del fabricante o por una garantía extendida, la agencia es el lugar correcto adonde debe dirigirse. Sin lugar a dudas, sus técnicos están calificados y tienen la experiencia para dar servicio a la marca y modelo particular de su vehículo.

¿Pero qué hacer cuando se trata de tareas sencillas como un cambio de aceite? ¿Es necesario ir a la agencia? O si la garantía ya tiene tiempo que se venció, ¿la agencia es el único lugar calificado para el servicio de su vehículo?

La respuesta a ambas preguntas es no. Obviamente, la agencia sigue siendo una buena opción para el mantenimiento y las reparaciones durante la vida del auto. Y muchos propietarios de automóviles encuentran que la agencia es un lugar cómodo al que pueden llevar su vehículo para servicio y reparación. Pero el servicio en la agencia con frecuencia (no siempre, pero muchas veces) cuesta más. Y a menos que usted viva cerca de una, las agencias generalmente están un poco más alejadas que su taller independiente local.

¿Cómo encuentra usted un buen taller independiente y un buen técnico para el mantenimiento y reparación de su vehículo? En primer lugar, de la misma forma en que usted encuentra el auto correcto que debe comprar: probando.

Cuando sea el momento de su próximo cambio de aceite, deténgase en un taller cercano al área donde vive. Aproveche los cupones o anuncios de periódicos que se ofrecen para atraerlo al taller y pida que le hagan una tarea sencilla a su vehículo como un cambio de aceite/filtro/lubricación.

Los 150-250 pesos que gaste en el cambio de aceite también le comprarán la oportunidad de conocer al propietario o a los empleados, verificar la limpieza y organización del taller, revisar las certificaciones y las credenciales de las personas que trabajan en su auto y determinar si el taller resulta ser cómodo para usted.

Si no está completamente satisfecho de que éste sea *el* taller para usted, pruebe con otro en su siguiente cambio de aceite o rotación de llantas o limpieza del sistema de enfriamiento. Luego otro... y otro... y otro, hasta encontrar el taller correcto. Es igual que cuando va a comprar cualquier otro artículo importante; al probar varios talleres, sabrá cuál es el correcto en cuanto lo vea.

Asimismo, no olvide solicitar la opinión de parientes, amigos, compañeros de trabajo y conocidos. Una buena recomendación de las personas en las que confía le ayudará muchísimo a establecer el lugar donde se sienta cómodo para la reparación de su automóvil.

Pero recuerde: tiene que preguntar. Un cliente satisfecho no tiene por qué ofrecer una opinión a menos que se le pida. Un cliente insatisfecho, por otra parte, protesta y se queja con cualquiera que lo escuche. Por lo menos sabrá qué talleres debe evitar.

Una vez que encuentre el taller correcto, quédese con él y con las personas que trabajan ahí. No se muestre quisquilloso por los precios o el tiempo de servicio. Si este taller requiere medio día más para hacer el trabajo, o si cuesta 250 pesos más por un servicio en particular, acéptelo con una sonrisa y no olvide decir "gracias". Acuérdese de estas personas en los días festivos, y no tenga miedo de darles una propina por un servicio excepcional. ¡Se trata de hacerles saber que está satisfecho con su trabajo! Incluso considere ponerle a su primer hijo el nombre del taller.

¿Por qué? Porque estas personas se ofrecerán voluntariamente a hacer un esfuerzo extra cuando usted lo necesite. La próxima vez que su automóvil se quede parado en el camino/se detenga por una llanta ponchada/no arranque en un día helado, si usted logró tener una relación sólida con su taller favorito, muy probablemente estarán dispuestos a hacer un esfuerzo extra para echarle la mano.

¿Todo esto vale la pena? Le apuesto que sí. Nada, y repito nada, le ayudará más al mantenimiento y servicio de su automóvil de manera exitosa y económica que una buena relación con un taller local o una agencia que le ofrezca todos los servicios.

CÓMO HABLAR CON SU MECÁNICO

Por definición, un fanático de autos y motores sabe cómo comunicarse y codearse con los profesionales. Pero para la mayoría de los propietarios de autos, el lenguaje que se utiliza con los automóviles modernos bien podría parecer chino. Si un técnico le dijera que su TPS estaba mal y que bloqueó el O/D e hizo que la luz MIL se prendiera, ¿entendería lo que le dice? ¿Sabría usted que reemplazar el TPS (sensor de posición de la válvula de mariposa) debería costar tal vez 2000 pesos, y no 7000 pesos?

Saber cómo comunicarse con el técnico o el taller puede ser una enorme ventaja para ayudarle a ahorrar dinero en la reparación de su auto. El siguiente es un ejemplo clásico: el propietario del auto lo lleva al taller quejándose de que el motor está "diselando". El técnico calienta el auto, hace un recorrido de prueba alrededor del vecindario, regresa al taller, apaga el motor… y nada. No hay detonación, no hay golpeteo, no hay cabeceo, el motor se detiene limpiamente. El cliente recoge el vehículo, pero varios días después regresa con la misma queja. El técnico repite el proceso y el problema no se presenta cuando se apaga el motor.

Finalmente, el cliente vuelve por tercera ocasión completamente irritado. El técnico se sube al asiento del pasajero y el propietario del auto hace un recorrido de prueba. El propietario sale del vecindario hasta un camino con curvas y una pendiente relativamente pronunciada. Cuando acelera para mantener la velocidad por la pendiente cuesta arriba, el motor comienza a cascabelear y detonar por pre-ignición. "Escuche", dice el frustrado propietario, "está diselando".

La falta de comunicación entre el propietario del vehículo y el técnico suele representar una considerable pérdida de tiempo y dinero. Si el taller no le cobró al dueño del auto porque no pudo identificar el problema, entonces el costo fue para el taller. Si el taller le cobró al dueño honorarios de diagnóstico por el tiempo del técnico aun cuando no se pudo identificar el problema, entonces el costo fue para el propietario.

A propósito, el término "diselar" se utiliza normalmente para caracterizar los ruidos raros que hace el motor cuando éste sigue andando cuando se gira la llave. El calor y el combustible residuales pueden hacer que el motor empiece a detonar, golpetear y cabecear en forma más bien violenta después de apagarlo. Esto no sucede tan frecuentemente con los motores modernos de inyección de combustible, pero puede ser una situación alarmante y molesta para un propietario que no sabe esto. Sugerencia: la solución a corto plazo es dejar en velocidad la transmisión automática para mantener una carga en el motor, girar la llave a "off" (apagado), luego cambiar la palanca a Park (estacionar), girar el encendido a "lock" (seguro) y sacar la llave.

La pre-ignición o detonación, describe una explosión no controlada en la cámara de combustión, en lugar de un quemado suave y progresivo de la mezcla aire/combustible. El sonido se parece a un puñado de piedritas cascabeleando en una lata. Generalmente es causado por combustible con el octanaje incorrecto, pero también puede atribuirse al sobrecalentamiento, depósitos de carbón, una relación pobre de aire/combustible o aspectos relacionados con la regulación del tiempo de ignición.

En este caso, la diferencia entre un motor que sigue andando después de apagarlo y la detonación probablemente le costará al propietario del auto mucho tiempo y dinero por el diagnóstico, y el problema seguirá sin resolverse.

La moraleja de la historia es: aprenda la jerga de la industria automotriz. Familiarícese con los términos y las descripciones que corresponden a lo que está o no está haciendo su vehículo, según sea el caso. El manual del propietario es el lugar donde debe empezar; ahí identificará los nombres correctos para las tuercas y tornillos y los como-se-llamen que le interesan. Por ejemplo, aprenderá la diferencia entre un fusible y un relevador, aprenderá que PRNDL es el acrónimo en inglés para el indicador de posición de las velocidades de la transmisión automática: Park (estacionar), Reverse (reversa), Neutral (neutral), Drive (directa) y Low (baja).

Debe reconocer que cuando cambia el comportamiento de su vehículo, algo está sucediendo. La mayoría de las veces, lo que sea que esté sucediendo no es particularmente bueno y, si no se atiende, por lo general empeora. No ignore síntomas como rechinidos provenientes de los frenos, clics o ruidos de golpeteo que provienen del cofre, olores extraños, vibraciones o titubeos.

Y en lugar de depender únicamente de descripciones verbales para el taller y/o su mecánico —que pueden dar lugar a interpretaciones incorrectas—, escriba lo que ve, siente, huele y/o escucha y las circunstancias o situaciones de manejo que ha experimentado. Haga que el técnico lea con usted sus notas, de manera que le quede completamente claro lo que usted está sintiendo con el automóvil.

Utilice las guías para la solución de problemas de este libro como ayuda para orientarse sobre el problema y su causa probable. Las vibraciones pueden originarse en el motor, los accesorios impulsados por banda, el sistema de la transmisión, las ruedas o las llantas. Estas guías para la solución de problemas le ayudarán a identificar las fuentes posibles del problema, reducir las posibilidades y darle información que usted puede ofrecer al taller a fin de detectar y corregir el problema más rápido y a un menor costo.

De hecho, por qué no fotocopiar la guía específica para la solución de problemas, subrayar lo que en su opinión puede ser el problema y llevarla al taller. ¿Se sentirán insultados los técnicos pensando que usted está tratando de decirles cómo hacer su trabajo? No en un buen taller. Ellos apreciarán sus esfuerzos para enfocarse en el problema y les ahorrará tiempo y a usted dinero.

Si el problema es pequeño —tal vez un ligero ruido o una vibración, pero sólo a cierta velocidad o en cierto declive o a cierta temperatura—, trate de programar un recorrido de prueba con el técnico. Si éste experimenta lo mismo que usted ("Ahí, ahí está. ¿Lo siente?"), usted habrá hecho un gran trabajo al identificar el problema para el taller.

¿Y adivine lo que conseguirá con esto? Ahorrar dinero. Entre menos tiempo pase el técnico tratando de determinar lo que está mal, menor será el costo de la reparación. Así de simple.

COSTO DE PROPIEDAD

La depreciación es el mayor gasto de poseer y conducir un automóvil. ¿Le sorprende? A menos que haya comprado y manejado un vehículo que ya tiene entre 6 y 10 años de antigüedad, el mayor costo anual y general de poseer y conducir dicho auto o camioneta es la depreciación. La depreciación es la pérdida o reducción del valor del vehículo a lo largo de los años y los kilómetros que lo maneje.

La mejor manera de ilustrar este costo consiste en comparar el precio de compra del vehículo —ya sea nuevo o usado al momento de comprarlo— con el precio del vehículo en el momento en que lo vende o lo cambia. No es raro que un vehículo nuevo que costó 250 000 pesos valga tan sólo 100 000 pesos después de cinco años y 100 000 kilómetros. Con unos cuantos cálculos sencillos vemos que eso corresponde a una depreciación de 2500 pesos al mes o 30 000 pesos al año. Compare este costo de más de 700 pesos a la semana con lo que gasta en combustible, seguro, mantenimiento y reparaciones.

Si recorre 25 000 kilómetros al año y el vehículo recorre un promedio de 10 kilómetros por litro, entonces va a consumir aproximadamente 2500 litros de combustible. A un costo de 10 pesos por litro, eso equivale a 25 000 pesos anuales, o 2083 pesos al mes.

¿Mantenimiento y reparaciones? Un presupuesto de 1000 pesos al mes representaría un fondo de 12 000 pesos al año para el cuidado del vehículo. Este fondo cubriría casi todo excepto una falla catastrófica. Incluso si elevamos esta cifra a 1500 pesos al mes, el mantenimiento y las reparaciones seguirían estando bastante por debajo de la depreciación en el costo total.

¿Y qué hay del seguro? Incluso en el caso de un vehículo nuevo con cobertura total, las primas mensuales de seguro normalmente son inferiores a 2000 pesos mensuales, 24 000 pesos al año, a menos, por supuesto, que su récord de manejo o reclamaciones sea un poco menos que impecable.

COSTOS DE POSEER UN AUTOMÓVIL

CATEGORÍA	VARIABLES	COSTO ANUAL
Combustible	25 000 kilómetros anuales ÷ 10 km/litro × $10/litro	$25 000 anuales o $2083 mensuales
Seguro	[Ciudad]	$1000 mensuales
Mantenimiento/ reparaciones	–	$1000 mensuales
Depreciación	–	$2500 mensuales

Por lo tanto, si el mayor componente del costo de poseer y operar un vehículo de motor es la depreciación, ¿existe una forma para reducir los costos de depreciación? En realidad, hay dos formas.

En primer lugar, conserve el vehículo durante toda su vida de servicio, es decir, hasta que tenga una antigüedad de 12 a 15 años con más de 250 000 kilómetros recorridos. En este punto en la vida del vehículo —ya sea que todavía proporcione o no un transporte seguro y confiable—, ya estará completamente depreciado. Su valor será inferior a 25 000 pesos, tan sólo una décima parte de su precio original. A partir de este punto, incluso si usted continúa conduciéndolo, ya no se va a depreciar mucho más a menos que sufra una falla mecánica catastrófica, se destruya en un choque, o se oxide o dañe hasta el punto de tener solamente valor de recuperación.

Ahora, observe nuevamente las cifras de la depreciación. Bajo este escenario, el costo total de propiedad de ese vehículo nuevo de 250 000 pesos es de 225 000 pesos distribuidos a lo largo de 15 años. Eso representa 15 000 pesos al año, 1250 pesos mensuales, o un poco más de 300 pesos por semana —aproximadamente la mitad del costo mensual de propiedad del mismo vehículo que se compró nuevo y luego se vendió o se cambió después de cinco años—. La ecuación es incluso más dramática cuando se consideran los tres primeros años de propiedad. La mayor cantidad de depreciación monetaria ocurre en los primeros años de posesión y manejo del vehículo. Por consiguiente, comprar un vehículo nuevo y conservarlo durante toda su vida de servicio confiable es la forma número uno de mantener bajo el costo de propiedad. La segunda forma consiste en comprar un auto usado. No hay duda, comprar y manejar un vehículo de motor usado le puede ahorrar una enorme cantidad de dinero.

Nuevamente, hagamos los cálculos. Si compra ese mismo vehículo por 100 000 pesos cuando tiene cinco años y 100 000 kilómetros recorridos, entonces después de conducirlo durante los 10 años siguientes y recorrer 160 000 kilómetros con él, valdrá 25 000 pesos o menos, según se ilustró en el escenario anterior. Ahora, la depreciación total es de 75 000 pesos a lo largo de 10 años, lo cual representa 7500 pesos anuales, o un poco más de 600 pesos al mes —aproximadamente una cuarta parte del costo mensual por el mismo automóvil si se hubiera comprado nuevo—.

Pero, por supuesto, comprar un auto usado le añade un riesgo considerable a la ecuación. La garantía original de la fábrica ya ha expirado, y probablemente no conocerá toda la historia previa del vehículo, quién fue el dueño, cómo se manejó/usó, qué tipo de mantenimiento tuvo, o cualquier falla mecánica importante o choques en los que haya estado involucrado.

Si le agrada la idea de ahorrar una cantidad considerable de pesos en la posesión de un automóvil, pero le preocupa su mayor vulnerabilidad ante los aspectos desconocidos de un vehículo usado, entonces protéjase. Es sorprendentemente sencillo. Pida que un profesional independiente haga una inspección completa del vehículo —por lo general es un servicio con un costo entre 500 y 1000 pesos—. Un taller o una agencia sin ningún interés creado en el vehículo realizará una inspección completa de todo el vehículo y le dará un informe escrito de sus hallazgos. Éste deberá identificar cualquier aspecto conocido en relación con el vehículo y evitará esas terribles sorpresas ocultas que no aparecen sino hasta después de que usted ha firmado el contrato de compraventa. Revise la *Sección Amarilla* o llame a agencias o talleres independientes de su localidad para conocer la disponibilidad y precio de este servicio.

En caso de existir dudas acerca de si el vehículo alguna vez tuvo un choque serio, un taller de hojalatería puede hacer una inspección similar de la carrocería, el chasis y la pintura.

No, no puede eliminar por completo los riesgos inherentes a comprar un vehículo de motor usado, pero ciertamente los puede minimizar. Asimismo, es importante recordar que existen literalmente miles de buenos autos y camionetas usados que están disponibles en cualquier momento, por lo que darse tiempo para encontrar, hacer recorridos de prueba e inspeccionar el vehículo correcto también le ayudará a reducir el riesgo y aumentará su confianza al comprar un auto o camioneta usados.

Para considerar el riesgo restante, si el vehículo es suficientemente nuevo y tiene pocos kilómetros recorridos, tal vez pueda comprar una garantía extendida que cubra el vehículo durante los siguientes cinco años (6-10) y 160 000 kilómetros. Sin embargo, revise esto con cuidado para asegurarse de que una garantía de este tipo —que en realidad es más una póliza de seguro mecánico— cubre el vehículo del mofle a la parrilla y corresponde al kilometraje que usted recorre anualmente de manera que se beneficie de la cobertura el mayor tiempo posible.

Y, por último, ¿recuerda sus ahorros mensuales en depreciación al comprar un vehículo usado en lugar de uno nuevo? Al ahorrar aproximadamente 2000 pesos mensuales, tendrá una buena reserva para reparaciones inesperadas. Incluso si termina gastando 10 000 pesos no contemplados en reparaciones en el primero de los 10 años que planea tener el vehículo, eso suma tan sólo 1000 pesos anuales, o menos de 100 pesos al mes, al costo de propiedad.

PROGRAMA DE MANTENIMIENTO BÁSICO

El fabricante que diseñó, desarrolló la ingeniería y construyó ese excelente automóvil que usted maneja todos los días, ya le ha suministrado un programa detallado del mantenimiento requerido para conservar funcionando sin problemas su auto o camioneta durante 250 000 kilómetros o más; puede encontrar dicho programa en el manual del propietario.

¿Pero qué tanto de eso es realmente esencial para una confiabilidad y durabilidad en general? ¿Qué tanto de ese trabajo puede hacer usted mismo en comparación con el trabajo que tiene que ser realizado por un profesional? ¿El servicio profesional puede ser llevado a cabo por un taller independiente, o tiene que hacerse en la agencia?

A continuación se presenta un programa de mantenimiento para los aspectos esenciales —esos servicios de mantenimiento que son realmente necesarios para que su vehículo le ofrezca una vida de servicio plena— que es producto de la experiencia y del mantenimiento dado a flotillas enteras de autos. ¿Se descompondrá o fallará su automóvil si no sigue este programa o no realiza estos servicios? No necesariamente. Andan por ahí decenas de miles de afortunados propietarios de automóviles que viven en una dichosa ignorancia y continúan manejando su vehículo sin problemas sin considerar los intervalos recomendados de mantenimiento... por lo menos hasta que algo falle y los deje varados en el camino, frustrados y muy enojados con el vehículo por fallarles.

¿Puede ocurrir lo contrario? Sí, a veces. Incluso con el mejor programa de mantenimiento, los autos se descomponen. Los motores fallan, las transmisiones se descomponen, y los radiadores y los compresores del aire acondicionado se traban. Es parte del riesgo que corremos por tener un automóvil.

Pero no existe absolutamente ninguna duda de que si usted hace o manda hacer el mantenimiento básico necesario para la supervivencia de su vehículo, las probabilidades están a su favor. Además de los cambios rutinarios del aceite del motor y el filtro cada 5000-8000 kilómetros, asegúrese de que el segundo paso del mantenimiento se haga cada tres a cinco años o cada 80 000 kilómetros. Esto incluye la limpieza del sistema de enfriamiento y su relleno, el servicio al líquido y al filtro de la transmisión, el cambio del líquido de frenos, y el cambio del aceite de los engranes en el diferencial. Hay ciertos aspectos del mantenimiento que pueden hacer la diferencia entre un vehículo que recorre 250 000 kilómetros sin ninguna falla importante, y uno que deja tirado a su propietario en el camino con una factura de 30 000 pesos por reparaciones. Elija bien cómo quiere gastar su dinero. ■

PROGRAMA DE MANTENIMIENTO

TRABAJO	COSTO EN UN TALLER	COSTO SI LO HACE USTED MISMO	RAZONES PARA HACERLO	NO. DE PROYECTO Y PÁGINA
Cada 5000-8000 kilómetros/dos veces al año CAMBIAR EL ACEITE DEL MOTOR Y EL FILTRO	$250–$500	$150–$250	Longevidad del motor	Proyecto 5: Cambio de aceite y filtro
MANTENIMIENTO BÁSICO INSPECCIÓN—INSPECCIONAR MANGUERAS, BANDAS, FRENOS, NIVEL DE TODOS LOS LÍQUIDOS, LIMPIAPARABRIAS Y SISTEMA DE ILUMINACIÓN CADA VEZ QUE SE CAMBIE EL ACEITE	Gratis en los mejores talleres	Gratis	Vigilar la condición de los componentes clave	
REVISAR LOS FRENOS CADA VEZ QUE SE CAMBIE EL ACEITE	Gratis en los mejores talleres	Gratis	Mantener un frenado seguro, evitar daños costosos a los rotores y tambores	
REVISAR UNA VEZ AL MES LAS LLANTAS/LA PRESIÓN DE LAS LLANTAS/LA PROFUNDIDAD DE LA BANDA DE RODAMIENTO; ROTACIÓN DE LAS LLANTAS CADA 10 000-13 000 KILÓMETROS	$200–$500	Gratis	Maximizar la vida de la banda de rodamiento de las llantas y la seguridad	Proyecto 39: Revisión de la presión de las llantas; Proyecto 40: Evaluación del desgaste de las llantas; Proyecto 42: Rotación de las llantas
Cada 25 000 kilómetros/anualmente CAMBIAR EL FILTRO DE AIRE, EL FILTRO DE LA VÁLVULA PCV, LOS LIMPIAPARABRISAS	$500–$1000	$250–$400	Longevidad del motor, kilometraje del combustible, visibilidad en climas extremos	Proyecto 6: Cambio del filtro de aire; Proyecto 7: Cambio de la válvula PCV
SERVICIO PESADO: Cambiar el líquido de la transmisión y la caja de cambios; cambiar el líquido del diferencial; cambiar el filtro del combustible si lo recomienda el fabricante. Inspeccionar/limpiar/apretar los cables y conexiones de la batería. Rociar las bisagras/picaportes de puertas/cofre/cajuela/puerta trasera con lubricante en aerosol.	$2500–$5000	$500–$1000	Alargar la vida de servicio de su automóvil; particularmente importante si su vehículo enfrenta un servicio en condiciones severas (temperaturas extremas, muchos altos y arranques, uso fuera de caminos, etc.)	Proyecto 3; Proyectos 31-36; Proyectos 14-15
Cada 50 000-80 000 kilómetros/3 años CAMBIAR EL LÍQUIDO DE LA TRANSMISIÓN Y EL FILTRO	$750–$1500	$350–$500	Alargar la vida de servicio	Proyectos 34-35
CAMBIAR EL LÍQUIDO DEL DIFERENCIAL	$200–$400	$100–$200	Alargar la vida de servicio	Proyecto 32: Cambio del aceite del diferencial
CAMBIAR EL ACEITE DE LA CAJA DE CAMBIOS	$300–$600	$100–$200	Alargar la vida de servicio	Proyecto 46: Purgado del sistema de frenos
CAMBIAR EL LÍQUIDO DE LOS FRENOS	$500–$1000	$100–$200	Mantener un funcionamiento correcto, evitar corrosión, piezas congeladas/oxidadas	
CAMBIAR EL FILTRO DEL COMBUSTIBLE	$150–$500	$50–$150	Mantener el flujo correcto del combustible	Proyecto 3: Cambio del filtro de combustible

PROGRAMA DE MANTENIMIENTO

TRABAJO	COSTO EN UN TALLER	COSTO SI LO HACE USTED MISMO	RAZONES PARA HACERLO	NO. DE PROYECTO Y PÁGINA
CAMBIAR EL REFRIGERANTE DEL MOTOR	$600–$1000	$200–$300	Mantener la temperatura correcta del refrigerante; evitar que el sistema se oxide/obstruya/sobrecaliente	Proyecto 28: Limpieza del sistema de enfriamiento
CAMBIAR EL FILTRO DE LA CABINA	$200–$400	$100–$200	Mantener limpio el flujo de aire en la cabina	
QUITAR LAS BUJÍAS PARA SU INSPECCIÓN Y REINSTALARLAS CON ANTIADHERENTE	$500–$1000	$200–$500	Vigilar el desempeño del motor/encendido, la condición de las bujías, evitar que las bujías se adhieran a la cabeza del cilindro	Proyecto 9: Cambio de los cables de las bujías y las bujías
Cada 100 000-160 000 kilómetros/4-6 años				
REEMPLAZAR LAS MANGUERAS DEL SISTEMA DE ENFRIAMIENTO	$1000–$2000	$200–$500	Evitar averías	Proyecto 26: Reemplazo de la manguera del radiador
REEMPLAZAR LA BANDA SERPETINA	$500–$1500	$300–$500	Evitar averías	Proyecto 8: Reemplazo de la banda serpentina
REEMPLAZAR LA TAPA DEL RADIADOR	$100–$250	$20–$100	Mantener la presión correcta del sistema de enfriamiento	Proyecto 25: Cambio de la tapa del radiador y del termostato
REEMPLAZAR EL TERMOSTATO	$500–$1500	$100–$200	Asegurar la temperatura correcta del motor	Proyecto 25: Cambio del tapón del radiador y el termostato
REEMPLAZAR LAS BUJÍAS	$500–$1000	$100–$500	Mejorar la combustión/eficiencia/kilometraje/desempeño	Proyecto 9: Cambio de los cables de las bujías y las bujías
INSPECCIONAR LOS CABLES DE LAS BUJÍAS	$1000-$2000	$500–$1000	Reemplazar componentes gastados/dañados, reduciendo la ineficiencia	
REVISAR/REEMPLAZAR LA BANDA DE LA DISTRIBUCIÓN (TIEMPO) (ver en el manual del propietario el kilometraje sugerido)	$2000–$4000	$150–$400	Evitar averías/daños potenciales al motor	

Proyecto 1

Cambio de las plumas limpiaparabrisas

TALENTO: 1

TIEMPO: 15 minutos

HERRAMIENTAS:
Ninguna, o un clavo o un desarmador pequeño, dependiendo del estilo de la pluma.

COSTO: $150–300

SUGERENCIA:
Coloque las plumas nuevas junto a las viejas y determine el método de montaje y la orientación antes de quitar las plumas viejas.

1 Cuando sus limpiadores no están limpiando bien el parabrisas durante una tormenta o cuando usa el lavaparabrisas, es hora de un nuevo juego. Su cambio es un proyecto doméstico sencillo. Los brazos de los limpiadores tienen un gozne cerca de la base.

2 La mayoría de los goznes le permiten levantar la pluma perpendicularmente al parabrisas, posición donde se mantendrá. De no ser así, necesitará sostenerla levantada mientras quita la pluma.

3 Este estilo común utiliza un clip en forma de U que usted oprime para quitar la pluma. Encuentre el pequeño botón dentro de la U y empújelo hacia el otro extremo del clip. Otro tipo está unido a una pequeña flecha ranurada unida por un clip de resorte. Este tipo tiene un agujero marcado con "push" (empujar). Inserte un objeto delgado, como un clavo, dentro del agujero para liberar el clip y deslice la pluma. La nueva pluma embona sobre la flecha haciendo un clic.

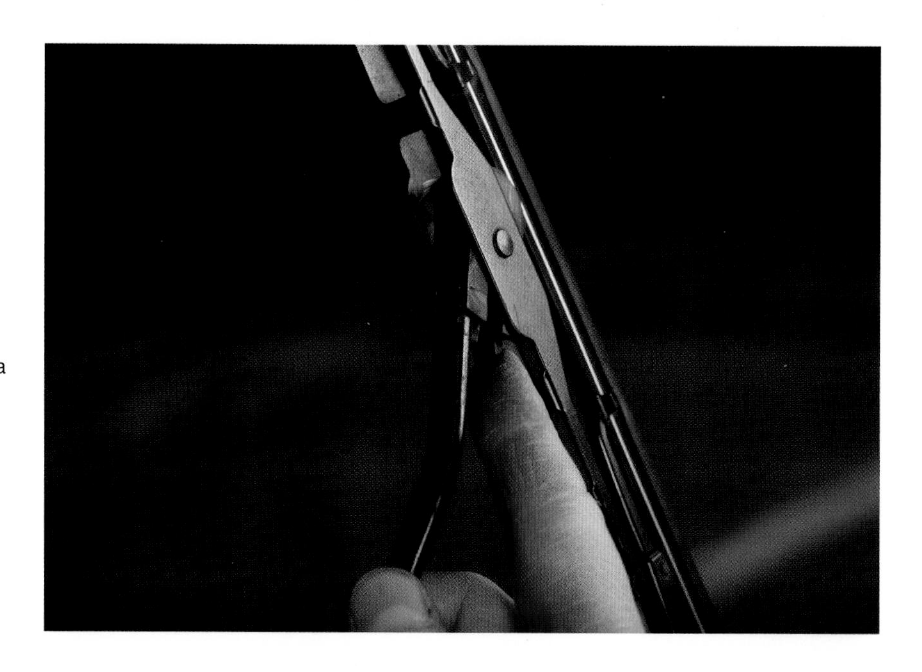

4 Con el clip en U comprimido como se muestra arriba, deslice la pluma hacia la base del brazo, lo cual hace que el extremo en forma de U del brazo se libere del clip. (Al hacer esto probablemente se empujará el hule un poco hacia afuera.) Desplace el extremo del brazo de manera que libre el clip y pase por un agujero que está arriba de él, liberando la pluma. Para poner la nueva, invierta las instrucciones que se acaban de dar.

Proyecto 2

Llenado del depósito del líquido del limpiaparabrisas

TALENTO: 1

TIEMPO: 5 minutos

HERRAMIENTAS:
Líquido limpiaparabrisas

COSTO: $20

SUGERENCIA:
Tenga cuidado al abrir y cerrar la tapa en clima frío, ya que las delgadas pueden volverse frágiles y romperse.

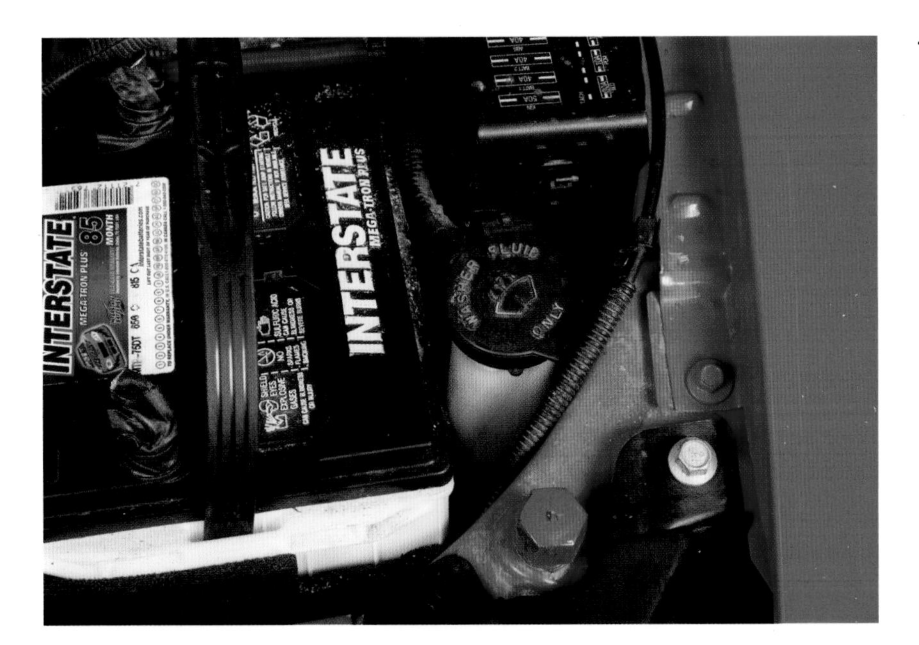

1 El depósito del líquido está en el compartimiento del motor. Deberá estar claramente marcado con las palabras “washer fluid” o con un símbolo del parabrisas y los limpiadores, o ambos.

2 Quite la tapa, llene el depósito con líquido limpiador y cierre. El líquido limpiador no está almacenado bajo presión, por lo que no tiene las normas exactas de llenado como otros líquidos. El nivel de llenado típico está justo debajo de la tapa.

Cómo levantar su automóvil

1 El gato que viene con su auto es sólo para cambiar una llanta. Nunca trabaje en su vehículo mientras alguna parte del mismo esté soportada por ese gato —no es seguro en absoluto—. El vehículo deberá estar horizontal y bien soportado en gatos fijos, o con las llantas delanteras subidas y estacionadas en rampas metálicas.

La mayoría, si no es que todos los autos actuales no tienen un chasis o bastidor separado. En vez de ello, la carrocería y el chasis están combinados en una construcción homogénea. Debe tener cuidado al levantar un vehículo nuevo para evitar dañarlo. El manual del propietario o del taller identificará los lugares debajo del vehículo donde es seguro colocar un gato. Si tiene alguna duda, pregunte a un mecánico calificado para la marca y el modelo de su vehículo.

2 Este Honda tiene un travesaño frontal con la resistencia suficiente para soportar el peso del extremo frontal. Colocamos un gato hidráulico en el centro de este travesaño y levantamos el vehículo lo suficiente para colocar gatos fijos a cada lado. Los gatos fijos se colocan en miembros tipo bastidor cerca del compartimiento del motor. Cerciórese de colocar el gato hidráulico y los gatos fijos en puntos capaces de soportar el peso.

3 Colocamos los gatos para el eje trasero en el mismo lugar designado para levantar el vehículo para un cambio de llanta. Éste es el punto designado por el fabricante.

Con el auto colocado correctamente en los gatos fijos, hay suficiente espacio para trabajar debajo de él de manera cómoda y segura.

Cómo lavarse las manos

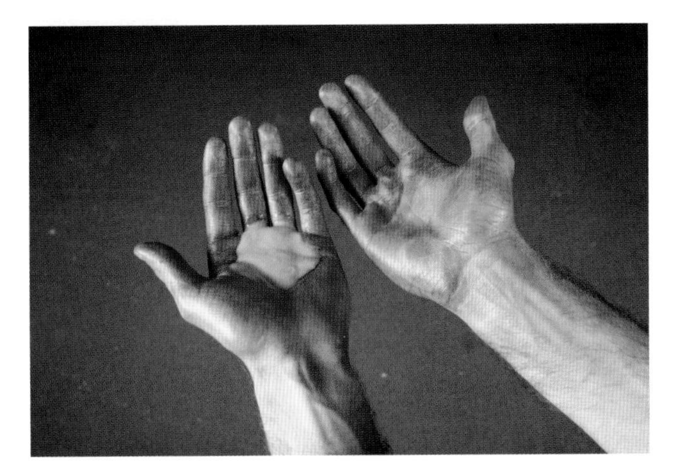

1 Algunas personas evitan la reparación de un auto simplemente por la suciedad y la grasa. Por fortuna, hay nuevos limpiadores de manos para trabajo en autos que remueven toda la grasa, la mugre y el aceite. Aplique una cantidad abundante de limpiador para manos para trabajo en autos en la palma de su mano.

2 Aplíquelo bien, no sólo en el frente y la parte posterior, sino también en los nudillos y las puntas de los dedos.

3 Un cepillo para uñas de cerdas rígidas sacará la grasa de manera que ninguno de sus compañeros de oficina se enterará de que estuvo trabajando en la cochera el fin de semana.

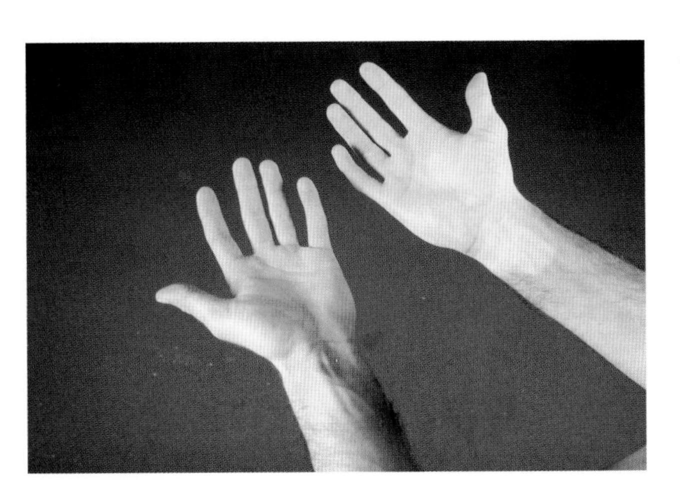

4 Éstas son las mismas manos después de usar el limpiador. Observe la parte cercana a las muñecas donde no se aplicó el limpiador. Manos perfectamente limpias y listas para trabajar con documentos o ir a un buen restaurante.

Capítulo 2

Sistema de combustible

Cómo funciona

Proyectos relacionados con el combustible

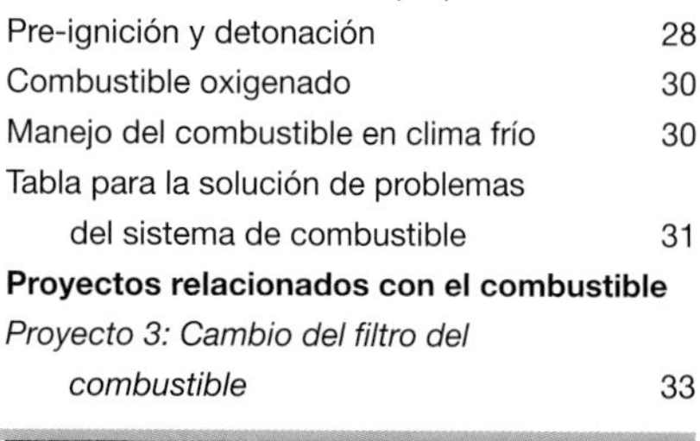

¡CUIDADO!

CONCEPTO CLAVE

TECNOLOGÍA DEL PASADO

SUGERENCIA DE MANTENIMIENTO

TECNOLOGÍA DEL MAÑANA

SUGERENCIA PARA AHORRAR DINERO

¿Qué tan lejos puede llegar su vehículo una vez que se queda sin combustible? Ésta es una pregunta retórica, obviamente, y un recordatorio de que es la energía del combustible la que proporciona en última instancia la potencia para mover el vehículo. Cuando su automóvil se jalonea, se queda parado o no quiere arrancar, probablemente el culpable es un problema con el sistema de combustible. El encendido, o la falta de chispa, es el otro problema más probable, pero eso se explica más adelante en el capítulo 4: El sistema eléctrico.

El proceso no es tan sencillo como vaciar gasolina en el motor, aunque esta técnica se utilizaba en algunos de los primeros motores. La gasolina primero se debe atomizar, luego vaporizar y luego mezclarse con aire; sólo entonces se puede quemar para producir energía.

Entonces, ¿cómo se procesa el combustible para que esté listo para quemarse en el motor? Ésa es la función del sistema de combustible del vehículo. Quizá la forma más sencilla de entender el sistema de combustible en su automóvil consiste en identificar sus tres principales funciones: almacenamiento, transportación y entrega.

Cuando usted se detiene en la gasolinera, el encargado introduce la boquilla del surtidor automático en la apertura del tanque de combustible de su vehículo y aprieta la manija, está comenzando a hacer que el combustible recorra la última etapa de su larga jornada —desde los campos de petróleo en alguna parte del mundo, un viaje a través del océano en un enorme buque cisterna, enviado por tubería por debajo de la tierra a una planta refinadora, transportado en camión a la gasolinera, almacenado en un tanque subterráneo y finalmente bombeado al tanque de combustible de su vehículo— ¡vaya! Y todo esto por un producto que, ¡todavía cuesta menos que el agua embotellada!

Cuando llena su tanque, está almacenando de manera segura suficiente combustible para conducir su vehículo aproximadamente 500-800 kilómetros. El tanque mismo es un contenedor de acero o plástico sujetado al chasis del vehículo en un lugar protegido, con deflectores internos para evitar que chapotee y se derrame, y con la tubería para entregar el combustible al motor a través de una bomba de combustible y líneas de combustible. El tanque queda sellado una vez que se aprieta correctamente el tapón de la gasolina, no sólo para impedir derrames sino también para evitar que los vapores del combustible escapen a la atmósfera.

Los vehículos de motor modernos cuentan con sistemas de control de emisiones por evaporación para evitar la pérdida de vapores de combustible —hidrocarburos no quemados— a la atmósfera que genera contaminación. Todo el sistema de combustible está sellado y es monitoreado electrónicamente de manera que cualquier pérdida de presión o vacío en el tanque —como sucedería si llenara su vehículo con el motor andando (¡NO lo haga!)— haría que se prendiera la luz de control del motor, requiriendo un viaje al taller para restablecer la luz, una situación molesta y un gasto que le recordará apagar el motor mientras está cargando combustible.

Los vapores generados por la gasolina en el tanque se almacenan en éste y en su separador de combustible, que es en realidad un pequeño tanque dentro del tanque que está perforado con pequeños orificios para retardar el proceso de llenado. No se supone que este pequeño tanque se llene cuando se carga combustible; por eso no se debe seguir apretando la manija del surtidor de combustible una y otra vez hasta haber forzado la última gota posible de combustible en el tanque.

Los vapores se recolectan en el recipiente de carbón en el compartimiento del motor, donde se almacenan hasta que se arranca el motor. La válvula de purga, controlada por la computadora de gestión del motor del vehículo, abre una válvula para aplicar vacío del múltiple del motor al recipiente para llevar estos vapores al sistema de inducción y quemarlos conforme el vehículo empieza a calentarse. La idea es consumir por completo los vapores de combustible para evitar que el combustible no quemado escape a la atmósfera.

¿Qué tan serio es el esfuerzo para controlar los vapores de combustible en los automóviles modernos? Si usted vive en California, de inmediato reconocerá los fuelles únicos de recuperación de vapor en los surtidores de combustible de las bombas de las gasolineras.

Bueno, el tanque está lleno, el tapón de la gasolina está bien cerrado y usted está listo para arrancar el motor. En las décadas del automóvil antes de la inyección de combustible, la bomba que llevaba el combustible desde el tanque al motor era mecánica. Estaba montada al lado del motor y era operada por un resalto en forma de huevo en el árbol de levas. La bomba contaba con un diafragma de hule que subía y bajaba dentro de una cámara, creando un vacío —en realidad, una diferencia de presión— que aspiraba o succionaba el combustible desde el tanque a través de la tubería de combustible hasta la bomba. Desde la bomba, el combustible era empujado a través de un filtro y luego llegaba al carburador.

Los automóviles modernos utilizan bombas de combustible eléctricas incorporadas en el tanque de la gasolina (en el encabezado Inyección de combustible puede encontrar más detalles sobre estas bombas).

Nota: ***puede saltarse la sección sobre el carburador si su carro es de inyección de combustible.***

CARBURADORES

Los carburadores (descansen en paz en ese gran cielo de automóviles) eran dispositivos que ayudaban a la transición del combustible desde su estado líquido hasta convertirse en partículas atomizadas más pequeñas, que se vaporizaban y mezclaban con el aire que era aspirado al motor por el movimiento descendente de los pistones. Esta mezcla vaporizada de aire/combustible es la que luego quema el motor para generar energía.

Los carburadores cuentan con un número diferente de circuitos que los ayudan a hacer el trabajo completo. A medida que el combustible entra al carburador proveniente de la línea de combustible, éste llena la cámara o taza del flotador —un pequeño recipiente de combustible en el cuerpo del carburador—. El flujo de combustible a esta cámara es dosificado por una sencilla válvula de aguja y asiento operada por un brazo flotador mecánico. A medida que el nivel de combustible en la cámara sube o baja, la válvula se abre o cierra progresivamente, regulando el nivel de combustible en la cámara y el que está disponible para el motor.

El circuito de estrangulamiento restringe el flujo de aire a través del carburador, incrementando de esta forma el porcentaje de combustible mezclado con ese aire y ofreciendo una mezcla más rica aire/combustible para ayudar al motor a arrancar y calentarse. Usted puede ver esto quitando la parte superior del conjunto del filtro de aire, empujando una vez la mariposa para establecer el estrangulamiento, y observando la válvula de aire del ahogador cerrarse en la parte superior del carburador. Cuando arranca el motor, el actuador del ahogador, operado por el vacío del motor, jala contra la tensión del resorte del ahogador para reabrir la válvula de aire del ahogador progresivamente a medida que el motor se calienta. Si todas estas piezas están bien sincronizadas, el motor arranca a la primera y funciona uniformemente durante el periodo de calentamiento. Si no lo están, el motor se ahoga con facilidad en un arranque en frío —demasiado estrangulamiento durante demasiado tiempo— o da sacudidas y titubea cuando usted trata de arrancarlo —muy poco estrangulamiento durante un periodo de tiempo demasiado corto—.

La característica más especial de un carburador es su tubo venturi, basado en el principio aerodinámico del efecto venturi. Cuando entra aire a través de una apertura en una cámara de volumen creciente, su presión disminuye. La mariposa del carburador, conectada al pedal del acelerador bajo su pie derecho, varía la apertura del tubo venturi, que controla el volumen de aire que se está introduciendo al motor. En vacío, con su pie fuera del pedal, la mariposa está casi cerrada, restringiendo el flujo de aire al motor. Con el acelerador a fondo cuando usted está tratando de entrar a salvo a la autopista antes de que pase el semirremolque, el flujo de aire que entra al motor está en su punto máximo.

¿Recuerda el combustible que está esperando en la cámara del flotador? Se encuentra sujeto a la presión atmosférica normal. Las espreas principales son tubos u orificios pequeños que conectan el fondo de la cámara del flotador con el tubo venturi. Conforme se abre y cierra la mariposa, la diferencia de presión entre la cámara del flotador y el tubo venturi dosifica la cantidad de combustible que es empujado desde la cámara a través de las espreas a la corriente de aire introducida a través del venturi. Al variar el volumen de aire y la cantidad de combustible que entra al motor desde el carburador, usted regula la potencia producida por su automóvil.

Muchos carburadores también cuentan con una bomba de aceleración que lanza mecánicamente pequeños chorros de

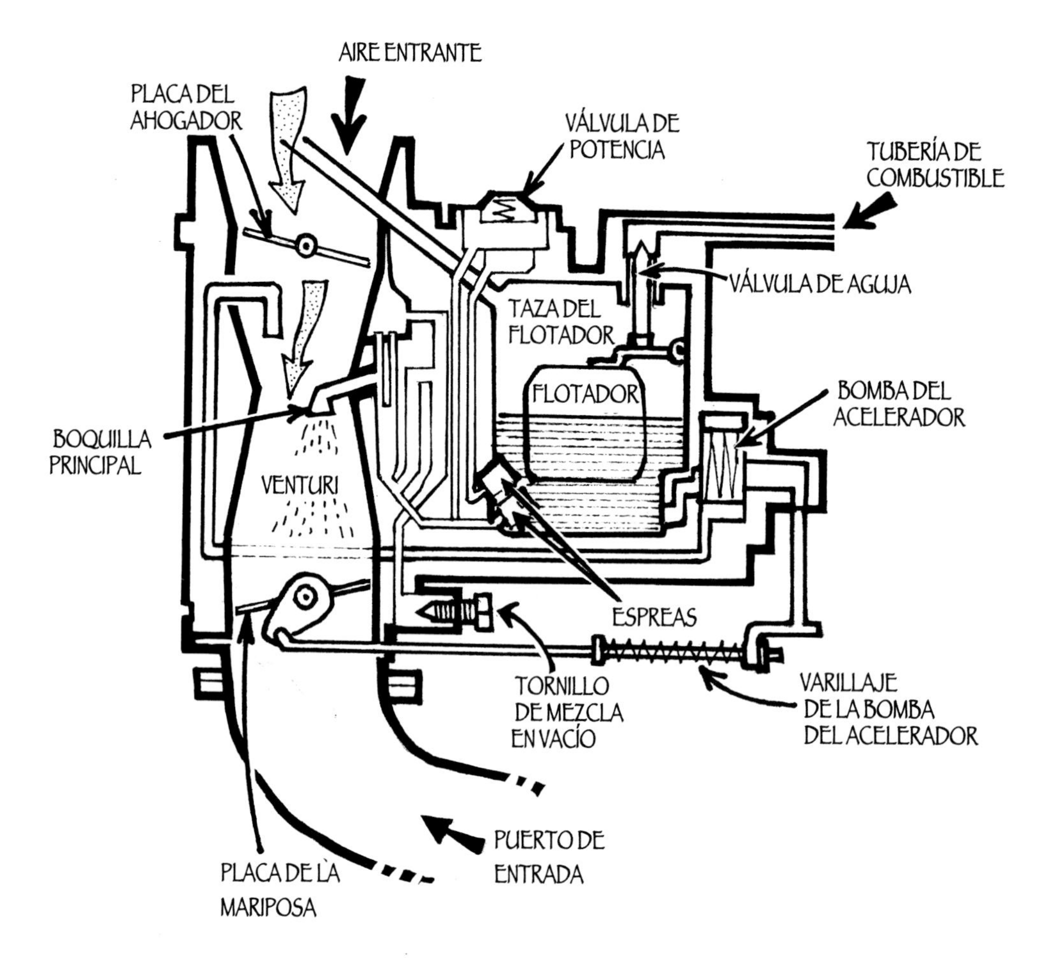

combustible adicional al venturi cuando usted pisa el acelerador. El movimiento del acelerador activa esta pequeña bomba, la cual ayuda a que el motor comience a acelerar limpiamente y sin jalonearse.

Durante las primeras ocho décadas del automóvil, los carburadores fueron el dispositivo elegido para regular y mezclar el combustible con el aire entrante. Y en la mayoría de los casos, los carburadores hicieron un excelente trabajo. Por ejemplo, era relativamente fácil afinarlos variando el tamaño de las espreas principales, y cuando estaban bien afinados, proporcionaban un buen rendimiento y economía de combustible.

INCONVENIENTES DE LOS CARBURADORES

Parafraseando a Clint Eastwood, "todo carburador tiene sus limitaciones", sobre todo la incapacidad para reconocer y adaptarse a los cambios en la presión atmosférica del aire. Por ejemplo, un carburador afinado correctamente para su operación al nivel del mar a lo largo de la costa no se desempeñará muy bien en las montañas. A mayor altitud, menor es la presión ambiente del aire y hay menos moléculas de aire por centímetro cúbico. Pero el carburador sólo sabe cuántos centímetros cúbicos de aire fluyen a través de él, por lo que el carburador ajustado al nivel del mar entregará demasiado combustible para la cantidad de aire que entra a través de él en las montañas, lo que significa que el motor funcionará con una mezcla demasiado rica.

Los carburadores también presentan otros inconvenientes, particularmente en el control de emisiones de hidrocarburos no quemados. A las últimas generaciones de carburadores se les añadieron sistemas externos de emisiones en un intento para ayudarles a estar en conformidad con los primeros requerimientos para la generación de emisiones en la década de 1970 y principios de la década de 1980. Estos dispositivos adicionales tuvieron éxito hasta cierto grado, pero eran demasiado complejos, en extremo molestos y a menudo ocasionaban problemas de manejo con el vehículo.

INYECCIÓN DE COMBUSTIBLE

Los automóviles fabricados desde aproximadamente 1980 emplean la inyección de combustible para entregar combustible al motor. En comparación con el carburador, la inyección de combustible proporciona mejoras en el desempeño y en la economía de combustible, y reduce las emisiones. ¿Por qué funciona tan bien la inyección de combustible? En términos sencillos, los inyectores de combustible hacen un trabajo mejor para controlar con precisión cuánto combustible se dosifica al motor y para atomizar el combustible, haciendo que sea más fácil de vaporizar y quemar.

La inyección de combustible funciona empujando combustible bajo considerable presión mecánica a la corriente de aire que entra al motor. La mayor presión descompone —o atomiza— el combustible en gotitas más pequeñas, que luego se vaporizan mejor en el aire de baja presión (vacío) que fluye al motor. Esto ayuda a que el vapor de combustible se mezcle con el aire y se queme más de manera más eficiente.

Los primeros sistemas de inyección de combustible eran de naturaleza mecánica, a menudo regulados y accionados (como el encendido) por el árbol de levas. Se regulaba una bomba de alta presión para entregar combustible bajo presión al sistema de inducción. Los inyectores mismos también eran de naturaleza mecánica, al utilizar una esfera accionada por resorte para sellar el extremo de la tobera de inyección en la mayoría de los casos. Cuando se incrementaba la presión del combustible por encima de la resistencia del resorte, la esfera era forzada fuera del asiento del inyector y se rociaba combustible en el motor. Al descender la presión, la esfera cerraba el inyector y detenía el flujo de combustible.

INYECCIÓN ELECTRÓNICA DE COMBUSTIBLE (EFI)

A finales de la década de 1970 y principios de la década de 1980, los fabricantes de automóviles pasaron a los sistemas de inyección electrónica de combustible (EFI), los cuales ofrecen varias ventajas prácticas. La EFI es más simple, requiere menos componentes, y como tal es más confiable y durable. Pero aún más importante, los sistemas de inyección electrónica de combustible están controlados en su totalidad por computadora. Eso significa que la computadora se puede programar, o planear, a fin de proporcionar justo la cantidad correcta de combustible a cada cilindro bajo virtualmente cualquier situación posible de manejo. El aumento en eficiencia, desempeño, manejo y kilometraje del combustible, junto con la reducción de las emisiones, han convertido a la EFI en la reina de la entrega de combustible, dejando a los carburadores como reliquias de una era primitiva del automóvil.

> La inyección electrónica de combustible es engañosamente sencilla. La bomba de combustible para estos sistemas ahora está montada cerca o dentro del tanque de combustible por dos razones. En primer lugar, para entregar el combustible a presiones mucho más elevadas, a menudo de 40-80 lb/pulg^2; mecánicamente es más fácil empujar que jalar el combustible. En segundo lugar, la bomba montada en el tanque está menos propensa al calor del motor y al temido síndrome de las bolsas de vapor —cuando el combustible hierve en un lugar cercano al motor, provocando una pérdida de presión y serios problemas de manejo—.

La bomba jala el combustible a través de una malla fina situada en el tanque, luego lo empuja bajo considerable presión a través de un filtro grande de combustible hasta el sistema de inyección en el compartimiento del motor. En un sistema de inyección del tipo cuerpo de mariposa, el combustible es entregado a uno o más inyectores de combustible montados en un cuerpo de mariposa en forma de venturi, que se parece en cierta forma a un carburador. La computadora regula la cantidad precisa de tiempo que el inyector está abierto, controlando de esta forma de manera exacta cuánto combustible se rocía en el venturi, donde se mezcla con el aire entrante y se entrega a través del múltiple de admisión a cada cilindro.

En un sistema de inyección de puertos, el combustible se entrega al riel de inyectores montado a lo largo del múltiple de admisión, que alimenta a los inyectores individuales de cada cilindro. Los inyectores están montados en

SISTEMA DE INYECCIÓN DE COMBUSTIBLE

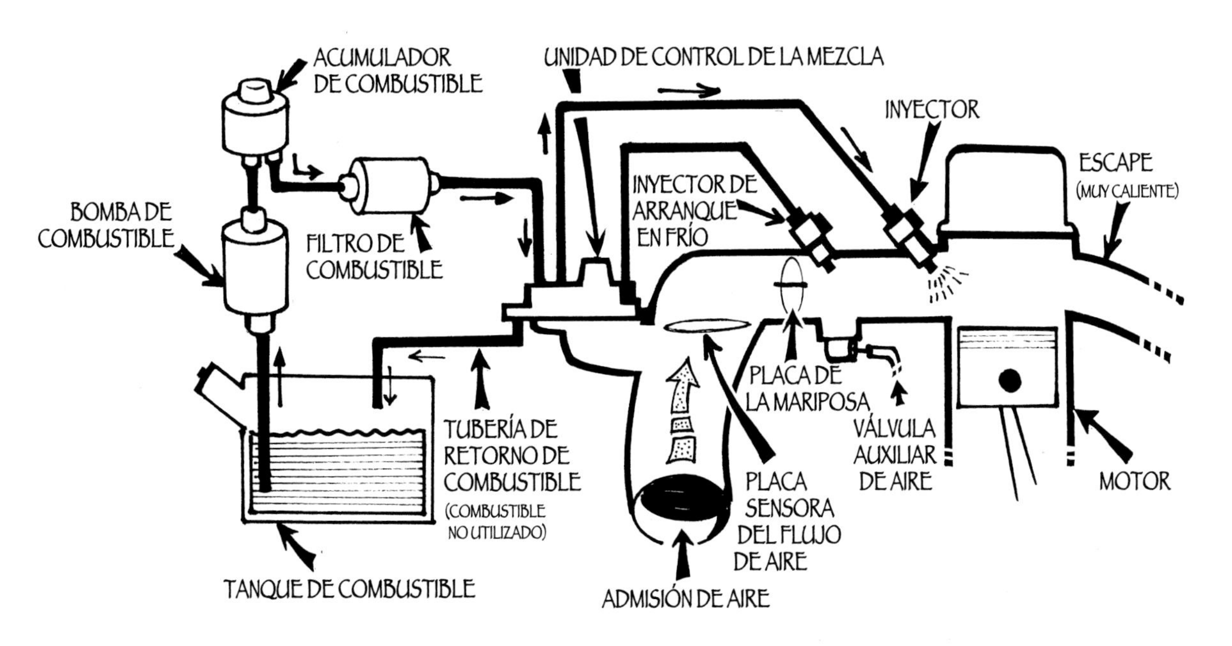

el múltiple de admisión o en la culata de los cilindros, apuntando directamente a la válvula de admisión. Están regulados para rociar una cantidad exacta de combustible bien atomizado directo al flujo de aire que entra al cilindro a través de la válvula de admisión. La principal ventaja de la inyección por puertos es un inyector para cada cilindro, lo que da una dosificación de combustible muy exacta.

Un inyector de puerto típico es un solenoide electromagnético sencillo que, cuando se energiza mediante una señal de ancho de pulso proveniente de la computadora de gestión del motor, jala un perno de su asiento, abriendo el inyector durante un periodo de tiempo específico (medido en milisegundos) y entregando un chorro de combustible muy preciso y finamente atomizado.

Los fabricantes también han incorporado en los vehículos sistemas de inyección de alta presión que cuentan con una válvula de aleteo, la cual alimenta combustible a alta presión a un inyector mecánico de tipo hongo para cada cilindro.

Los fabricantes de automóviles también están trabajando con sistemas de inyección directa de combustible que inyectan combustible a alta presión directamente en la cámara de combustión. Todos estos esfuerzos están encaminados a mejorar la eficiencia de la combustión, con lo cual se incrementa la economía de combustible y la potencia, y se reducen las emisiones.

La presión del combustible en un sistema EFI está controlada por un regulador de presión de combustible. En la mayoría de los casos, este dispositivo está montado en el extremo del riel de inyectores o ruta de inyectores a través del cuerpo de mariposa, y regula el porcentaje de combustible devuelto al tanque de combustible. Al variar este porcentaje, el sistema puede elevar o disminuir la presión del combustible para ajustar la cantidad de combustible entregada al motor. La mayoría de los reguladores de presión de combustible operan con el vacío del motor. Cuando desciende el vacío del motor al abrir la mariposa, se redirige menos combustible al tanque de combustible, incrementando de esta forma la presión del combustible disponible en los inyectores y entregando un poco más de combustible durante el ancho de pulso del inyector (la cantidad precisa de tiempo que está abierto), con lo cual se enriquece la mezcla para aceleración. A una velocidad constante, el vacío del motor es elevado, lo que reduce la presión del combustible, entregando un poco menos de combustible cuando se abre el inyector y ayudando a optimizar la economía de combustible.

SISTEMA DE GESTIÓN DEL MOTOR

Bien, ahora sabemos cómo llega el combustible a los inyectores, pero, ¿qué elemento controla la cantidad de tiempo que el inyector permanece abierto y cuánto combustible se rocía en el motor? Ése es el trabajo del sistema de gestión del motor. Los vehículos de motor modernos cuentan con sistemas de gestión del motor increíblemente sofisticados que son controlados por una computadora con muchísimo mayor poder de cómputo que los sistemas de las primeras naves espaciales, aunque usted no lo crea. Una serie de sensores proporcionan información a la computadora, que luego calcula la cantidad de combustible necesario para ese instante y luego ordena a los inyectores que se abran una cantidad específica de tiempo para entregar justo dicha cantidad de combustible. Este proceso se repite para cada pulso de inyección y monitorea cientos de veces por segundo los datos enviados por los sensores. Bastante sorprendente, ¿verdad?

Las entradas básicas de la computadora incluyen temperatura del refrigerante, velocidad del motor, posición del cigüeñal, posición de la mariposa, presión en el múltiple y temperatura del aire entrante. El programa de la compu-

TIPOS DE SISTEMAS DE INYECCIÓN DE COMBUSTIBLES

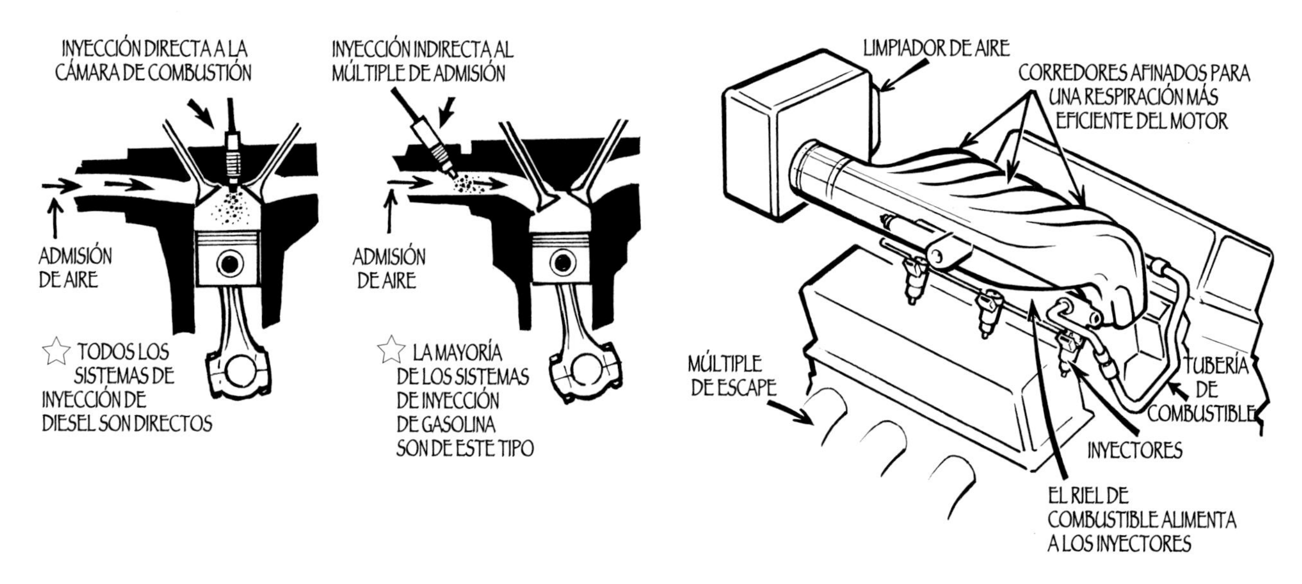

tadora monitorea esta información y calcula el ancho de pulso del inyector —la cantidad de tiempo que el inyector permanece abierto en ese ciclo de combustión—. Una vez que el motor se ha calentado, este ancho de pulso se ajusta o se afina mediante la señal proveniente del sensor de oxígeno en el escape. Este pequeño y crítico dispositivo compara el porcentaje de oxígeno en los gases de escape provenientes del motor con el porcentaje de oxígeno en la atmósfera. Luego genera una señal eléctrica de voltaje basada en esta diferencia y la comunica muchas veces por segundo a la computadora, lo cual ayuda al sistema EFI a ajustar las mezclas aire/combustible hasta un valor casi perfecto —la razón ideal aire/combustible de 14.7 a 1—.

¿Puede ver cómo los sistemas EFI son inherentemente mucho más eficientes que cualquier carburador?

SISTEMA DE GESTIÓN DEL MOTOR

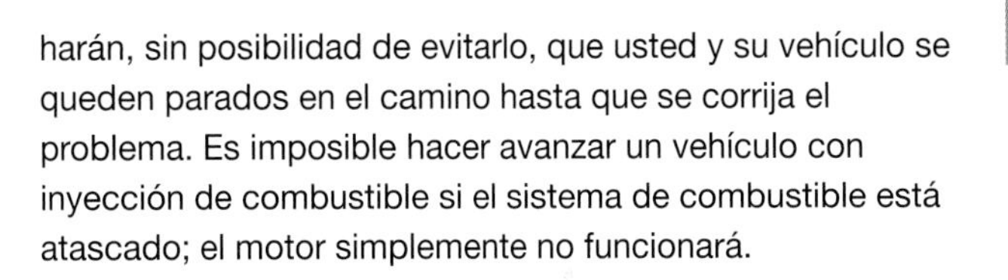

CUIDADO DEL SISTEMA DE COMBUSTIBLE

El mantenimiento básico de los sistemas de combustible incluye dos cosas: filtros y combustible. En los motores de carburador era importante reemplazar periódicamente el filtro de combustible para que no se llenara de residuos que impidieran el flujo de combustible. Los filtros metálicos comprimidos montados justo en la entrada de combustible del carburador estaban destinados en cierta forma para esto. Es interesante observar que la mayoría de los motores de carburador no tenían filtros de combustible entre el tanque y la bomba de combustible.

Cambios del filtro de combustible

Los filtros de combustible en los motores con inyección de combustible son aún más críticos. Estos filtros típicamente tienen un tamaño y volumen bastante grandes, y están montados dentro, en, o cerca del propio tanque de combustible. El filtro atrapa los residuos, sedimentos de grasa e incluso agua del combustible, y deberá cambiarse por lo menos cada 50 000 kilómetros. Si el filtro comienza a atascarse, aumenta su resistencia al flujo de combustible, lo cual hace que la bomba eléctrica de combustible en el tanque trabaje de más. Un filtro de combustible de 150 pesos representa un servicio más sencillo y menos costoso que los 5000-8000 pesos para reemplazar la bomba de combustible. Y por supuesto, un filtro de combustible atascado o una bomba de combustible descompuesta harán, sin posibilidad de evitarlo, que usted y su vehículo se queden parados en el camino hasta que se corrija el problema. Es imposible hacer avanzar un vehículo con inyección de combustible si el sistema de combustible está atascado; el motor simplemente no funcionará.

Nota de servicio en extremo importante cuando se reemplazan filtros de combustible: en un motor con carburador pueden ocurrir pequeños derrames de combustible cuando se desconecta la tubería para cambiar el filtro. Pero recuerde, los motores con inyección de combustible operan a presiones del combustible muy elevadas. La apertura o desconexión de cualquier componente del sistema de combustible sin despresurizarlo es en extremo peligroso. Muchos filtros de combustible requieren una herramienta especial para desconectar las tuberías del combustible. Por esta razón el cambio del filtro de combustible en los sistemas EFI modernos debe dejarse en manos de un profesional.

Cambios del filtro de aire

Un filtro más que debe recibir servicio de manera regular es el filtro de aire. Para simplificarle las cosas, cambie el filtro de aire una vez al año. Si vive o conduce en un ambiente con polvo o en caminos lodosos, cambie el filtro de aire con mayor frecuencia, tal

ENTRADAS A LA UNIDAD DE CONTROL ELECTRÓNICO

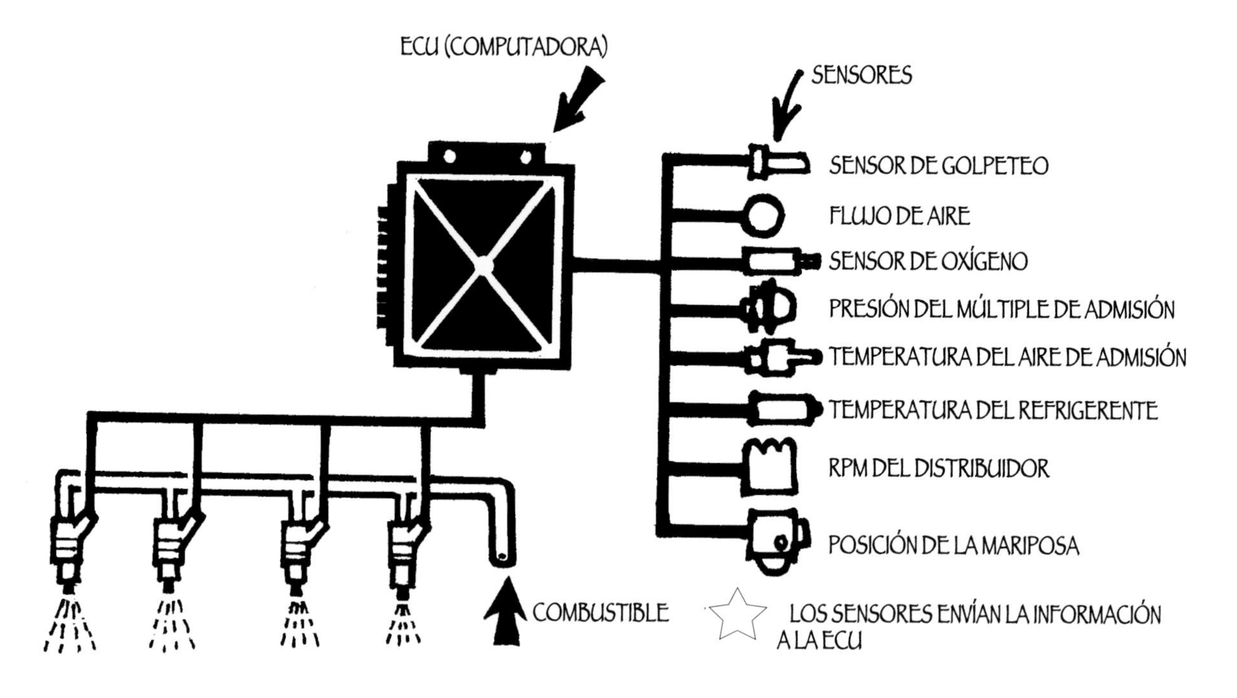

vez cada seis meses. Cualquier restricción seria al flujo de aire a través del filtro disminuirá considerablemente el kilometraje por combustible en su vehículo. Esta restricción literalmente estrangulará su motor.

¿Pero por qué hay que filtrar el aire a final de cuentas? Para limpiarlo, por supuesto. Bueno, el filtro no limpia realmente al aire en sí mismo, sino que está diseñado para remover partículas finas, suciedad y residuos en el aire antes de que sean absorbidos por el motor. Cualquier tipo de residuos que entran al motor actúan como una lija en las paredes de los cilindros, incrementando el desgaste en los pistones, anillos y paredes de los cilindros, y acortando su vida y la vida del motor. Esto nunca es bueno, por lo que debe asegurarse de que los componentes del sistema de inducción estén bien sellados, y cambie regularmente el filtro.

Elección del combustible apropiado

El segundo aspecto importante en el mantenimiento del sistema de combustible es el combustible mismo. Para los motores de gasolina, su primera preocupación será utilizar el combustible con el octanaje correcto para su vehículo. La siguiente es una regla práctica: *utilice el combustible de menor octanaje con el que el motor de su vehículo opere satisfactoriamente*. El corolario es éste: *no existe ninguna ventaja si se utiliza combustible con un grado mayor de octano del que requiere el motor. ¡Ninguna!* Con el precio de la gasolina actual, ésta es una información valiosa.

La mayoría de los vehículos de motor operan de manera satisfactoria usando combustible regular sin plomo, con una clasificación promedio de octano de 86-88. Algunos vehículos de mayor desempeño, potencia y precio requieren combustibles con grado premium, típicamente en el rango de 91-93 de octano. Muchos de estos vehículos, si no es que la mayoría, pueden operar de manera satisfactoria con combustibles con grado intermedio de octano de 89-90, o quizá con grado regular de octano 87. ¿Por qué? Los sensores de golpeteo.

El sensor de golpeteo proporciona otra entrada a la computadora de gestión del motor para ayudarle a determinar la mezcla precisa aire/combustible y la regulación de la chispa para el motor. El sensor es literalmente un pequeño micrófono regulado para escuchar los sonidos únicos de golpeteo o cascabeleo del motor, es decir, la detonación o la pre-ignición ocasionadas por un combustible de octanaje inadecuado. En la mayoría de los casos, este golpeteo metálico suena como un puñado de piedritas en una lata y se escucha más a menudo a una aceleración de ligera a moderada. Cuando se presenta y el sensor de golpeteo lo detecta, la computadora está programada para enriquecer la mezcla aire/combustible y/o retardar la distribución del encendido del motor, acciones que producen la reducción de las temperaturas de combustión para evitar el golpeteo y un daño potencial al motor.

Pre-ignición y detonación

Imagine que enciende la esquina de un papel con un cerillo y luego ve que la llama se extiende por todo el papel y lo consume por completo. Esto es exactamente lo que se supone que sucede en la cámara de combustión, sólo que mucho, mucho más rápido.

La pre-ignición y/o la detonación pueden ocurrir cuando las temperaturas residuales en la cámara de combustión llegan a un punto en el que el combustible empezará a encenderse por sí mismo, sin la ayuda de una chispa. Si esto ocurre antes de que la bujía produzca la chispa, se dice que hay pre-ignición, la cual crea un sonido seco de cascabeleo (literalmente suena como si algo estuviera golpeando la pared de su motor). Eso significa que el cilindro no está quemando de manera eficiente la mezcla aire/combustible. Este fenómeno también se denomina golpeteo o cascabeleo, y le resta potencia al motor y genera exceso de calor en la cámara de combustión. Finalmente, la pre-ignición puede fundir o quemar un orificio en el pistón o quemar el borde de una válvula.

La pre-ignición puede conducir a la detonación, que ocurre cuando puntos calientes en la cámara de combustión —debidos al calor y la presión— comienzan el fuego en esas áreas mientras la bujía comienza el fuego en otra. Cuando se encuentran los frentes de las llamas, crean un golpeteo sonoro que puede ser muy destructivo para los pistones. Las presiones extraordinariamente elevadas desarrolladas por la detonación pueden hacer un orificio en un pistón.

Todos los combustibles actuales no contienen plomo, lo que significa que ya no contienen tetraetilo de plomo. Durante décadas, se agregaba plomo al combustible como una forma barata de incrementar el grado de octanaje y lubricar las válvulas de escape y los asientos de las válvulas. El concepto de lubricar los asientos de las válvulas en realidad buscaba la eficiencia de la transferencia de calor de la válvula al asiento de la misma durante el periodo en que la válvula estaba cerrada. Los aditivos de plomo ayudaban a facilitar dicha transferencia.

Desde 1970 aproximadamente, los fabricantes de automóviles han utilizado válvulas de escape templadas o con sodio e insertos templados en los asientos de las válvulas para manejar este problema del calor. Por lo tanto, ya no necesitamos el plomo para estos fines. Si usted conduce un vehículo muy antiguo (¡muy, pero muy antiguo!) o un vehículo de coleccionista con un motor anterior a 1970, encontrará varios sustitutos para el plomo en las tiendas de refacciones de autos para manejar el problema de las válvulas de escape/asientos. Utilícelos periódicamente.

LAS DIEZ PRINCIPALES SUGERENCIAS PARA AHORRAR COMBUSTIBLE

Con los elevados precios de la gasolina y el diesel y su continuo incremento, vale la pena poner atención al automóvil que conduce, cuándo lo conduce, dónde lo conduce y cómo lo conduce.

Las siguientes son mis diez principales sugerencias para ahorrar combustible:

1. **Conduzca menos.** La mejor forma de ahorrar combustible es no quemarlo. Combine varios viajes en uno solo, comparta automóviles cuando sea posible y maneje fuera de las horas pico para evitar congestionamientos.

2. **Maneje más despacio.** ¿Tal vez al límite de velocidad, para variar? A las velocidades de las autopistas, la aerodinámica desempeña un papel cuantificable en la economía del combustible. Manejar en el rango de 95-105 kilómetros por hora en lugar de 120 kilómetros por hora probablemente incrementará su kilometraje en 1 o más kilómetros por litro.

3. **Mantenga afinado el motor.** ¿Qué significa esto en la actualidad con los motores de inyección electrónica de combustible? No mucho, excepto asegurarse de que el motor está funcionando como debería. Las bujías, los filtros de aire y los sensores de oxígeno son los principales componentes que influyen en la economía de combustible. Instale un nuevo filtro una vez al año —o con mayor frecuencia si vive/maneja en caminos lodosos/polvorientos— y haga revisar el motor en un analizador de motores cada 50 000-80 000 kilómetros para asegurarse de que está funcionando correctamente.

4. **Infle correctamente sus llantas.** Las presiones de 30-35 lb/pulg^2 o superiores son una buena elección en la mayoría de los automóviles para pasajeros. Con las llantas infladas a presiones más altas, la resistencia al rodamiento de éstas disminuye —se requiere menos potencia para que las llantas rueden por el camino—. Esto ahorra combustible.

5. **Mantenga las llantas/ruedas alineadas correctamente.** Esto no sólo ayuda a que las llantas duren más tiempo, sino que las llantas correctamente alineadas presentan menor resistencia al rodamiento, ofreciendo de esta forma un kilometraje un poco mejor.

6. **Mantenga el frente del vehículo limpio y libre de residuos,** en especial en las aberturas de la parrilla. Mantener el condensador del aire acondicionado y el radiador libre de insectos, hojas y residuos permite que el motor se enfríe con mayor eficiencia y que el aire acondicionado trabaje menos para mantener frescos a los ocupantes —y ambas cosas ahorran combustible—.

7. **Acelere moderadamente.** Se requiere combustible para obtener potencia, de manera que entre más fuerte acelere mayor será el combustible que queme el motor. A velocidad de autopista, acelere con suavidad para evitar en lo posible los cambios descendentes en una transmisión automática. Nuevamente, menos rpm del motor por lo general significan menor consumo de combustible.

8. **Deje que el vehículo avance con la inercia tanto como sea posible.** Anticipe las señales de alto, los semáforos y los lugares donde tenga que reducir la velocidad. ¿Para qué seguir acelerando cuando se acerca a un alto? Quitar el pie del acelerador y dejar que el vehículo avance con la inercia cuando se acerca a un alto obviamente ahorra combustible.

9. **Frene con suavidad y lo menos posible** —sin exagerar, por supuesto; todavía debe detenerse antes del crucero—. La aplicación de los frenos convierte en calor la energía del combustible que ya ha quemado para acelerar el vehículo. No desperdicie lo que ya ha gastado; deje que el vehículo avance con la inercia y frene lo menos posible.

10. **¡Mantenga la vista al frente!** Vea tan lejos como le sea posible para tener una buena imagen de la situación. Entre más adelante vea, mayor será el tiempo y la distancia que tendrá para ajustar la velocidad y la dirección de su vehículo. Tener una buena imagen de la situación es la clave para un manejo seguro, y también le ahorra combustible ayudándole a anticipar la necesidad de desacelerar o detenerse, permitiéndole hacerlo suave y gradualmente.

El gobierno federal de Estados Unidos por fin eliminó el tetraetilo de plomo en los combustibles para motor a mediados de la década de 1980. Con el creciente reconocimiento de su toxicidad y peligro para las personas, junto con los avances tecnológicos en el diseño y la metalurgia de los motores, el plomo desapareció de la industria automotriz.

Combustible oxigenado

Los combustibles actuales para motores siguen siendo una mezcla de hidrocarburos de cadena larga, pero a menudo incluyen un porcentaje de un compuesto oxigenante para incrementar el octano, así como para reducir las emisiones y apoyar la economía. El compuesto oxigenante preferido actualmente es el etanol, un alcohol derivado de granos, principalmente del maíz. Debido a los problemas de contaminación del aire, las ciudades estadounidenses que están incluidas en la legislación federal de aire limpio, por lo general requieren combustibles oxigenados durante la época invernal. Muchos estados requieren combustibles oxigenados durante todo el año, y sus requisitos estatales y locales exigen mezclas específicas de compuestos oxigenados. En cierto sentido, son combustibles de diseñador.

La mayoría de los combustibles oxigenados son una mezcla de 10 por ciento de etanol con 90 por ciento de gasolina. En vehículos de modelos recientes, este combustible funciona de manera perfecta y consistente, ofreciendo un buen desempeño y un kilometraje razonable junto con un buen control de emisiones. A algunos de los vehículos más antiguos no les agradan particularmente estos combustibles y tal vez ofrezcan menor kilometraje y facilidad de manejo. Los vehículos de 1980 o anteriores, pueden estar propensos a un daño potencial de los componentes del sistema de combustible con el uso de estos combustibles. ¡No le da gusto haber preguntado!

El uso de los combustibles oxigenados tiene un precio. Por la propia naturaleza del alcohol comparado con la gasolina pura, el etanol contiene sólo 50-60 por ciento de la energía BTU por litro. Unos cálculos sencillos nos dicen que una mezcla con 10 por ciento de etanol rendirá aproximadamente 5 por ciento menos de kilometraje. Así es, amigos, hay que aprender a vivir con ello.

El otro lado de la ecuación nos dice que el etanol tiene una clasificación de octano aproximada de 115, lo que significa que ayuda a elevar el nivel de octano de la gasolina con la que está mezclado.

Las buenas noticias son que los automóviles modernos están diseñados, planeados y construidos para operar con combustibles oxigenados, por lo que en las condiciones de manejo diario probablemente nunca note la diferencia, excepto quizá por esa pequeña pérdida de kilometraje. En otras palabras, si llena el tanque en una comunidad que no requiere combustibles oxigenados y la siguiente vez lo llena con combustible oxigenado, probablemente no notará ninguna diferencia en arranque, manejo o desempeño.

Pero hay una característica de los combustibles mezclados con etanol que puede ser preocupante para los propietarios de automóviles: el etanol se mezcla más fácilmente con el agua que con la gasolina. El término que se usa es separación de fases y significa que el componente de etanol del combustible se está uniendo con un porcentaje muy pequeño de agua que pudiera estar presente en el combustible, creándose una capa de gasolina y una capa de etanol/agua. Si esto sucede, el funcionamiento de su motor será muy pobre, si acaso funciona.

Para evitar esta separación de fases, los proveedores de combustible agregan cosolventes para ayudar a mantener mezclados el etanol y la gasolina. También tratan de impedir que cualquier cantidad de agua contamine el combustible durante la refinación, mezcla y transportación del combustible a la gasolinera. De hecho, el componente de etanol sólo se agrega al camión cisterna justo antes de su transporte a la gasolinera.

MANEJO DEL COMBUSTIBLE EN CLIMA FRÍO

Como propietario de un automóvil, actualmente es una idea todavía mejor mantener el tanque de combustible tan lleno como sea posible. Menor espacio para el aire en el tanque de combustible significa menos aire y menos humedad en el aire que pueda condensarse en forma líquida en las superficies interiores del tanque. Mantener el tanque tan lleno como sea posible durante el invierno es totalmente razonable, así como agregar una lata ocasional de limpiador/deshumidificador del sistema de combustible.

Sin embargo, ya que la mayoría de los refinadores agregan a las mezclas invernales de combustible un pequeño porcentaje de alcohol isopropílico que capta y se mezcla con la humedad para hacerla circular a través del sistema de combustible, no hay necesidad de agregar productos para deshielo en el sistema de combustible en forma regular. No piense en esto como “si un poco es bueno, más es mejor”. De hecho, demasiado alcohol total en el sistema de combustible puede ser un gran problema.

Un aspecto de interés en esta ecuación es el hecho de que el alcohol isopropílico, también conocido como alcohol de madera, puede ayudar realmente a remezclar el etanol/agua separado en fases con la gasolina. Ésa es la razón por la que funciona para deshielar el sistema de combustible.■

SOLUCIÓN DE PROBLEMAS DEL SISTEMA DE COMBUSTIBLE

PROBLEMA	CAUSAS PROBABLES	ACCIONES PARA LA REPARACIÓN
HAY MARCHA PERO EL MOTOR NO ARRANCA	No hay presión de combustible debido a que el auto no tiene gasolina; la tubería del combustible está bloqueada, rota o desconectada; no funciona la bomba de combustible	Empiece con **la prueba de zumbido/sonido de la bomba de combustible**
	Prueba de zumbido/sonido de la bomba de combustible	Gire la llave a "on" (prendido), escuche la operación de la bomba de combustible (un ronquido o zumbido que dura aproximadamente 2 segundos). La bomba de combustible deberá funcionar por dos segundos y luego pararse
	Si escucha zumbar la bomba de combustible, ésta y el relevador de la bomba están funcionando.	Pase a **Verificación del interruptor de encendido**
	Si no escucha el zumbido, la bomba de combustible no está funcionando.	Pase a **Verificación del relevador de la bomba de combustible**
NO OPERA LA BOMBA DE COMBUSTIBLE	**Verificación del relevador de la bomba de combustible**	Localice el relevador de la bomba de combustible en el panel de relevadores; consulte el manual del propietario. Ponga la mano en el relevador mientras se gira la llave a "on". Sienta el "clic" cuando se acciona el relevador
	El relevador no dispara (no hace clic)	Reemplace el relevador. Hágalo usted mismo (los relevadores de la bomba de combustible están disponibles en las tiendas de autopartes) o lleve el auto a un profesional
	El relevador dispara, pero la bomba de combustible no trabaja	Haga que un profesional pruebe la presión/volumen de la bomba de combustible y posiblemente la reemplace
	Verificación del interruptor de encendido	¿Se iluminan las luces de advertencia del tablero cuando la llave se gira a "on", y luego se apagan al girar la llave a "start"?
	La prueba del interruptor de encendido no es satisfactoria	Reemplace el interruptor de encendido
	La prueba del interruptor de encendido es satisfactoria	Pase a **Verificación del fusible de la bomba de combustible/ECM**
	Verificación del fusible de la bomba de combustible/ECM	Encuentre la caja de fusibles (vea el manual del propietario); las ranuras deberán estar rotuladas. Quite el fusible de la ranura de bomba de combustible/ECM; reemplácelo con un nuevo fusible y gire el interruptor del encendido a "on" y escuche si hay zumbido de la bomba de combustible. Cabe señalar que algunos autos no tienen rotuladas las ranuras de la caja de fusibles; revise TODOS los fusibles en estos autos. *(Proyecto 17: Prueba y reemplazo de fusibles)*
	Fusible con falla/abierto	Reemplace el fusible. *(Proyecto 17: Prueba y reemplazo de fusibles)*
	El fusible está bien	Pase a **Verificación del ruptor del circuito de impacto/sustitución**
	Verificación del ruptor del circuito de impacto/sustitución	Revise el manual del usuario para encontrar la ubicación, por lo general en el compartimiento de la cajuela/equipaje
MUCHO TIEMPO DE DAR MARCHA ANTES DE QUE ARRANQUE EL MOTOR	Ventila del tanque de combustible bloqueada creando vacío	Quite el tapón del tanque de combustible, trate de arrancar nuevamente el motor
	Pérdida de presión de combustible que impide que el auto arranque	Realice la prueba de fuga de presión de combustible. *(Proyecto 30: Prueba de presión del sistema)*
	La presión de combustible desciende en menos de 10 minutos	Revise el regulador de presión del combustible/tubería de vacío

SOLUCIÓN DE PROBLEMAS DEL SISTEMA DE COMBUSTIBLE

PROBLEMA	CAUSAS PROBABLES	ACCIONES PARA LA REPARACIÓN
	La tubería de vacío al regulador está humedecida con combustible	Reemplace el regulador
	La tubería de vacío al regulador está seca	Pase a **Verificar si los inyectores de combustible tienen fugas**
	Verificar si los inyectores de combustible tienen fugas	Revise la bomba de combustible/revise si tiene fugas la válvula/pulsador
	Problema con el ECM/interruptor de encendido, la bomba del combustible no tiene energía hasta que el motor desarrolla presión del aceite	Reemplace el ECM o el interruptor de encendido
DESEMPEÑO, ACELERACIÓN Y CALIDAD EN VACÍO POBRES	Baja presión del combustible	Revise el volumen, la presión y el amperaje de la bomba de combustible
	Revise la válvula de control de aire de marcha mínima/válvula EGR (recirculación de gases de escape)	Revise las conexiones eléctricas/de vacío
	Calidad y octano de la gasolina	Pruebe con un combustible de mayor octanaje
	Indague en la gasolinera para determinar si el problema es combustible contaminado	
FALLA DE ENCENDIDO/ ASPEREZA DEL MOTOR	Inyectores tapados	Agregue una lata de limpiador de inyectores o haga limpiar profesionalmente los inyectores
	Filtro de combustible tapado	Reemplace el filtro de combustible. *(Proyecto 3: Cambio del filtro de combustible)*
OLOR DE COMBUS- TIBLE NO QUEMADO	Fuga potencial de combustible	Revise si hay evidencia de fuga de combustible; inspeccione el compartimiento del motor, debajo del auto, cerca del tanque de combustible ¡CUIDADO! Si percibe un olor a gasolina, no arranque ni conduzca el vehículo hasta que se encuentre el problema
	Problema en el sistema de control de emisiones evaporativas con la válvula de purga, el tapón de la gasolina, el recipiente de carbón	Haga que un taller de reparaciones inspeccione el sistema

Proyecto 3

Cambio del filtro de combustible

TALENTO: 2–3

TIEMPO: 15–30 minutos

HERRAMIENTAS:
Destornillador o removedor de sujetador de resortes

COSTO: $100–500

SUGERENCIA:
Use un trapo sobre las conexiones de la tubería de combustible cuando las desconecte para minimizar la gasolina derramada.

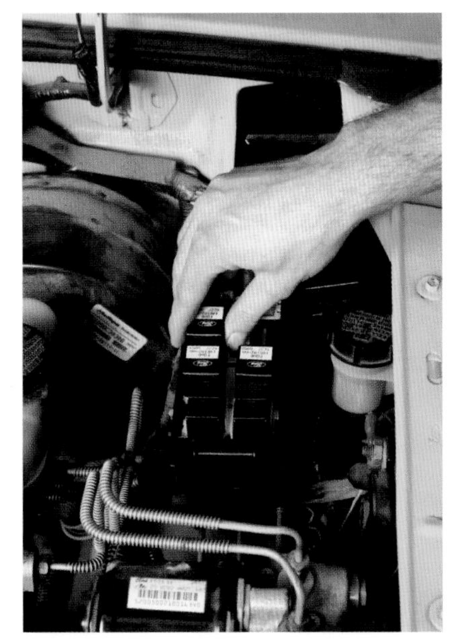

1 Los talleres cuentan con herramientas para despresurizar el sistema de inyección de combustible. Usted puede hacer esto en casa quitando el relevador de la bomba de combustible y girando después la llave del encendido varias veces. El vehículo no arrancará, o arrancará sólo momentáneamente y luego se parará. De cualquier forma, usted reduce la presión del sistema de combustible.

Con esto no se despresurizará por completo el sistema de combustible ni se eliminarán por completo las fugas de combustible cuando se aflojan o desconectan las tuberías del combustible. Envuelva un trapo o una toalla de taller alrededor de la conexión para captar y absorber cualquier combustible derramado.

2 Los filtros de combustible a menudo se encuentran en el riel del chasis debajo del vehículo, como en esta camioneta Ford Ranger. (La flecha apunta del tanque de combustible al motor para mostrar la orientación correcta del montaje.)

Nunca use fuentes de luz incandescente ni fume al trabajar con sistemas de combustible. Utilice una linterna sellada.

3 Separe el filtro de su abrazadera, la cual puede ser de clip o de tornillo, o una como ésta de la cual simplemente se jala el filtro para liberarlo.

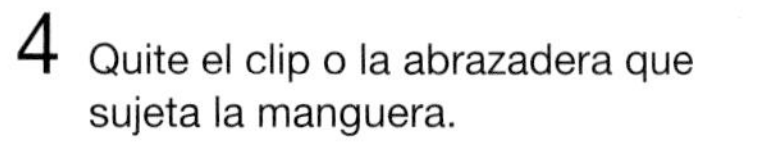

4 Quite el clip o la abrazadera que sujeta la manguera.

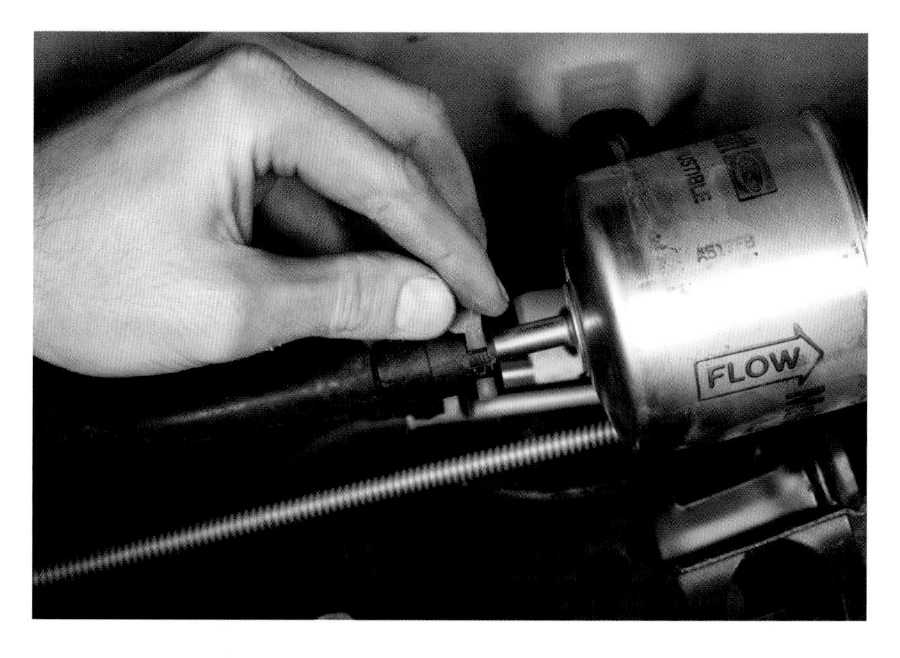

5 Coloque una toalla sobre la conexión para evitar rociar gasolina y jale la tubería de combustible para sacarla del filtro.

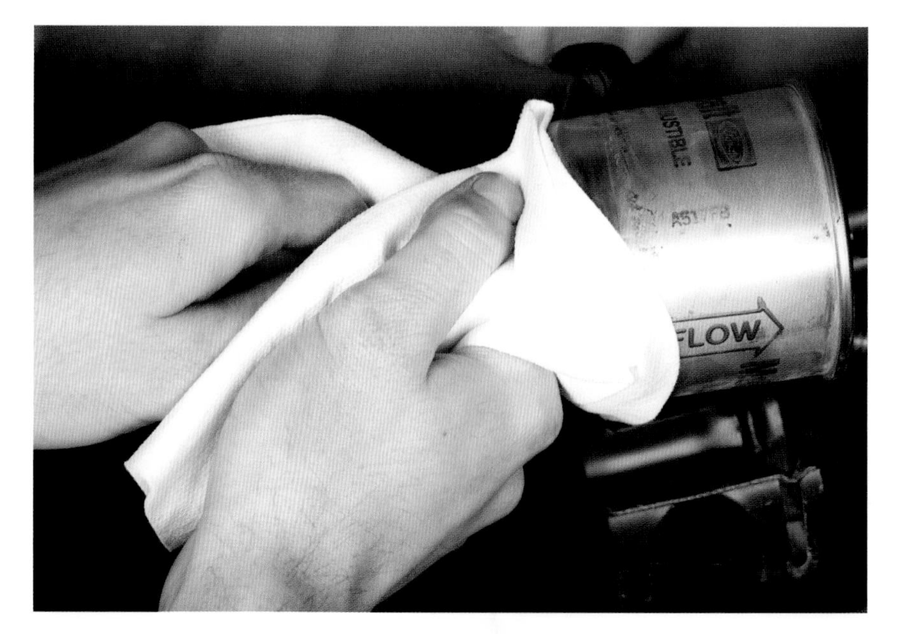

6 Quite el clip delantero.

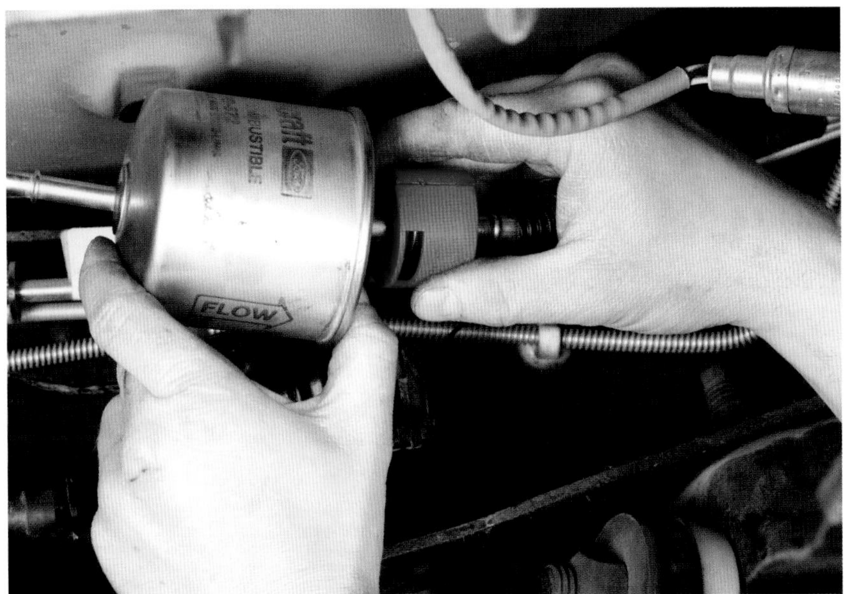

7 La conexión delantera usa un sujetador de resorte redondo que se encuentra dentro de la tubería de combustible donde se conecta con el filtro. Este tipo de conexión requiere una herramienta especial que no cuesta mucho. Abra la herramienta, ajústela alrededor de la tubería de combustible y luego presione el collarín que está dentro de la herramienta en la conexión que sostiene el sujetador de resorte. Esto libera el sujetador y le permite jalar el filtro para liberarlo.

Nota: algunos filtros de combustible se encuentran en lugares inconvenientes y pueden requerir mucho más trabajo, como desconectar y bajar el tanque de combustible. Si usted compra el filtro y descubre que el trabajo está más allá de su capacidad, deténgase antes de desconectar cualquier conexión. Cualquier taller puede cambiar el filtro por usted. Su manual le indicará el intervalo de servicio para el reemplazo del filtro. Éste está típicamente entre 25 000 y 50 000 kilómetros. Para instalar el nuevo filtro, invierta el procedimiento de remoción.

Capítulo 3

Motor

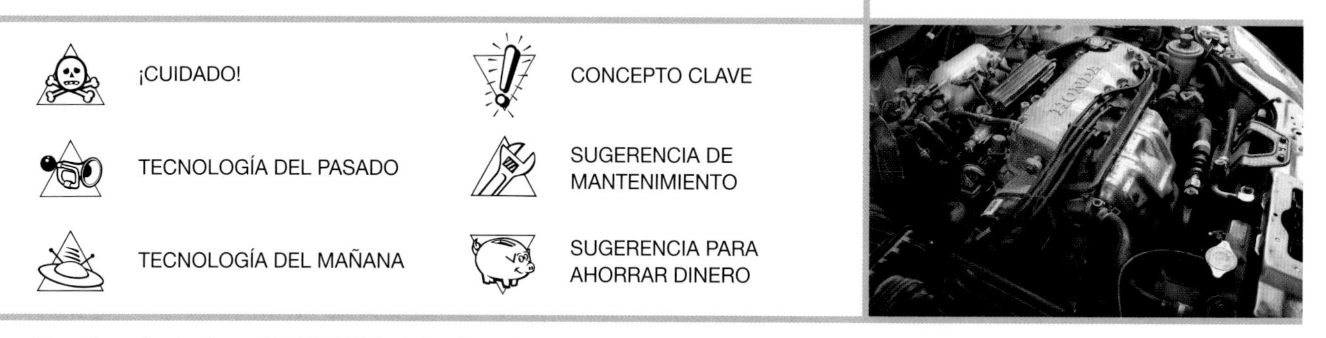

Identifique lo siguiente: DOHC EFI 3.5L L5. Se refiere a:

A. Un nuevo dispositivo médico para implantarse.
B. Lo último en tecnología digital para TV.
C. El Código Da Vinci.
D. El motor en la camioneta Colorado de Chevy.

Si contestó D, usted podría ser un fanático de automóviles y motores. O tal vez podría ser un propietario de automóvil interesado y atento que desea conocer mejor la nueva tecnología incorporada en ese reluciente vehículo que está a la entrada de su casa. Si contestó A, B o C, ¡este libro es para usted! Estas páginas lo ayudarán a desmitificar el automóvil moderno y a identificar sus componentes y tecnología en términos sencillos y comprensibles.

Vamos a descifrar brevemente la descripción del motor:

DOHC—double overhead camshaft (árbol de levas doble en culata)
EFI—electronic fuel injection (inyección electrónica de combustible)
3.5L—motor de 3.5 litros
L5—cinco cilindros en línea

Pero seguramente usted ya sabía todo eso, ¿verdad? Si es un fanático de hueso colorado de automóviles y motores, ya lo sabía. Usted puede, de hecho, entenderse y codearse con los profesionales. Pero para el resto de nosotros conviene que miremos más de cerca la planta de poder que está en el cofre de nuestro vehículo.

El concepto básico del motor de su automóvil es precisamente lo que describe la palabra automóvil o automotor: propulsado por sí mismo. El motor es una bomba de aire que proporciona la potencia para mover el vehículo. Bastante sencillo, ¿pero cómo lo hace? Convirtiendo la energía contenida en el combustible en calor, y convirtiendo ese calor en potencia.

El primer paso es bastante sencillo: quemar el combustible, liberar las calorías de energía contenidas en el combustible. Usted podría hacer esto con un cerillo, encendiendo los vapores de un pequeño charco de gasolina en el piso, pero no movería muy lejos su automóvil, ¡sin mencionar que esto posiblemente lo dejaría en el hospital! En consecuencia, el siguiente paso es controlar esta energía y convertirla en trabajo.

Aquí es donde entra en juego el motor de combustión interna. Para entender el proceso, concentrémonos en un motor de un solo cilindro como el que podría encontrar en su podadora de césped. El combustible se dosifica en el motor a través del carburador, en donde se atomiza (se descompone en diminutas gotitas); luego se vaporiza, se mezcla con aire y se introduce en el cilindro a través del múltiple de admisión y la válvula de admisión. En seguida, el árbol de levas cierra la válvula de admisión cuando el pistón comienza a subir a la parte superior del cilindro. La mezcla aire/combustible

LAS CUATRO CARRERAS DE UN MOTOR DE CUATRO CICLOS

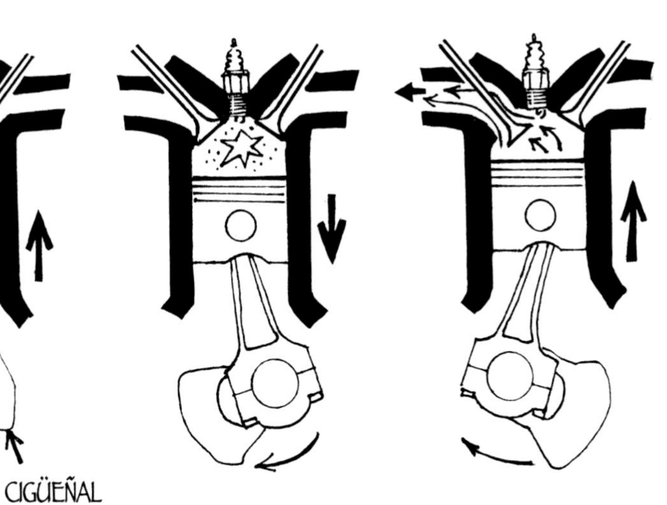

—idealmente 14.7 partes de aire por 1 parte de combustible— se comprime a medida que el pistón se acerca a la parte superior del cilindro, forzando la mezcla en la cámara de combustión.

Justo en el instante preciso se abre un conjunto de puntos operados por el eje del distribuidor, rompiendo un campo magnético en la bobina de encendido y creando una chispa de alto voltaje entre los electrodos de la bujía que salta dentro de la cámara de combustión. Esta acción enciende el fuego y comienza el proceso de combustión. La mezcla aire/combustible se quema de manera progresiva pero en extremo rápida, generando una enorme cantidad de calor y presión en el cilindro (pero sin explosión). Sustituya el carburador y los puntos de encendido por la inyección electrónica de combustible y el control electrónico de la chispa y ahí tiene los fundamentos del motor de un automóvil moderno.

¿Cómo convierte el motor este proceso de combustión en trabajo? Los 870 grados Celsius de calor y la enorme presión de los gases de la combustión que se expanden rápidamente aplican una impresionante presión en la superficie superior del pistón, impulsándolo hacia abajo en el cilindro. El pistón está conectado mecánicamente con la biela, que transmite esta fuerza a un muñón excéntrico en el cigüeñal —que aplica la presión de la combustión como fuerza rotacional en el cigüeñal—.

Ahora, multiplique este proceso por el número de cilindros en el motor y por la velocidad de rotación del cigüeñal, y listo, ha conseguido una energía utilizable para impulsar al vehículo. ¿Entendió todo esto?

Los motores modernos de gasolina son de cuatro tiempos, lo que significa que se requieren cuatro movimientos distintos del pistón para completar plenamente un ciclo de potencia. Los cuatro tiempos o carreras son:

Inducción—la válvula de admisión se abre a medida que el pistón se mueve hacia abajo, introduciendo la mezcla aire/combustible en la cámara de combustión.

Compresión—la válvula de admisión se cierra, el pistón se mueve hacia arriba en el cilindro, comprimiendo la mezcla.

Combustión—se enciende la mezcla cerca de la parte superior de la carrera del pistón, generando calor/presión que empuja el pistón hacia abajo en el cilindro.

Escape—la válvula de escape se abre a medida que el pistón comienza a subir nuevamente por el cilindro, obligando a los gases quemados a salir de la cámara de combustión.

Históricamente, los motores de gasolina de dos tiempos gozaban del beneficio de un peso muy ligero y de relaciones altas entre potencia y peso. Pero la ineficiencia y las mayores emisiones han dejado en la banca a estos motores de dos tiempos. Para que entienda mejor, a continuación explicamos cómo opera un motor de dos tiempos.

En lugar de árboles de levas y válvulas que se abren y se cierran para permitir la entrada de la mezcla aire/combustible en el motor y la salida de los gases de escape del mismo, en este caso unos puertos o aberturas en la pared del cilindro se tapan y se destapan con el movimiento del pistón. Debido a que el pistón puede hacer esto con cada movimiento ascendente/descendente, el motor puede encender la mezcla aire/combustible en cada ciclo en lugar de hacerlo cada dos ciclos, como en el caso del motor de cuatro tiempos.

CUATRO MOTORES TÍPICOS

ANATOMÍA DE UN HÍBRIDO

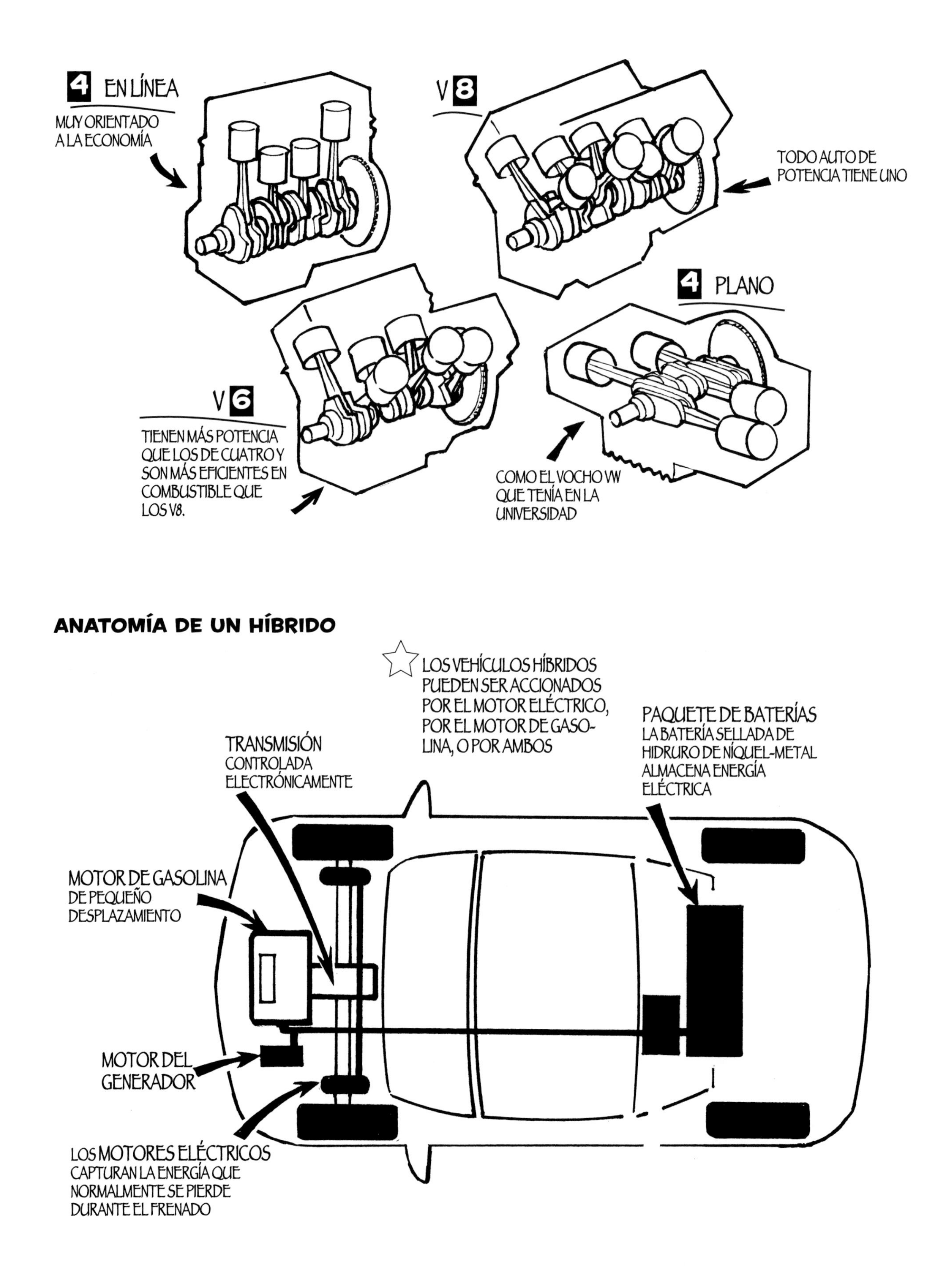

A medida que el pistón va hacia abajo en su carrera de potencia, descubre el puerto de escape para expulsar los gases de escape calientes y deja al descubierto el puerto de admisión para dejar entrar una carga fresca de aire/combustible. Como el cigüeñal del motor se presuriza con la mezcla aire/combustible entrante, dejar al descubierto estos puertos permite que los gases de escape salgan y empuja la mezcla aire/combustible entrante dentro del cilindro. Cuando el pistón continúa en su carrera ascendente, la carga se comprime para ser encendida y quemada en la parte superior de la carrera del pistón. Ésta es la ventaja del motor de dos tiempos: potencia con cada ciclo descendente del pistón.

MOTORES DIESEL

¿Y qué hay acerca de los motores diesel? Éstos están ganando popularidad actualmente para su uso en automóviles de pasajeros por una simple razón: mayor economía de combustible. La naturaleza de la combustión del diesel es aproximadamente 5-10 por ciento más eficiente en la conversión de la energía calorífica del combustible en trabajo real. Los motores diesel pueden ser de dos o cuatro tiempos, siendo la principal diferencia la naturaleza de la ignición. En los motores diesel no hay bobinas de encendido ni bujías. La mezcla aire/combustible se calienta y comprime a niveles mucho más elevados a medida que el pistón se mueve hacia la parte superior del cilindro, hasta que alcanza su punto de inflamación y se enciende por sí misma. En este caso, hay una explosión, y ésa es la razón por la que se puede escuchar el proceso de combustión de un motor diesel.

HÍBRIDOS

En los últimos años ha aparecido en el cofre un nuevo tipo de motor, el híbrido. Híbrido significa una mezcla, amalgama o cruza de dos cosas diferentes. Literalmente, los motores híbridos unen dos tecnologías de potencia diferentes en una planta de poder integrada. De manera típica, los híbridos incorporan un motor de gasolina de alta eficiencia y algún tipo de impulso eléctrico para mejorar el desempeño y reducir la dependencia del motor de gasolina.

El Insight de Honda, que ya tiene varios años en el mercado, cuenta con un pequeño motor de gasolina de 1 litro complementado con un motor eléctrico de 8 caballos de fuerza montado entre el motor y la transmisión manual. El vehículo arranca con la energía de la gasolina y luego agrega el refuerzo eléctrico cuando se necesita. Un sofisticado paquete de baterías opera el motor eléctrico y se recarga durante el manejo. El Prius de Toyota es similar, pero funciona diferente. El Prius utiliza un motor eléctrico para poner en marcha el vehículo, y luego hace que entre en funcionamiento el pequeño motor de gasolina aproximadamente a 15 kilómetros por hora. Recientemente varios fabricantes de automóviles han introducido sofisticados sistemas híbridos con tracción en las cuatro ruedas en camionetas y SUV (vehículos deportivos utilitarios).

El beneficio obvio de los autos híbridos es la eficiencia —menos consumo de combustibles fósiles—. Actualmente se están desarrollando y enviando al mercado más sistemas de propulsión híbridos al aumentar el interés de los consumidores, la industria y el gobierno en fuentes de energía y combustibles alternos.

TECNOLOGÍA MODERNA DE LA COMBUSTIÓN

No descarte todavía al viejo motor de combustión interna. Con más de 100 años de desarrollo, los motores de gasolina y diesel modernos son admirables, refinados y eficientes. Se ha aplicado una gran cantidad de nuevas tecnologías para mejorar el desempeño y la eficiencia, así como para reducir las emisiones. Éste no es un descubrimiento nuevo, pero los avances modernos en tecnología, diseño, ingeniería y

CÓMO FUNCIONAN LOS ÁRBOLES DE LEVAS EN CULATA

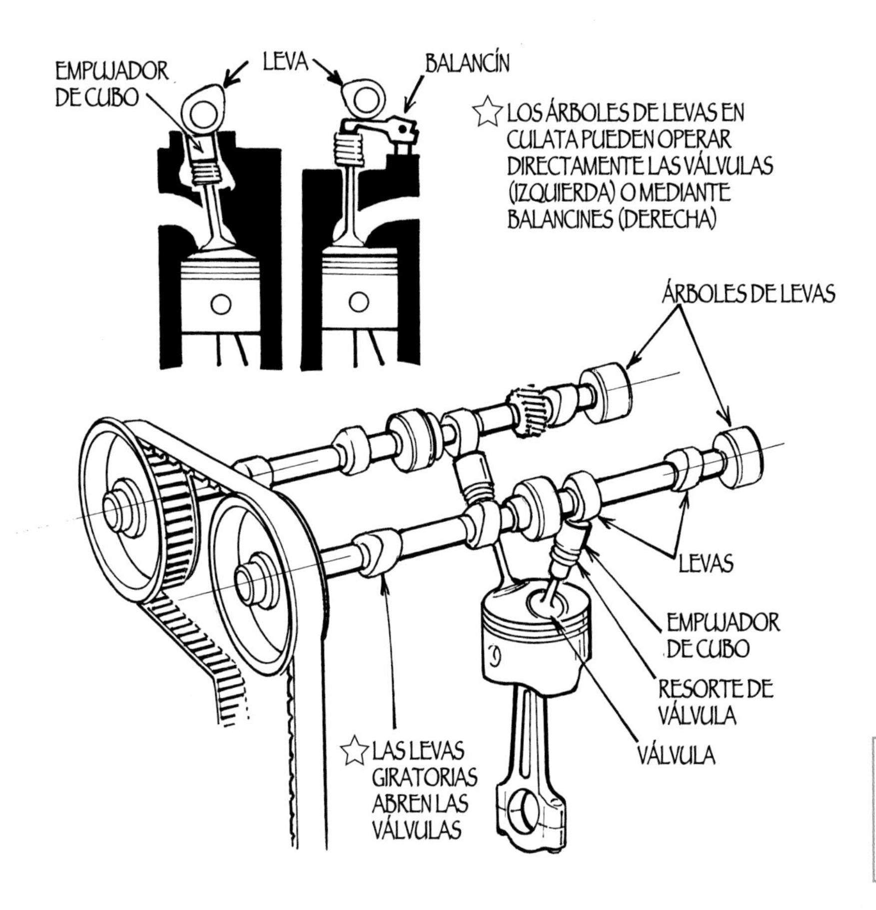

fabricación se han incorporado en el desarrollo actual de los automóviles.

Árbol de levas en culata: al montar las levas, o el árbol de levas, en la parte superior de la culata de los cilindros y operar las válvulas ya sea directamente o mediante balancines, la eficiencia del tren de válvulas se ve beneficiada con menos piezas y un peso más ligero.

Cuatro válvulas: en lugar de una sola válvula de admisión y una sola válvula de escape por cada cilindro, un par de válvulas de admisión y un par de válvulas de escape por cilindro permiten una mejor dosificación y control del aire entrante y del flujo de los gases de escape. De hecho, actualmente son comunes los motores de cinco válvulas por cilindro, tres de admisión y dos de escape.

Supercarga: por definición, la supercarga describe la acción de forzar aire a presión dentro del motor en lugar de depender del vacío y la presión del aire atmosférico para llenar los cilindros. Al forzar más aire en cada cilindro, el efecto es hacer que un motor pequeño piense que es grande y produzca más potencia.

La supercarga describe una bomba de aire impulsada mecánicamente que proporciona un refuerzo o aire a presión elevada en el sistema de inducción. Los supercargadores, impulsados por banda o por engranes del cigüeñal, proporcionan una respuesta rápida de aceleración a rpm relativamente bajas, haciendo que sean muy apropiados para motores grandes de bajas revoluciones.

Turbocarga: cuando una bomba de aire impulsada por el escape recibe energía de los gases de escape calientes que se expanden rápidamente, se dice que el motor está siendo turbocargado. Los turbos requieren cierto tiempo para alcanzar de 20 000 a 30 000 rpm al abrirse la mariposa del acelerador, creando de esta forma un pequeño retraso de aceleración. Pero funcionan muy bien con motores pequeños, ayudándolos a producir gran potencia a mayores rpm, y aun así entregando el kilometraje por combustible de un motor pequeño.

Inyección de combustible: vea el capítulo 2 sobre Sistemas de combustible. El beneficio principal de la inyección de combustible es alimentar el combustible a presión para su mejor atomización al entrar al sistema de inducción. Esto hace que se vaporice de manera más eficiente en un gas que puede quemarse. Las primeras generaciones de inyección mecánica de combustible eran eficientes pero mecánicamente complejas y no se adaptaban muy bien para la operación cotidiana de autos de pasajeros. Durante décadas los sistemas de inyección mecánica han sido la norma en los grandes motores diesel en los camiones que transitan por las carreteras.

Inyección electrónica de combustible: este sistema ha revolucionado la entrega de combustible. El control computarizado de la entrega de combustible a cada cilindro ha revitalizado al motor de gasolina de combustión interna con potencia y desempeño, eficiencia y bajas emisiones, junto con una increíble durabilidad y confiabilidad.

Encendido electrónico: al igual que la EFI, los sistemas de encendido electrónico han eliminado la mayoría de las partes mecánicas/móviles, han incrementado la exactitud y el control de la distribución del tiempo de encendido, y han mejorado el desempeño, la eficiencia, el manejo y la durabilidad.

Sistemas de encendido sin distribuidor (DIS): vea el capítulo 4. Los DIS eliminan completamente el distribuidor y proporcionan múltiples bobinas de encendido, en algunos casos una bobina por cilindro, montadas directamente arriba de la bujía.

Regulación variable de las válvulas: ésta proporciona un control electro-hidráulico de la regulación de las válvulas (cuando las válvulas de admisión/escape se abren/cierran) variando la relación de sincronización entre cigüeñal, árbol de levas y válvulas. Mejora la eficiencia permitiendo una regulación óptima de las válvulas a cualesquiera rpm. Es particularmente útil para ayudar a los motores pequeños a entregar una buena potencia a bajas rpm.

Desplazamiento por demanda (DOD) o sistema de desplazamiento múltiple (MDS): los DOD o MDS permiten desactivar cilindros individuales durante parámetros específicos de operación, es decir, a velocidad de crucero donde se necesita menos potencia. Esto puede lograrse deshabilitando electrónicamente la chispa y el combustible en cilindros específicos con el beneficio de un mejor kilometraje por combustible.

¡Vaya! Ahora usted sabe por qué no reconoce prácticamente nada cuando mira dentro del cofre de un automóvil moderno. De hecho, los fabricantes de automóviles han modificado el área del cofre con una cubierta de plástico que no sólo mejora la apariencia visual del motor sino que hace que reconocer y dar servicio a componentes específicos sea cada vez menos un proyecto del tipo hágalo usted mismo. Afortunadamente, los fabricantes de automóviles han identificado y localizado los componentes esenciales —indicadores para el aceite/líquido de la transmisión, tanque/tapa de recuperación de refrigerante, batería, etc.— de manera que los propietarios de automóviles puedan encontrarlos y revisarlos, si eligen hacerlo.

Usted sí lo va a elegir, ¿verdad? Revise los niveles de aceite y refrigerante una vez al mes, o con mayor frecuencia si sabe que el motor consume aceite o refrigerante. Los dos alimentos vitales de su motor son su aceite y su refrigerante. En otras palabras, quedarse con poco (¡o sin nada!) de cualquiera de los dos fluidos es dañino en el mejor de los casos y destructivo en el peor. Por lo tanto, una vez al mes, antes de arrancar el motor, con su auto estacionado en terreno plano en su cochera, a la entrada de su casa o en la calle, levante el cofre. Usted sabe dónde está el botón para abrir el cofre, ¿verdad? Recuerde, la información está en el manual del propietario.

CÓMO REVISAR EL LÍQUIDO REFRIGERANTE

Con el motor bien frío, inspeccione visualmente el nivel del líquido en el tanque de recuperación del refrigerante —por lo general un depósito de plástico translúcido en el compartimiento del motor—. Estará rotulado con una marca de nivel "frío" y una marca de nivel "caliente". Si el nivel está muy abajo de la marca "frío", súbalo con una mezcla 50/50 del refrigerante indicado y agua. Si el depósito está vacío (una vez más, asegúrese de que el motor está bien frío), quite el tapón de presión del radiador y revise visualmente el nivel del refrigerante. Si está muy bajo en el radiador, llene el depósito y comience a monitorear los niveles cada semana. Si el nivel continúa bajo, vaya directamente al taller y haga que un profesional revise el sistema de enfriamiento.

Los automóviles no deberán tener fugas o consumir cantidades significativas de refrigerante. Las pérdidas fraccionarias, quizá medio litro o menos al año, son relativamente normales. Cualquier pérdida mayor es motivo de revisión.

CÓMO REVISAR EL ACEITE

Saque la varilla para medir el nivel de aceite, límpiela con una toalla de papel o un trapo limpio, reinsértela hasta el fondo, espere un momento, sáquela de nuevo y revise el nivel del aceite. Deberá estar dentro de las marcas de la varilla, idealmente en la marca "full" (lleno) o cerca de ella. Si el nivel indica que falta medio litro —abajo de la parte media de las marcas—, suba el nivel con medio litro de aceite con la viscosidad correcta. Recuerde, el aceite del motor también es el refrigerante de los componentes mecánicos y móviles. Es mejor que la varilla marque "full" (lleno) que "add" (agregar).

Cambie el aceite y el filtro cada 5 000-8 000 kilómetros. Vea su manual del propietario y lea la descripción de las condiciones de manejo bajo "servicio pesado". Seguro es el caso de usted, ¿verdad? La mayoría de los propietarios de automóviles están en esta situación. Es cierto, los aceites actuales son productos mucho mejores, y los motores actuales tienen mucho mejor diseño, ingeniería y metalurgia. Las tolerancias más estrechas y los ajustes más rigurosos tienden a reducir la tasa de consumo de aceite y la contaminación. Pero recuerde esta realidad absoluta: más allá de la garantía, más allá de las recomendaciones de servicio, *es su vehículo y su motor*. Piense en los cambios frecuentes de aceite/filtro como un seguro barato contra un desgaste prematuro del motor. Más vale prevenir que lamentar.

Y utilice aceites y filtros de calidad premium. Los nombres de las marcas tienden a reflejar un producto de calidad: la compañía pone en juego su nombre y reputación en el envase o en la caja. No hay nada de malo con los aceites/filtros de marcas de tienda en tanto cumplan la calificación de servicio del Instituto Norteamericano del Petróleo (American Petroleum Institute, API) y el Índice de Viscosidad, pero tiene sentido mantenerse con un aceite y filtro con un nombre de marca respetable. Y, de cualquier modo, no cuesta mucho más.

COSTOS DEL CAMBIO DE ACEITE

Hablando de costos, ¿le preocupa estar desperdiciando dinero con cambios frecuentes de aceite? Hagamos los cálculos. Calcule lo que dos cambios de aceite adicionales al año de 250 pesos agregan a sus costos totales de poseer, depreciar, operar, poner combustible, mantener, reparar, pagar licencias, seguros y manejar el vehículo. Si recorre 25 000 kilómetros al año, esos 500 pesos adicionales agregan 0.02 pesos por kilómetro a sus costos. Con el costo típico por kilómetro de los vehículos más nuevos en el rango de 5 a 7.50 pesos, los cambios adicionales de aceite son literalmente una pequeñísima cantidad, un factor que no afecta.

ACEITES SINTÉTICOS

¿Y qué hay acerca de los lubricantes sintéticos? ¿Valen la pena? Podríamos pasarnos todo un capítulo discutiendo los pros y los contras del uso de aceites sintéticos, pero el hecho sencillo es que los lubricantes sintéticos son aceites relativamente mejores con el beneficio específico de un mejor flujo inicial en el arranque en frío, mejor estabilidad de la viscosidad durante la vida del aceite y mejor viscosidad a altas temperaturas de operación.

De nueva cuenta, los lubricantes premium derivados del petróleo son productos maravillosos y perfectamente apropiados para su uso en los motores de los automóviles modernos, pero si usted desea esos pocos puntos porcentuales adicionales de protección, adelante, utilice lubricantes sintéticos. Una vez más, el aspecto económico no es significativo; los 100-150 pesos adicionales por un cambio de aceite en general no serán un factor importante en el costo global del vehículo durante los años que lo tenga y lo maneje. Además, ¡su motor sabrá cuánto lo quiere! Y la etiqueta de cambio de aceite en el parabrisas o en la puerta que indica el uso de aceite sintético ciertamente no afectará el valor de reventa si decide vender el vehículo.

Si elige utilizar aceite sintético, ¿puede incrementar dramáticamente los intervalos para el cambio de aceite para su motor? No. Los fabricantes de automóviles no hacen ninguna diferencia entre los aceites sintéticos y los aceites de petróleo en sus recomendaciones para el cambio de aceite, y tampoco la debería hacer usted.

¿Y cómo afecta eso al programa completo de mantenimiento? Simplemente revise y cambie de manera periódica el aceite/filtro y el refrigerante. Si hay una varilla indicadora para el líquido de la transmisión, revíselo cada mes o algo así, o por lo menos en cada cambio de aceite. Eso es lo que debe hacer, si usted *puede* revisar el líquido de la transmisión. Varios de los nuevos vehículos tienen transmisiones selladas sin varillas indicadoras.

LA BANDA DE DISTRIBUCIÓN

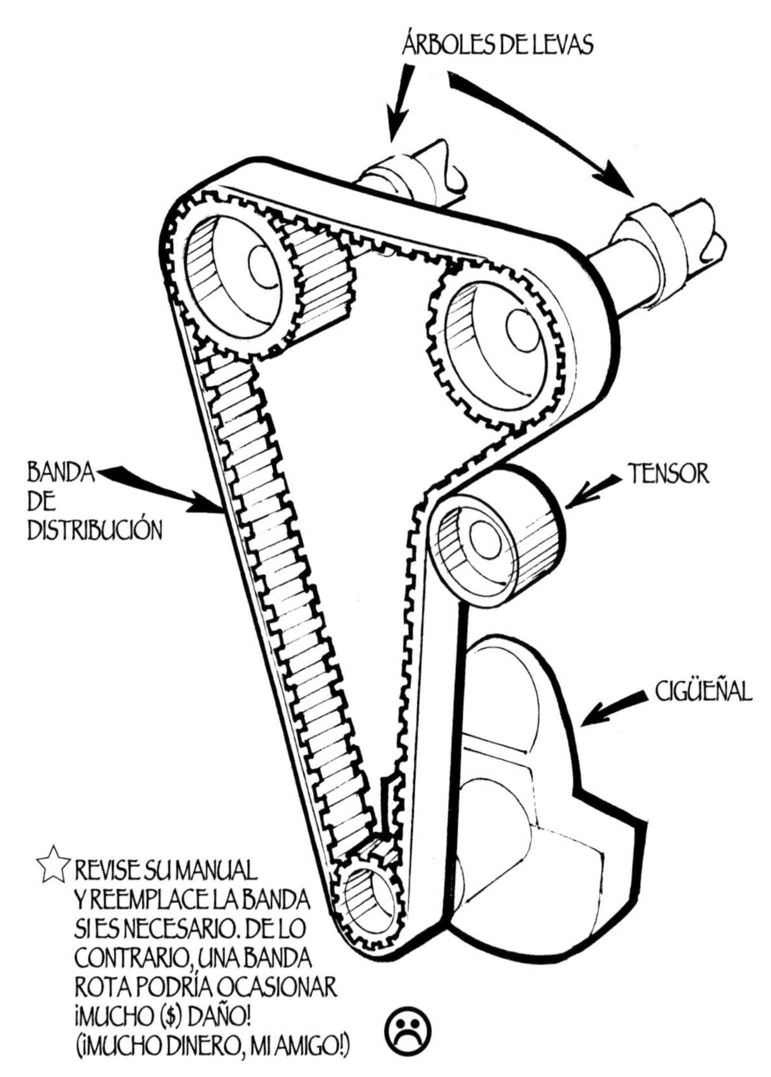

CAMBIOS DEL FILTRO

Agregue un filtro nuevo una vez al año y con esto habrá cubierto casi a la perfección el mantenimiento necesario para los primeros 160 000 kilómetros de manejo. Compare eso con el mantenimiento de vehículos de tan sólo hace unas cuantas décadas y verá que los fabricantes de automóviles han llegado a entender completamente que a la mayoría de los dueños de automóviles *no* les interesa consumir tiempo, energía o dinero en mantener sus vehículos de motor. Por esa razón están fabricando vehículos mucho, mucho mejores, ¡que requieren mucho menos mantenimiento!

Su vehículo de motor sobrevivirá con tan sólo este nivel de mantenimiento. Pero usted es un propietario consciente, ¿cierto? Usted desea maximizar absolutamente el tiempo que dure su vehículo, y minimizar las reparaciones a lo largo de dicho periodo. ¿Quién no? Por lo tanto, añada unas cuantas cuestiones más de mantenimiento antes de esa primera afinación con bujías nuevas a los 160 000 kilómetros.

Otras revisiones

Hablando de bujías, incluso si no están programadas para su reemplazo hasta los 160 000 kilómetros, no es una mala idea quitarlas, revisarlas y reinstalarlas en el rango de 50 000-80 000 kilómetros. Hágalo, aunque sólo sea para poder aplicar una pequeña capa de antiadherente a las roscas a fin de evitar que las bujías se oxiden/peguen en la culata de los cilindros, en particular si ésta es de aluminio. No es raro ver bujías atascadas después de 160 000 o más kilómetros recorridos (ver el Proyecto 9: Cambio de los cables de las bujías y las bujías).

Otro elemento que debe revisarse es el filtro/válvula de ventilación positiva del cárter (PCV). Si su motor tiene una válvula PCV, deberá revisarse una vez al año para asegurarse de que esté limpia y no esté obstruida con aceite/sedimentos. Por lo general montada en la tapa de válvulas, tan sólo jálela, sacúdala para asegurarse de que traquetea correctamente, examine la abertura para ver si hay sedimentos y, si todavía está en buen estado, vuelva a instalarla. Si está obstruida, compre e instale una nueva por tan sólo unos cuantos pesos. Repita lo mismo para el filtro PCV (si está incorporado) en la caja del limpiador de aire. Y vuelva a hacer lo mismo si hay un filtro de recirculación de los gases de escape (EGR).

También debe prestar cierta atención a las bandas, mangueras, el termostato y el tapón del radiador (ver en el capítulo 5 un examen más profundo de estos últimos). Inspeccione visualmente estas partes una vez al mes cuando tenga abierto el cofre para revisar el aceite y el refrigerante. Cuatro años o entre 100 000 y 130 000 kilómetros es un buen criterio para reemplazar las bandas, mangueras, el termostato y el tapón del radiador.

La banda de distribución impulsa el tren de válvulas de su automóvil y es un componente interno que no puede ver cuando abre el cofre. (No debe confundirse con la banda serpentina o la banda en V para la bomba de agua y accesorios, que es una banda expuesta que usted puede ver cuando abre el cofre).

Revise su manual del propietario para determinar dos puntos específicos:

1. ¿El motor utiliza una banda de distribución de hule/tela o una cadena de distribución de acero?

Las bandas de distribución a menudo necesitan un reemplazo periódico en un intervalo de 100 000 y 160 000 kilómetros. Las cadenas de distribución no necesitan reemplazo periódico.

2. ¿Su motor es de interferencia? Si es así y si la banda o la cadena de distribución llegara a fallar o a romperse, puede ocurrir contacto físico entre las válvulas abiertas y los pistones, ocasionando un daño serio al motor. Si no es un motor de interferencia, entonces la falla de la banda o la cadena detendrá el vehículo abruptamente, pero no ocasionará mayor daño que una simple molestia y un costo no menor por el reemplazo.

El mensaje es el siguiente: siga las recomendaciones del fabricante del automóvil para el reemplazo de la banda de distribución. Si ignora el mantenimiento de la banda de distribución y ésta se rompe, su motor podría arruinarse y costarle miles de pesos en reparaciones.

MANEJO DE FUGAS

Finalmente, después de muchos miles de kilómetros su motor podría presentar fugas de un tipo u otro —aceite, refrigerante o ¡combustible!—. ¿Cómo debe manejar una fuga? En primer lugar, enterándose de ella. Si no abre el cofre una vez al mes para revisar el aceite y el refrigerante y para examinar visualmente el compartimiento del motor, ¿cómo va a saber que hay una fuga?

- ¿Manchas en el piso de su estacionamiento/cochera, o en el estacionamiento de su oficina?
- ¿Olor a aceite caliente bajo el cofre?
- ¿Una ligera emanación de humo proveniente del compartimiento del motor?
- ¿El aroma agridulce de refrigerante caliente?
- ¡Falla del motor/transmisión!

Todas las situaciones anteriores son señales de alarma. Abra el cofre; observe, huela, sienta si hay evidencia de fugas. O coloque un pedazo de cartón, periódico, o una hoja grande de papel blanco debajo de su carro por la noche. Si descubre manchas frescas en el papel por la mañana, algo se está fugando. El color de la mancha puede ayudarle a identificar de dónde proviene el líquido, y la ubicación específica debajo del vehículo puede ayudarle a detectar el origen.

Aceite negro pardusco—motor, transmisión, caja de transferencia, diferencial
Aceite rojizo de color claro—transmisión, dirección hidráulica
Líquido menos aceitoso, sin color—líquido de los frenos hidráulicos
Verde o amarillo, acuoso—anticongelante/refrigerante
Acuoso, aromático—¡gasolina!

Pequeñas fugas de aceite, como manchas húmedas alrededor o cerca de la tapa de válvulas, no son particularmente significativas. Usted y su motor pueden vivir con este tipo de fugas menores siempre y cuando no permita que el aceite del motor descienda por debajo de un nivel seguro. Pero las fugas menores encuentran la manera de convertirse en fugas mayores cuando no se les atiende. Por eso, en algunos casos volver a apretar los pernos de la tapa de válvulas (por ejemplo) podría retrasar o detener la fuga, al menos por un tiempo. Pero de cualquier modo, hasta que la fuga deje gotas o charcos en el pavimento, tal vez no valga la pena el costo de varios cientos de pesos por una reparación profesional, particularmente en vehículos viejos con mucho kilometraje.

Pero eso no significa que usted no pueda repararla. El reemplazo de las juntas de una tapa de válvulas es relativamente fácil y directo; el único problema real es la accesibilidad. Si usted puede llegar a todos los pernos y tuercas de sujeción y la tapa de válvulas sale fácilmente

FUGAS: EL DOLOR DE CABEZA DE LAS MANCHAS EN EL PISO DE LA COCHERA

LAS MANCHAS ESTÁN ALLÍ.
¡HAY QUE ENCARGARSE DE ELLAS!
IDENTIFIQUE LA FUENTE: ¿ACEITE DEL MOTOR?
¿LÍQUIDO DE LA TRANSMISIÓN O DE LA DIRECCIÓN HIDRÁULICA?
¿QUIZÁ EL REFRIGERANTE DEL RADIADOR?
Y RECUERDE, CAMBIAR EL CARTÓN <u>NO RESOLVERÁ</u> EL PROBLEMA.

sin tener que quitar una variedad de componentes o conexiones para que quede libre, entonces es un proyecto que puede realizar usted mismo. Asegúrese de contar con las herramientas correctas —dados o llaves de tuercas, extensión, matraca, etc.— y deténgase en la tienda local de autopartes para adquirir la junta de reemplazo y los suministros, como raspador de juntas o navajas de afeitar de un solo filo, sellador para juntas y limpiador de frenos en aerosol. Asegúrese de que sea la junta correcta. No hay nada más frustrante que desarmar todo, limpiarlo y disponerse a volver a ensamblar... sólo para descubrir que tiene en la mano la junta equivocada. No me pregunte cómo sé esto...

Con el motor frío y teniendo puestos un par de guantes ligeros, mueva o quite cualquier cosa que estorbe, luego desatornille (derecha apretar, izquierda aflojar) los pernos o tuercas que sujetan la tapa de válvulas. Si la tapa está pegada a la superficie, un ligero golpe con un mazo de hule deberá despegarla. Jálela para desprenderla del motor. Remueva de las superficies de contacto cualquier rastro de material de la junta vieja tanto en la tapa de válvulas como en la culata de los cilindros —¡cualquier rastro!—. Utilice el raspador de juntas o la navaja de rasurar, luego use una fibra como Scotch-Brite^MR para limpiar y pulir las superficies.

Si la tapa de válvulas no utiliza una junta, distribuya uniformemente una línea de sellador en la superficie de contacto y luego coloque en su lugar la tapa de válvulas. Si la tapa requiere una nueva junta, unte una pequeña masa de sellador entre su pulgar y su dedo índice, luego frótela en ambos lados de la junta para formar una película delgada. Esto también sirve como ayuda para mantener la junta en su lugar durante el ensamble y para sellarla a fin de evitar fugas.

Adhiera la junta ya sea a la tapa de válvulas o a la culata de los cilindros, coloque la tapa en su lugar, vuelva a instalar los sujetadores y apriételos primero con los dedos y luego con la herramienta apropiada en una secuencia alternada. Puede haber un torque de sujeción específico para estas tuercas o pernos; si tiene una llave de torque, úsela. Si no, apriete los sujetadores firmemente sujetando la matraca en la palma de su mano. Bueno, la lista de herramientas era un poco más larga de lo que había pensado en un principio, ¿verdad? Por esa razón es una buena idea planear y revisar el trabajo y separar todas las herramientas que podría necesitar antes de comenzar el proyecto.

Cualquier fuga de aceite considerable o mayor, o cualquier tipo de fuga de refrigerante o combustible, necesita atención inmediata; en particular una fuga de combustible. Si llegara a oler a gasolina o a ver gasolina no quemada en el compartimiento del motor o en el pavimento, no debe siquiera arrancar el motor. Recuerde, los motores con inyección de combustible entregan el combustible a una presión muy alta, por lo que cualquier tipo de fuga es un peligro de incendio inmediato y serio. Simplemente no arranque el motor.

FUGAS DE LÍQUIDO REFRIGERANTE

Usted puede identificar una fuga de refrigerante por el color del líquido que proviene del automóvil. El refrigerante es por lo general de color verde, amarillo o anaranjado. Las fugas de refrigerante no presentan el mismo nivel de riesgo que una fuga de combustible, pero se ha sabido que motores sobrecalentados en exceso llegan a incendiarse y quemarse. Además, cualquier tipo considerable de fuga de refrigerante significa que hay un problema con el sistema de enfriamiento que potencialmente podría conducir a un sobrecalentamiento y daño del motor.

Con el motor frío, tal vez usted pueda encontrar con la vista el origen de la fuga de refrigerante. Podría ser de una manguera que se conecta al radiador o a la salida del motor. Tal vez sólo sea la abrazadera suelta de una manguera, si tiene suerte. O podría estar goteando de la manguera inferior del radiador —típico de un sello con fuga en la bomba de agua—. O el fondo del propio radiador podría estar mojado —indicando potencialmente una fuga del propio radiador—. O podría estar goteando de un lado o de la parte posterior del motor —lo cual puede señalar un tapón del bloque (o de congelamiento) corroído y con fuga—.

Y en la mayoría de los casos, las fugas pequeñas con el tiempo se convierten en fugas grandes, así que por qué esperar hasta que sean un problema mayor. Lleve el vehículo a un taller para encontrar y reparar la fuga. En caso de una emergencia o para una reparación temporal de fugas menores de refrigerante, puede intentar agregar al radiador un producto sellador de fugas. Para que no tenga que preocuparse con respecto a la utilidad de estos productos, muchos fabricantes de automóviles agregan un producto sellador de fugas al sistema de enfriamiento en sus vehículos nuevos para asegurar que no haya goteo de refrigerante en el pavimento cuando estacione a la entrada de su casa esa nueva máquina de 300 000 pesos.

La conclusión en relación con su motor es simplemente ésta: el motor es el componente más fuerte, confiable y duradero de su vehículo. La mayoría de los vehículos expirarán debido a la corrosión o a los daños de un choque mucho antes de que sufran una falla del motor, siempre y cuando el motor reciba un mantenimiento adecuado y no se le deje funcionar sin aceite o refrigerante, o sobrecalentado.

En otras palabras, la mayoría de las fallas en el motor se deben a negligencia o ignorancia del propietario, y no a una condición mecánica o desgaste mecánico. ■

SOLUCIÓN DE PROBLEMAS DEL MOTOR

PROBLEMA	CAUSAS PROBABLES	ACCIONES PARA LA REPARACIÓN
MOTOR ATASCADO (no quiere girar aun cuando están funcionado la batería y el motor de arranque)	Bloqueo hidráulico con combustible, agua o refrigerante	Quite las bujías, saque los fusibles para deshabilitar el encendido/inyección de combustible. Pruebe el motor de arranque/pruebe girar el motor con un dado en la tuerca/perno de la polea del cigüeñal
	Falla mecánica—cojinete atascado, biela/pistón/válvula rota	Reemplace el motor
EXCESIVO HUMO AZUL PROVENIENTE DEL TUBO DE ESCAPE	Humo de aceite proveniente de anillos de pistón/guías de válvulas/sellos desgastados	Reemplace los asientos de válvulas—podría reducir el humo/consumo de aceite
	Válvula PCV tapada/bloqueada	Reemplace la válvula PCV/revise las mangueras/conexiones PCV
EL MOTOR SE DETIENE POR COMPLETO	Problema del ECM/encendido/entrega de combustible	Vea Solución de problemas del sistema eléctrico
EXCESIVO HUMO BLANCO PROVENIENTE DEL TUBO DE ESCAPE	Fuga de refrigerante en las cámaras de combustión. Posible falla de la junta de la culata de los cilindros/junta del múltiple de admisión	Pruebe la presión del sistema de enfriamiento. Pruebe químicamente si hay hidrocarburos del escape en el refrigerante. Hágalo usted mismo: quite las bujías justo después de apagar el motor; observe si hay vapor blanco proveniente de los orificios de las bujías
	Combustible no quemado proveniente de inyector atascado	Reemplace el inyector de combustible
HUMO AZUL PROVENIENTE DEL TUBO DE ESCAPE CUANDO ARRANCA EL MOTOR, LUEGO LAS EMISIONES DEL ESCAPE SON NORMALES	Guías/sellos de válvulas desgastados. Fugas de aceite en la cámara de combustión después de apagar el motor	Reemplace los asientos de las válvulas—podría reducir el humo
FUERTE DETONACIÓN, RUIDO METÁLICO, GOLPETEO, CASCABELEO DEL MOTOR	Ruido mecánico proveniente de cojinetes del motor desgastados, componente roto del tren de válvulas, cadena de distribución desgastada/floja	No opere el motor/no maneje el vehículo hasta que lo revise un profesional. Hágalo usted mismo: use un estetoscopio mecánico para localizar el origen del ruido
	Perno flojo en el convertidor de torsión golpeando el interior de la campana	Apriete nuevamente el perno—problema potencial del convertidor de torsión
EL MOTOR ROCÍA ACEITE SOBRE EL COMPARTIMIENTO DEL MOTOR	Tapón del aceite flojo	Apriete o reemplace el tapón
	Válvula PCV floja	Vuelva a insertar la válvula PCV
	Fuga de aceite proveniente de la tapa de válvulas/culata de los cilindros/sello principal/colector de aceite	Identifique y repare la fuga
SE ENCIENDE LA LUZ DE PRESIÓN BAJA DEL ACEITE O EL INDICADOR MUESTRA PRESIÓN BAJA DEL ACEITE	Nivel de aceite bajo	Revise el aceite y llene el depósito según el nivel recomendado por el fabricante. *(Proyecto 4: Revisión del aceite,* y *Proyecto 5: Cambio de aceite y filtro)*
	Falla de la bomba de aceite, cojinetes del motor desgastados	Haga que revisen el motor/cojinetes/bomba de aceite en un centro de servicio profesional
HUMO PROVENIENTE DEL COFRE	Fuga de aceite del motor goteando en el escape caliente	Identifique y repare la fuga de aceite
	Fuga de refrigerante caliente proveniente del motor/radiador	Identifique y repare la fuga de refrigerante

Proyecto 4

Revisión del aceite

TALENTO: 1

TIEMPO: 5 minutos

HERRAMIENTAS:
Toalla de papel o trapo

COSTO: $0

SUGERENCIA:
Revise su aceite cada vez que cargue combustible o por lo menos una vez al mes. Si el nivel del aceite está bajo, se ensuciará más rápidamente y acelerará el desgaste del motor.

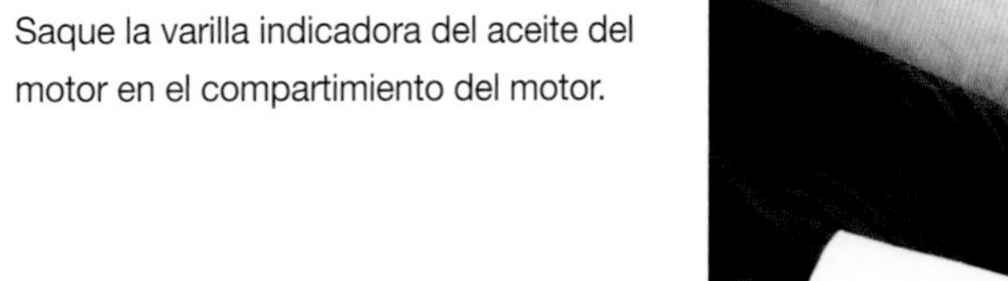

1 Saque la varilla indicadora del aceite del motor en el compartimiento del motor.

2 Limpie la varilla con una toalla de papel o un trapo.

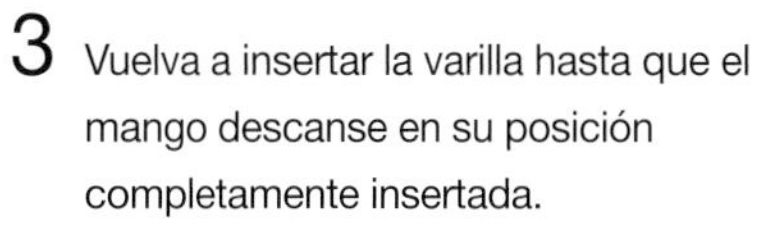

3 Vuelva a insertar la varilla hasta que el mango descanse en su posición completamente insertada.

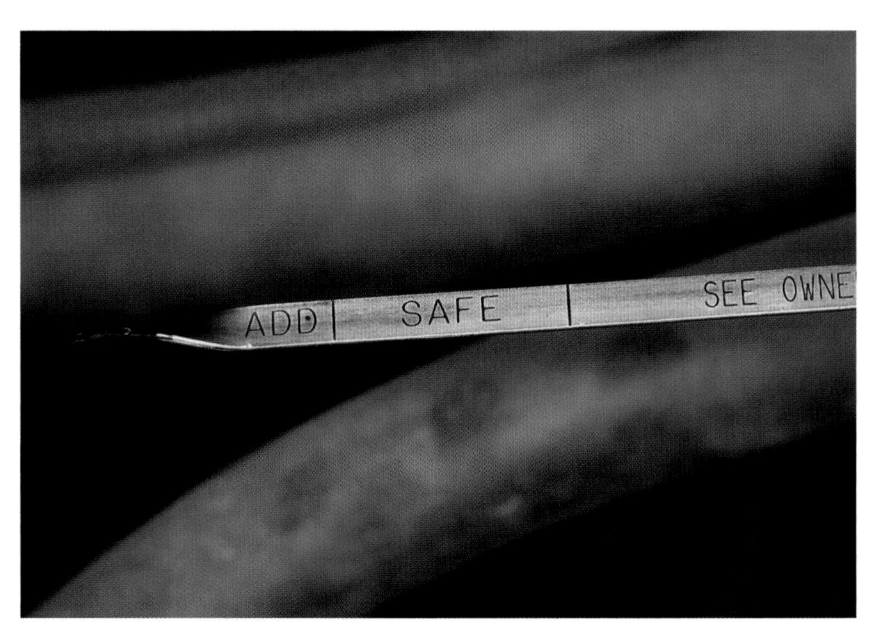

4 Saque de nuevo la varilla y revise las marcas en el extremo para ver el nivel del aceite de su motor. El aceite fresco tiene un color dorado traslúcido. Si la línea de aceite termina en la zona segura (SAFE) de la varilla, indica que el nivel es correcto.

SUGERENCIA: revise su aceite una vez al mes o aproximadamente cada 1 500 kilómetros y mantenga el nivel recomendado, el cual estará indicado en su manual del propietario. (Observe que el nivel recomendado para un modelo dado de vehículo puede variar según el tamaño del motor.)

Proyecto 5

Cambio de aceite y filtro

TALENTO: 2

TIEMPO: 30 minutos

HERRAMIENTAS:
Embudo, bandeja de purga, llave de tuercas, posiblemente un cincho para el filtro de aceite

COSTO: $150–200

SUGERENCIA:
Coloque el filtro sucio con el lado roscado hacia arriba en la caja del filtro para evitar fugas mientras instala el nuevo y agrega aceite.

1 El cambio de aceite y el filtro de aceite de manera regular es esencial para una larga vida del motor. Los intervalos recomendados están incluidos en el manual del propietario. El aceite se encuentra en el depósito de aceite en la parte inferior del motor. En esta foto el filtro de aceite se encuentra del lado izquierdo.

2 Con el motor caliente, pero no demasiado, quite el tapón de purga del depósito del aceite. Gire en sentido contrario a las manecillas del reloj. Deje que el aceite se drene en la bandeja.

SUGERENCIA: el tapón tiene aproximadamente 1/2 pulgada de largo. No deje que caiga en la bandeja de purga.

3 Gire el filtro de aceite en el sentido contrario a las manecillas del reloj para aflojarlo. Tal vez puede liberarlo manualmente, pero lo más seguro es que necesite un cincho para el filtro, que encontrará en cualquier tienda de autopartes y en muchos supermercados. Un poco de aceite goteará al aflojar el filtro, por lo que debe colocar la bandeja de purga adecuadamente. Deje que el aceite se drene del área del filtro y el depósito durante unos minutos.

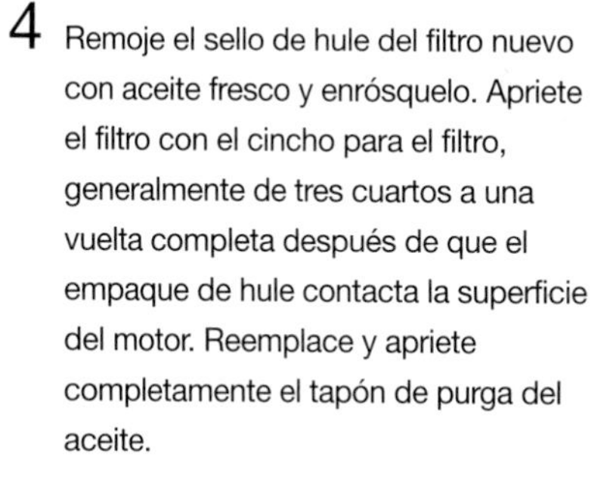

4 Remoje el sello de hule del filtro nuevo con aceite fresco y enrósquelo. Apriete el filtro con el cincho para el filtro, generalmente de tres cuartos a una vuelta completa después de que el empaque de hule contacta la superficie del motor. Reemplace y apriete completamente el tapón de purga del aceite.

Nota: tenga cuidado al enroscar el tapón de purga, ya que su depósito tendrá fugas si lo mete trasroscado. No coloque el tapón de purga con una llave neumática; apriételo con una llave manual.

5 El tapón de llenado de aceite estará en la parte superior del motor y etiquetado apropiadamente. Quítelo y colóquelo a un lado.

6 Inserte un embudo en el orificio de llenado del aceite.

7 Vierta el número de litros indicados en el manual del propietario y vuelva a colocar el tapón. Eche a andar el motor durante unos cuantos minutos, luego apáguelo y revise si hay fugas en el filtro o en el tapón de llenado. Vuelva a revisar el nivel del aceite para asegurarse de que marca lleno.

Nota: asegúrese de reciclar apropiadamente el aceite y filtro viejos. Muchos talleres de automóviles aceptan aceite y filtros viejos. Incluso muchas ciudades aceptarán aceites y filtros de motor usados para su reciclaje. Verifique esto en las oficinas locales de su ciudad.

Proyecto 6

Cambio del filtro de aire

TALENTO: 1

TIEMPO: 5–15 minutos

HERRAMIENTAS:
Ninguna, desarmador o llave de tuercas pequeña, dependiendo del estilo

COSTO: $100–150

SUGERENCIA:
Revise si hay obstrucciones en la entrada de aire como hojas, particularmente en el tipo que queda abierto a la parrilla.

1 Los filtros de aire viejos, como los de este Dodge Dakota 1994, normalmente se encuentran en un receptáculo redondo en la parte superior del motor. Afloje la tuerca de mariposa para abrirlo.

SUGERENCIA: revise el manual del propietario para ver los intervalos de servicio (periodo de reemplazo) del limpiador de aire y otros elementos de mantenimiento. Si usa su vehículo en ambientes sucios, como caminos sucios o terracerías, revise y reemplace el filtro con mayor frecuencia.

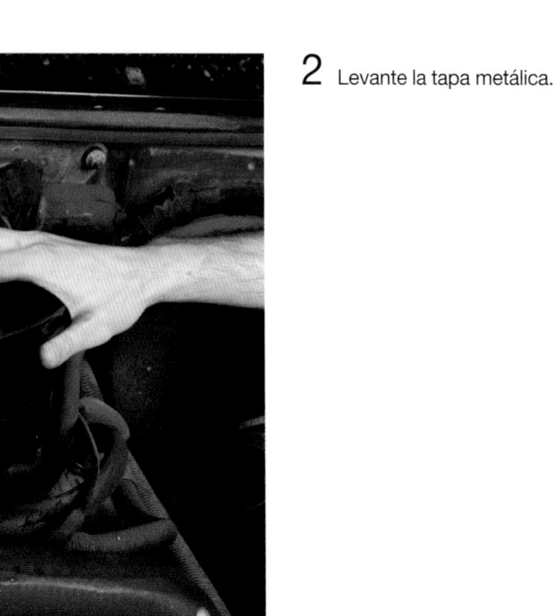

2 Levante la tapa metálica.

3 Saque el elemento del filtro. Éste está bastante sucio. Los filtros sucios reducen la eficiencia del motor. Limpie cuidadosamente cualquier suciedad o residuo del receptáculo del limpiador de aire antes de reemplazar el elemento del filtro.

4 Los vehículos más nuevos normalmente tienen una caja de aire, como ésta, a un lado del compartimiento del motor. Usted puede acceder al elemento del filtro aflojando el tornillo de la abrazadera de la manguera o levantando una serie de clips. Entonces se puede sacar el filtro de aire. Nuevamente, asegúrese de que el receptáculo esté limpio antes de instalar el elemento del nuevo filtro. Observe la orientación del filtro viejo e inserte el nuevo en la misma dirección.

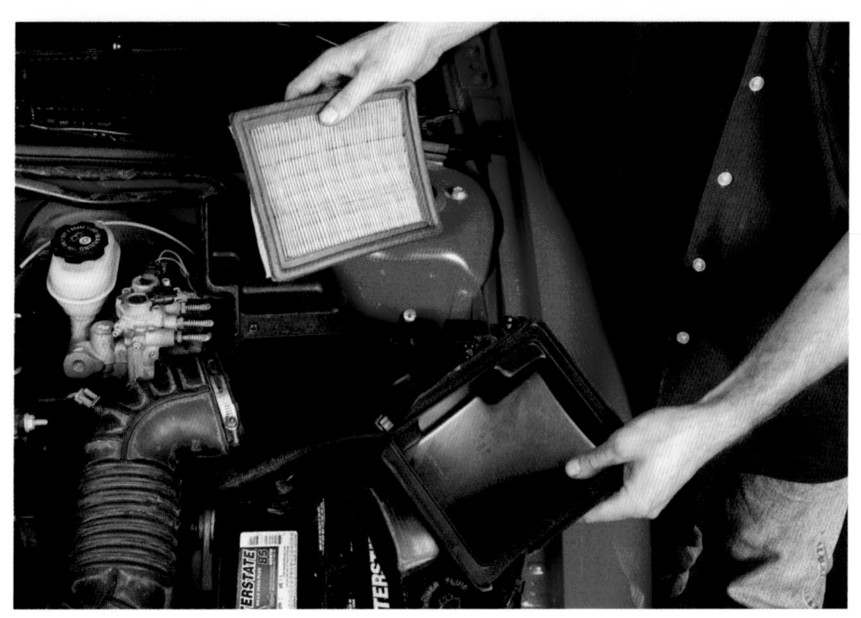

Proyecto 7

Cambio de la válvula PCV

TALENTO: 2

TIEMPO: 15 minutos

HERRAMIENTAS:
Ninguna (las manos)

COSTO: $50–150

SUGERENCIA:
Saque cuidadosamente la válvula del ojal de caucho en la tapa de la válvula para evitar dañar el ojal.

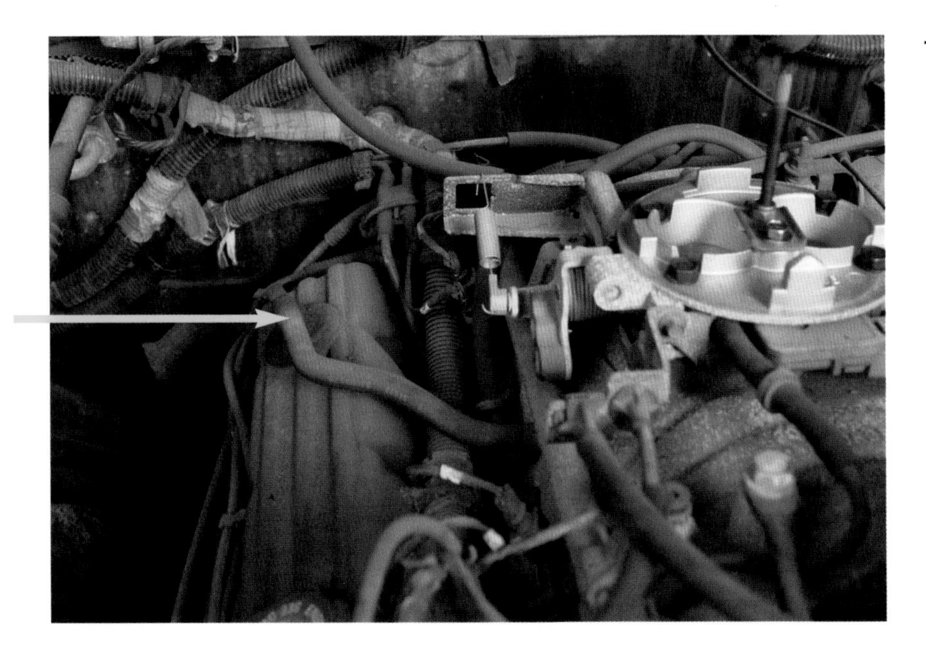

1 Si el motor está equipado con una válvula PCV (ventilación positiva del cárter), por lo general se encuentra en la tapa de válvulas. Su función es enviar los gases de la combustión que escapan a la tapa de válvulas hacia la admisión de aire, donde son introducidos a través del sistema de inducción y quemados. Revise el manual del propietario para ver el intervalo de servicio para la válvula PCV.

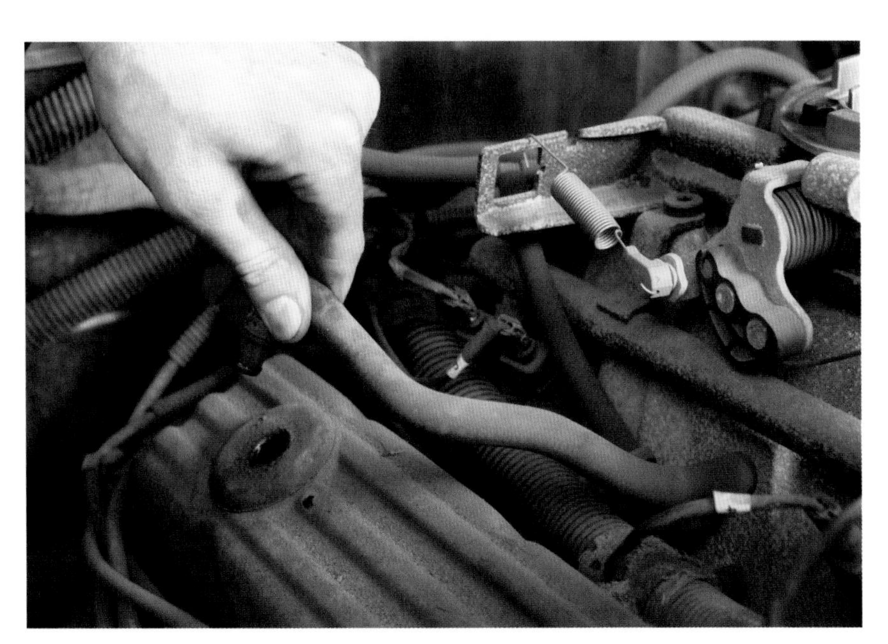

2 Jale la válvula PCV para sacarla de la tapa de válvulas del motor.

3 Ahora se puede sacar la válvula de la manguera que va al limpiador de aire.

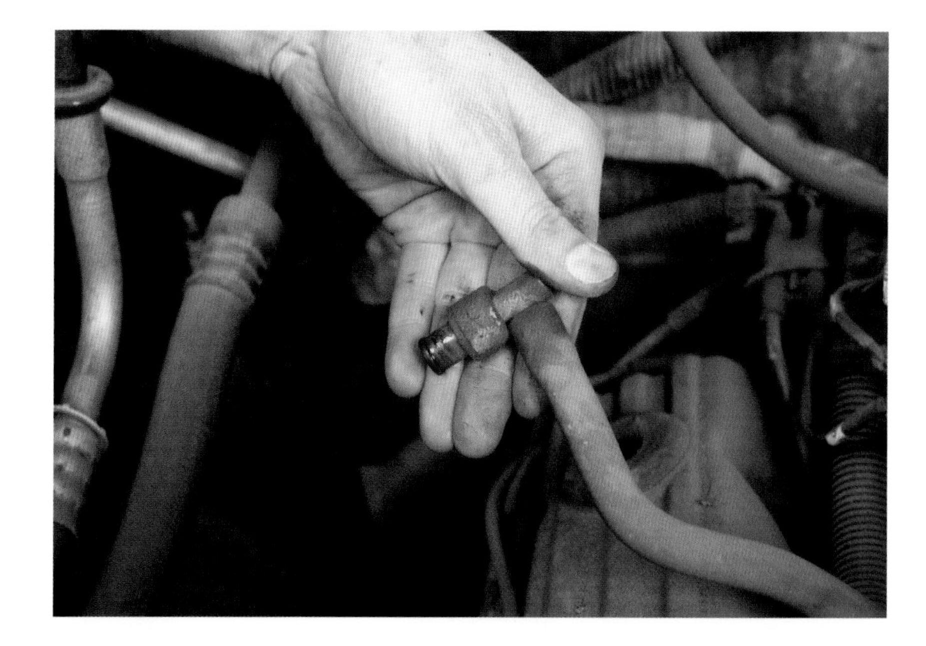

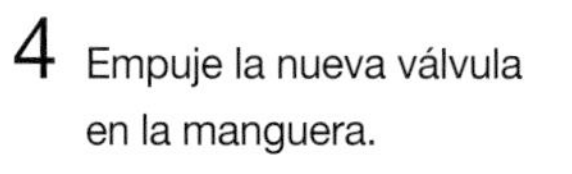

4 Empuje la nueva válvula en la manguera.

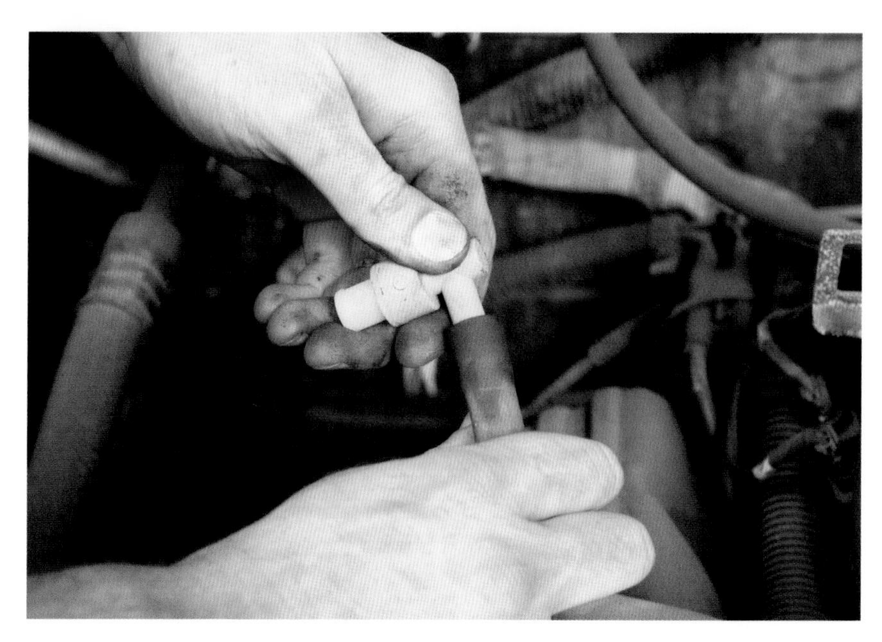

5 Presione el otro extremo de la válvula en el ojal de caucho en la tapa de válvulas. Asegúrese de que la válvula esté bien sellada en la manguera y la tapa de válvulas.

Proyecto 8

Reemplazo de la banda serpentina

TALENTO: 3

TIEMPO: 15–45 minutos

HERRAMIENTAS:
Dado, maneral de mango largo

COSTO: $200–500

SUGERENCIA:
Observe con atención la ruta de la banda antes de quitar la vieja y determine exactamente cómo va a instalar la nueva para que quede en la posición correcta.

1 Un letrero o etiqueta en el compartimiento del motor explicará la ruta de la banda serpentina alrededor de las poleas en el frente del motor. Para cambiar la banda, necesita encontrar y liberar el tensor de la banda para aflojar esta última y crear suficiente holgura para quitarla. Este Dodge usa una polea en un brazo de resorte. La polea está identificada en la etiqueta, que también muestra de qué manera se debe mover para liberarla. Algunos vehículos utilizan un perno de cuerda larga para tensar la banda, el cual se debe desatornillar para liberar la tensión en la banda.

2 Coloque un dado en un maneral de mango largo o un maneral articulado sobre la tuerca en la polea tensora y empuje o jale en la dirección indicada (aquí, hacia adentro).

3 Con la banda floja, puede levantarla de una de las poleas y luego ir sacándola, usando la etiqueta como guía. Realice esta tarea a plena luz del día o con una lámpara de taller brillante. Si falta el letrero o el diagrama, dibuje en un papel la ruta de la banda antes de aflojarla y quitarla. Más vale prevenir que lamentar.

Sugerencia: quite la banda lentamente y con cuidado. La ruta más fácil para sacarla es la ruta más fácil para instalar la nueva.

La instalación de la banda es un poco como un rompecabezas. Estudie con atención la etiqueta que indica la ruta para determinar qué poleas van arriba o abajo. Tómese su tiempo para estar seguro. Una vez que encuentre la ruta correcta, necesitará ajustar de nuevo el tensor a fin de dar a la nueva banda suficiente holgura para que asiente correctamente. Una vez que esté instalada y tensada, revise dos o tres veces la ruta y asegúrese de que la banda está bien asentada y en la posición correcta en cada polea.

Capítulo 4

Sistema eléctrico

 ¡CUIDADO!

 TECNOLOGÍA DEL PASADO

 TECNOLOGÍA DEL MAÑANA

CONCEPTO CLAVE

SUGERENCIA DE MANTENIMIENTO

SUGERENCIA PARA AHORRAR DINERO

Cómo funciona

Pensamos en nuestros vehículos de motor como vehículos accionados por gasolina o diesel, ¿verdad? Pero deténgase sólo un momento y piense en las partes del vehículo que son accionadas eléctricamente. La lista es impresionante y crece año con año. Desde el motor de arranque hasta el sistema de iluminación; desde la calefacción y el aire acondicionado hasta el desempañador de la ventana trasera; desde las ventanas, asientos y cerraduras de las puertas accionadas eléctricamente hasta el CD/estéreo; desde los limpiadores del parabrisas hasta el control de ABS/tracción; desde la instrumentación hasta la apertura remota de la cajuela/puerta del combustible; y, por supuesto, todo el sistema de gestión electrónica del motor/inyección de combustible y la transmisión controlada electrónicamente. Sin todos esos electrones que trabajan duro, su vehículo no se movería ni un centímetro.

Los sistemas eléctricos del automóvil actual han alcanzado un nivel de sofisticación que rebasa la imaginación. Todos esos componentes y sistemas operados eléctricamente en los vehículos de motor actuales requieren una gran cantidad de electricidad y cables para operar. Y todos esos componentes de cableado, conmutación, conexión, procesamiento y operación han incrementado considerablemente la complejidad, sofisticación y costo de poseer, operar y dar servicio a un vehículo de motor moderno.

LA BATERÍA

¿En dónde empezar? En el origen de la electricidad: la batería. Hoy en día, las baterías automotrices tienen una capacidad nominal de 12 volts. En la realidad, el voltaje en los bornes de una batería con carga completa deberá ser de 12.66 volts a temperatura bajo techo, que es la suma de seis celdas individuales, cada una de ellas con capacidad de 2.11 volts. Este voltaje se crea químicamente dentro de la batería cuando el electrolito líquido —ácido sulfúrico y agua destilada— pasa por las placas de plomo en cada celda. Cuando la batería está nueva, fresca y con carga completa, puede producir un voltaje pleno y un amperaje máximo —la corriente, o volumen, de electricidad que la batería puede entregar cuando se le solicita—. Cuando la batería se hace vieja o se descarga, puede disminuir su voltaje de carga completa y su capacidad de amperaje descenderá hasta que ya no sea capaz de hacer arrancar su vehículo.

¿POR QUÉ FALLAN LAS BATERÍAS AUTOMOTRICES?

Hay cinco razones principales por las que fallan las baterías de automóvil.

1 **Condición física/deterioro:** residuos y sedimentos se acumulan en el fondo de cada celda, haciendo que con el tiempo dos celdas queden en puente/corto. Una fractura interna o una separación en el borne de una celda causa el rompimiento físico del circuito y deja muerta la batería. Un factor que contribuye enormemente a la falla física de una batería es un herraje de montaje inadecuado, flojo, roto o mal puesto. Las baterías sueltas pueden fallar y en efecto lo hacen antes de tiempo como resultado de vibraciones e impactos.

2 **Electrolito bajo:** ¿una batería libre de mantenimiento es en realidad libre de mantenimiento? No, a menos que esté sellada completamente, e incluso así no es completamente libre de mantenimiento. Libre de mantenimiento significa en realidad una batería con baja pérdida de agua. La química es compleja, pero en términos simples, un menor porcentaje de antimonio en la construcción de la placa de plomo tiende a reducir el burbujeo de la batería cuando se está cargando. Esto significa menos pérdida de electrolitos a lo largo de la vida de la batería. No significa que no haya pérdida, sino tan sólo una pérdida menor.

3 **Corrosión:** usted la ha visto antes, esa acumulación desagradable, blanca y pastosa en las terminales y conexiones de la batería. Esto ocurre debido a que ciertos electrolitos ácidos salpican o se condensan en las terminales y las corroen rápidamente hasta el punto en que:

a) no pueden pasar suficiente corriente para arrancar/hacer funcionar el auto; y/o
b) no aceptarán la corriente de recarga del alternador para mantener la batería cargada. En ambos casos, el resultado final es el mismo: una batería muerta.

TERMINOLOGÍA DE LA BATERÍA

La terminología básica que necesita entender para comprar, instalar y dar mantenimiento a una batería de automóvil es relativamente sencilla:

Tamaño: se especifica de manera típica como el tamaño de grupo de la batería para describir sus dimensiones y características físicas. Su vehículo requiere una batería de un tamaño de grupo específico para su operación e instalación correctas. Desde la serie 22 hasta la serie 98, la designación del tamaño de grupo define el voltaje, número de celdas, tamaño dimensional, estilo de las terminales, ubicación y estilo de montaje/sujeción —toda ésta es información crítica para determinar la batería exacta para su vehículo—. También existen varias baterías universales que se adaptan a muchos vehículos comunes y tienen un precio competitivo.

Amperes de arranque en frío (CCA): el número de amperes (corriente) que la batería puede entregar en forma continua durante 30 segundos a 0 grados Fahrenheit (–17 grados Celsius) manteniendo por lo menos 1.2 volts por celda —7.2 volts para una batería de 12 volts—. ¿Puede ver cómo la clasificación CCA es la medida crítica de la habilidad de la batería para arrancar el motor de su vehículo en clima frío? Entre mayor sea la clasificación, mayor será el amperaje para arrancar el motor, y mayor será el tiempo que la batería continuará arrancándolo. Si usted vive en un clima frío, nunca le hará daño comprar una batería de repuesto del tamaño de grupo correcto con una clasificación CCA de 100-200 amperes mayor que la especificación original del fabricante. En clima frío, más CCA es definitivamente mejor. En los automóviles económicos pequeños, la reserva es más importante que la CCA.

No se confunda por la clasificación de amperes para el arranque (CA). Esta medida es a 32 grados Fahrenheit (–17 grados Celsius), que es útil para aplicaciones marinas pero no le ofrece un verdadero cuadro de la habilidad de la batería para arrancar su motor a temperaturas de congelamiento.

Capacidad de reserva (RC)
¿Alguna vez ha regresado a su vehículo después de una hora más o menos y ha descubierto que dejó las luces prendidas? ¿O ha visto que la luz de advertencia de la batería se prende de pronto en el tablero cuando está manejado en la autopista? Sintió inicialmente pánico pensando que se quedaría varado al lado de la carretera hasta que llegara el camión de remolque para:

a) que le pasara corriente a su motor con cables;
b) reemplazar la batería, el alternador o la banda del alternador; o, más probablemente
c) remolcar su vehículo muerto hasta el taller para su reparación.

Bueno, si la batería de su vehículo todavía está relativamente fresca y con carga completa, la capacidad de reserva le puede salvar el día. La clasificación de la capacidad de reserva define durante cuánto tiempo la batería, a 80 grados Fahrenheit (25 grados Celsius), puede entregar 25 amperes continuos antes de que su voltaje descienda a un valor inferior a 1.75 volts por celda, o 10.5 volts para una batería de 12 volts. Observe que las baterías de los automóviles modernos proporcionan capacidades de reserva en el rango de 60-120 minutos. Esto significa que si falla el alternador o el sistema de carga, el motor de su vehículo continuará funcionando de una a dos horas, incluso en una noche fría con los faros, el ventilador del calefactor y los limpiadores del parabrisas en operación, suponiendo que la batería está relativamente fresca y con carga completa. El que elija escuchar o no la radio mientras espera llegar a casa es su decisión. Típicamente, entre mejor sea la calidad de la batería, mayor será la capacidad de reserva en relación con su clasificación CCA. De nueva cuenta, más es mejor.

Cuando compra una batería nueva para su automóvil, ¿se ha fijado cómo funcionan la mayoría de las garantías? Reemplazo gratis durante uno, quizá dos y tal vez tres años, y luego la batería se prorratea por el resto de la garantía —lo que significa que su valor se reduce en un porcentaje gradual hasta que expira la garantía—. Ahora, pregúntese esto: "¿Cuánto tiempo duran normalmente las baterías en mis vehículos?" De tres a seis años, ¿correcto? ¿Explica eso por qué las garantías de las baterías por lo general se prorratean después de tres años?

4 **Sulfatación:** esto *es* una batería muerta. Cuando se deja que una batería de automóvil permanezca sin ser utilizada o en un estado de descarga durante un periodo de tiempo considerable, el sulfato de plomo que se acumula en las placas durante la reacción química tiende a endurecerse, convirtiéndose en una masa sólida que no puede regresar químicamente al electrolito cuando la batería se recarga. Esa sección de la placa ahora está muerta para siempre. Ésta es la razón por la que las baterías tienden a perder su capacidad CCA con el paso del tiempo. Para empeorar las cosas, el electrolito en una batería descargada es en esencia pura agua, lo que significa que puede congelarse en un clima con temperatura menor a 0 grados Celsius. Una vez congelada, son pocas las esperanzas de restablecer una batería para su operación.

5 **Sobrecarga:** ésta es la más sutil de las fallas de una batería. Si el sistema de carga del vehículo falla de tal forma que suministre a la batería un voltaje de carga demasiado alto, el electrolito tiende a hervir y disiparse, dejando una concentración mucho mayor de ácido en la batería y acortando su vida de manera considerable. En muchos casos, no hay síntoma o señal de este problema hasta que la batería falla. La luz de la batería en el tablero de instrumentos quizá no se encienda, aunque podría prenderse la luz "revisar motor" debido a un voltaje demasiado alto en el sistema. Si su vehículo está equipado con un calibrador de voltaje en el tablero de instrumentos, usted verá voltajes arriba de 15-16 volts continuamente.

Y usted que pensaba que el componente de su vehículo por el que no había que preocuparse mucho era la batería. Bueno, pues sí lo es... si no le importa comprar una batería nueva cada dos años.

Si es absolutamente indispensable que su vehículo arranque todas y cada una de las veces que lo necesita, no haría mal en instalar una batería nueva cada tres años, o al final del periodo de garantía de reemplazo gratis. ¿Un desperdicio? Si usted es bombero, paramédico, conductor de un remolcador de vehículos, oficial de policía —alguien para quien resulta absolutamente indispensable llegar a tiempo al trabajo todos los días—, considere esto como una póliza de seguros relativamente barata. Por 250 pesos al año (una batería de 750 pesos dividida entre su vida de tres años), con una batería siempre operativa, su vehículo siempre arrancará cuando usted lo necesite.

MANTENIMIENTO DE LA BATERÍA

La batería automotriz debajo del cofre de su auto o camioneta deberá tener una vida de seis o más años con un buen mantenimiento y un poco de suerte. Por supuesto, la única garantía segura es la de la batería, pero un propietario de automóvil consciente que está dispuesto a revisar, dar servicio y limpiar la batería y las conexiones y terminales tal vez dos veces al año, *deberá* (de nuevo esa palabra) lograr que la batería arranque y haga funcionar el vehículo durante más de media década.

Cuidar la batería no es particularmente difícil, pero hay ciertos riesgos. Recuerde, las baterías están llenas con un electrolito que contiene ácido sulfúrico —y no es algo con lo que uno quisiera entrar en contacto—. Por lo tanto, el paso número uno en el mantenimiento de la batería es la sencilla precaución de seguridad de usar guantes y protección para los ojos *cada vez* que usted esté trabajando con la batería.

¿La batería está lista para arrancar su vehículo? Es bastante fácil verificarlo; tan sólo tome su útil y práctico voltímetro (que puede comprar en Radio Shack o en tiendas de autopartes) y verifique el voltaje a través de las terminales. Como se describió antes, una batería con carga completa deberá estar en el rango de 12.6 volts a temperatura bajo techo. Aquí es importante la exactitud —por lo que un voltímetro digital económico es la mejor opción—. Una lectura del voltaje inferior a 12.2 significa que la batería sólo está cargada 60 por ciento y probablemente no arrancará su motor en una mañana fría.

Revise, limpie y vuelva a apretar los cables y conexiones de la batería dos veces al año. Limpie o cepille cualquier suciedad, grasa o corrosión alrededor de las terminales, asegurándose de que el desagradable sedimento de color blanco no termine en algo que llegue a oxidarse. Y la siguiente es una gran sugerencia: vierta una pequeña cantidad de bebida gaseosa dietética sin azúcar en cada terminal. La carbonatación y la acidez de la bebida gaseosa dietética hacen un buen trabajo lavando la acumulación de corrosión.

Con la mano enguantada, revise físicamente si están bien apretadas/aseguradas las conexiones de la batería. Si están flojas, desconéctelas, límpielas y vuélvalas a conectar bien apretadas. Tal vez desee agregar un producto para prevenir la corrosión en cada terminal, para impedir/reducir cualquier corrosión futura. Este producto viene en varias presentaciones, incluyendo una pintura en aerosol, grasa de aplicación manual y O-rings impregnados de fieltro que se ajustan debajo de las abrazaderas en una batería con las terminales en la parte superior. Incluso una ligera capa de vaselina funciona bien para reducir la corrosión en las terminales de la batería.

Las conexiones en baterías con terminales laterales son un poco más difíciles de revisar. En tanto, las conexiones protegidas, de alguna manera selladas físicamente, pueden ocultar conexiones internas defectuosas de los cables a la batería. Menee vigorosamente cada conexión del cable para revisar si está floja o tiene algún tipo de juego. Si llega a descubrirlo, desconéctela, límpiela, aplique un poco de vaselina y vuelva a apretarla firmemente.

Si la batería tiene tapas removibles de las celdas —ya sea los tapones individuales de rosca o el par de cubiertas removibles planas, cuadradas o rectangulares—, quítelas haciendo una ligera palanca e inspeccione visualmente el nivel del electrolito en cada celda. Para este trabajo es absolutamente obligatorio usar guantes y anteojos de seguridad para proteger los ojos, ya que el electrolito/ácido sulfúrico queda al descubierto. La batería deberá estar con carga completa cuando haga esta inspección, pues de lo contrario el nivel del electrolito puede estar bajo debido a la condición de descarga. Llenar las celdas cuando la batería está muy descargada puede obligar a que el exceso de electrolito salga por las ventilas cuando la batería se recarga.

EL SISTEMA ELÉCTRICO BÁSICO

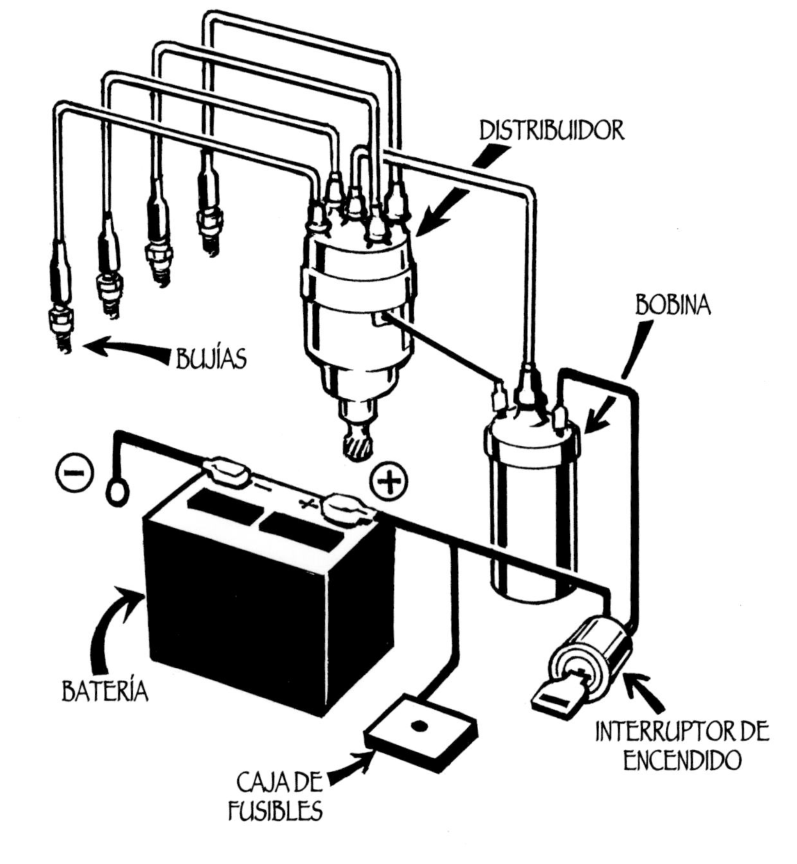

Si la parte superior de las placas está expuesta en alguna de las celdas, agregue agua destilada con una herramienta con una pera de goma. Utilice agua destilada a fin de reducir el contenido de mineral y los residuos en el electrolito, y agregue justo lo suficiente para cubrir la parte superior de las placas. Coloque de nuevo las tapas de las celdas y no olvide limpiar bien la batería para remover cualquier ácido que pudiera haber salpicado o que se hubiera acumulado en la parte superior de la batería. Use toallas de papel y tírelas en el bote de la basura cuando haya terminado.

Si usted es una persona exigente, puede revisar el electrolito en cada celda con un hidrómetro para baterías económico. Este succionador con pera de goma le permitirá extraer una muestra de electrolito de cada celda y determinar su gravedad específica, que es la medida de su estado de carga. Una lectura de 1.265 indica una celda con carga completa; una lectura de 1.120 significa que la celda está completamente descargada. Vea si hay alguna celda cuyo valor esté más de 0.5 por debajo del promedio de las demás celdas.

¿Pero por qué molestarse por todo este embrollo y riesgo? Simplemente utilice su voltímetro digital para revisar la condición de la batería como se describió antes.

Finalmente —y se trata del aspecto del mantenimiento de una batería que más se pasa por alto— revise con cuidado los montajes, las abrazaderas y los sujetadores de la batería. Una vez más, la batería necesita estar unida firmemente al vehículo para minimizar la vibración, los brincos y el maltrato físico. Y la siguiente es otra sugerencia. Con el tiempo, la pequeña cantidad de ácido de la batería que se escapa en forma de gas tiende a empezar a corroer las abrazaderas y sujetadores que sostienen la batería en su lugar. Es una buena idea limpiarlos con un chorro de agua lo mejor que sea posible para remover cualquier corrosión existente, y luego limpiar todas las piezas metálicas o rociarlas con grasa en aerosol o un producto para impedir la oxidación. Incluso el uso de un poco de vaselina en estas partes ayudará a hacer más lento el inevitable proceso de oxidación.

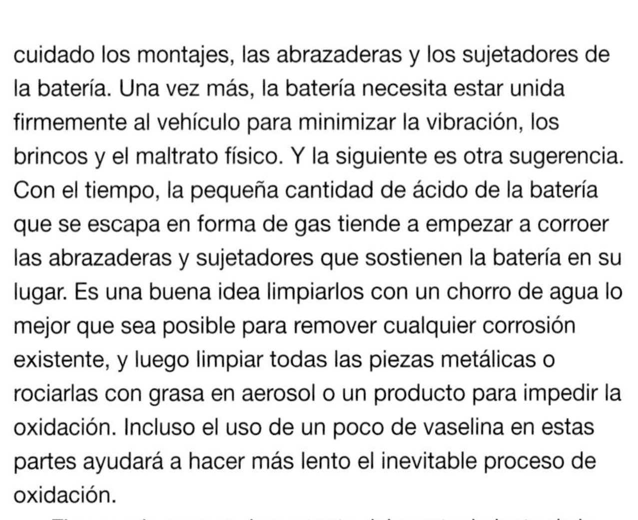

El segundo aspecto importante del mantenimiento de la batería es asegurarse de que el alternador, el regulador de voltaje y el sistema de carga estén funcionando de manera correcta. La función correcta del sistema de carga hace precisamente eso; mantiene a la batería en las mejores condiciones y lista para entregar todo el amperaje la próxima vez que gire la llave para arrancar el motor.

Sugerencia de mantenimiento: tal vez usted tenga que restablecer los ajustes de su radio y la hora y otras configuraciones electrónicas en su vehículo (la hora del reloj, la desactivación de las bolsas de aire, etc.) cuando desconecte la batería.

Alternador y sistema de carga

Bueno, ¿cómo se mantiene cargada esa batería que está debajo del cofre? Pues sí, el vehículo requiere unos 25 amperes de corriente para operar en la noche. Esa cantidad de consumo de corriente dejaría descargada la batería después de una hora o dos a menos que haya una manera de recargar la batería con el funcionamiento del motor. Y la hay: el alternador.

Cuando los fabricantes de automóviles comenzaron a instalar motores de arranque y sistemas eléctricos en los automóviles, incluyeron generadores impulsados por bandas para reabastecer de voltaje a la batería. Los generadores son tan sólo motores eléctricos impulsados por medios mecánicos para generar corriente, pero no disponen de energía eléctrica para mover o impulsar algo. Un regulador de voltaje mecánico mantenía relativamente constante el voltaje de carga sobre el rango de trabajo de las rpm del motor, y si todo funcionaba como debía, la batería se mantenía con la carga adecuada.

Los alternadores reemplazaron a los generadores durante las décadas de 1950 y 1960. Los alternadores son más pequeños, ligeros y eficientes. Pero a diferencia de los generadores, producen corriente alterna (AC) en lugar de corriente directa (DC), que es la que da energía al sistema eléctrico del vehículo. No hay problema. Diodos y rectificadores rectificaban la corriente alterna, permitiendo sólo la corriente directa proveniente de la unidad, y el regulador de voltaje activaba y desactivaba la corriente de campo o inductor con la rapidez suficiente para mantener el voltaje de carga en el rango apropiado de 13-15 volts para un sistema de 12 volts. A fin de recargar de hecho la batería o invertir químicamente el proceso de descarga, el sistema de carga debe producir un voltaje unos 2 volts mayor que los aproximadamente 12.5 volts de la batería. Este mayor voltaje obliga a que el amperaje regrese a la batería, por así decirlo, invirtiendo la reacción química y recargando la batería.

El regulador de voltaje, ya sea que el dispositivo eléctrico se encuentre aparte en el compartimiento del motor o, lo más común, que esté incorporado en el alternador mismo o, a últimas fechas, que esté incorporado en el módulo de control del tren de potencia (PCM) —la computadora de gestión del motor—, hace exactamente lo que su nombre indica. Alternando, o conectando y desconectando, la corriente de campo que va al campo/armadura rotatoria del alternador, regula el voltaje de salida en ese rango de 13-15 volts y controla el voltaje de recarga de la batería. Una falla del regulador de voltaje puede hacer que la batería se descargue gradualmente mientras el vehículo es operado o sobrecargar y arruinar la batería al proporcionar un voltaje no regulado en extremo alto debido a la falla de un componente en el regulador.

EL SISTEMA ELÉCTRICO DEL AUTOMÓVIL

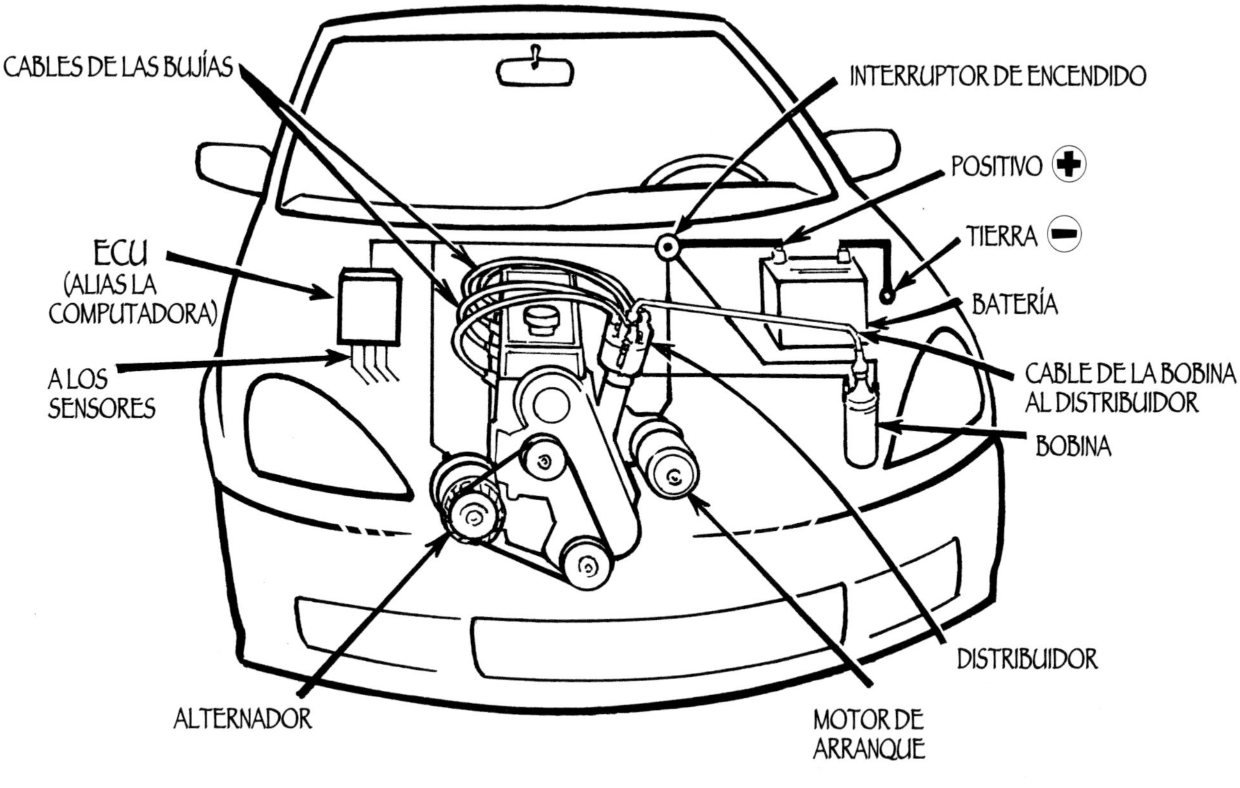

VISTA EN CORTE DE LA BATERÍA

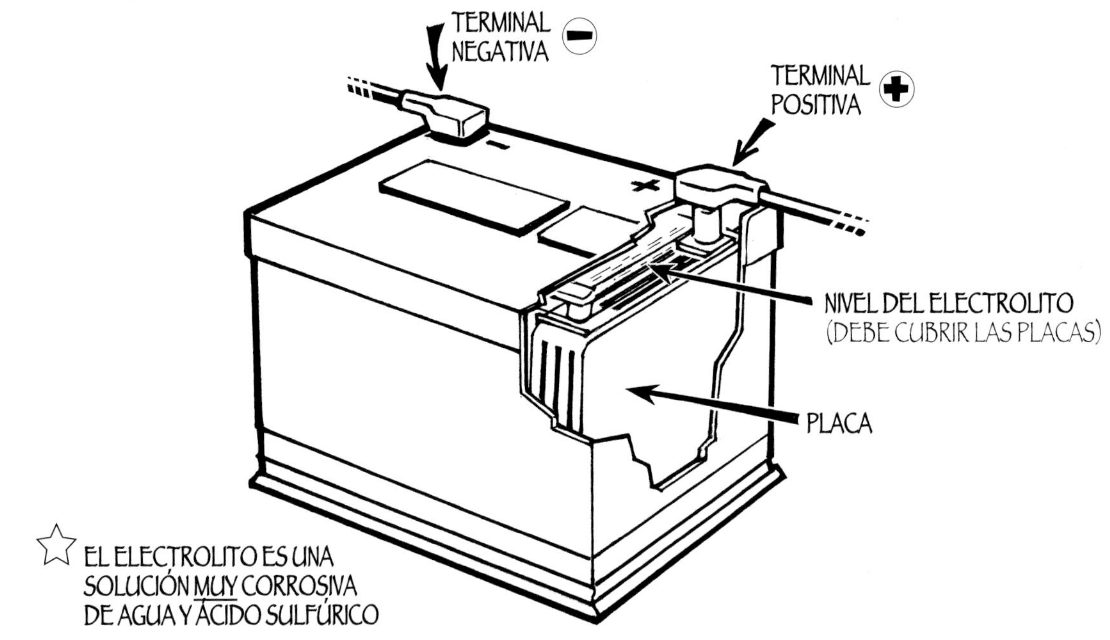

Por eso los automóviles modernos cuentan con un alternador compacto, de peso ligero y gran eficiencia para suministrar la corriente eléctrica requerida por el vehículo. El alternador es impulsado por una banda que se encuentra en el frente del motor y que requiere poco o ningún mantenimiento… hasta que falla. Tan sólo revise la condición y la tensión de la banda cada vez que realice un cambio de aceite, ya sea que se trate de una banda en V convencional o de una banda serpentina de trayectoria múltiple, y mantenga limpias y libres de corrosión las conexiones de la batería y el alternador. El alternador está más cerca de ser un componente que no requiera mantenimiento que la batería.

Entonces, ¿cómo sabe usted si el alternador de su vehículo está funcionando correctamente? El indicador en el tablero de instrumentos ayuda en eso. Los vehículos actuales tienen ya sea una luz de advertencia de la batería o un indicador de la batería. Las generaciones anteriores de autos y camionetas tenían amperímetros reales en el tablero de instrumentos. Un amperímetro era un indicador que mostraba cuánto amperaje estaba fluyendo hacia o desde la batería. Si el flujo de corriente era positivo, la batería se estaba recargando; si era negativo, la batería se estaba descargando. Ésta era, y todavía lo es, una indicación más rápida del desempeño del sistema de carga. Sin embargo, los amperímetros necesitaban llevar corriente, lo que hacía que el cableado y las conexiones fueran un poco más complejos y de servicio pesado. Los voltímetros son ahora el indicador preferido para mostrar información de la batería en el tablero de instrumentos. Si el auto no cuenta con un amperímetro o con un voltímetro, probablemente está equipado con una sencilla luz de advertencia roja "batt" o "volt".

Esta luz de advertencia aparecerá cuando usted gire la llave a la posición "on", y luego desaparecerá poco después de que el motor arranca si el alternador está cargando y todo está funcionando como debe. Si esta luz de advertencia se ilumina de manera intensa y continua mientras está manejando, ¡tómela en cuenta! Algo anda mal con la batería y/o el sistema de carga. De manera específica, esta luz aparecerá cuando el voltaje del sistema producido y mantenido por el alternador desciende hasta cerca de 1/2 volt del valor nominal de 12.5 volts de la batería. Cuando esto ocurre, el alternador no está produciendo un voltaje lo suficientemente elevado para recargar la batería y terminará por descargarse al proporcionar corriente para que marche el automóvil. Vea la sección Capacidad de reserva para hacerse una idea de cuánto andará su vehículo antes de pararse y dejarlo varado en el camino. Si usted es inteligente, se asegurará sin margen a error de que su taller automotriz favorito está dentro de ese rango.

Es importante advertir que puede haber ocasiones en situaciones de manejo normal en que la luz de advertencia de la batería se ilumina momentáneamente. Por ejemplo, usted podría ver brillar esta luz durante unos momentos mientras está parado en un semáforo en alto con los faros delanteros, el ventilador de la calefacción y el desempañador de la ventana trasera encendidos. En esta situación, la cantidad de corriente necesaria para la operación del vehículo y todos estos accesorios a bajas rpm del motor pueden exceder momentáneamente la capacidad de salida del alternador. Siempre y cuando la luz se apague tan pronto como usted pone en marcha el vehículo y las rpm del motor se incrementan, probablemente no haya problema... probablemente. Sin embargo, si eso no ha sucedido antes y comienza a presentarse con mayor regularidad, sería sensato que hiciera revisar la batería y el sistema de carga.

Si su vehículo está equipado con un indicador de batería en el tablero de instrumentos, familiarícese con el patrón de su operación. Cuando gire la llave antes de arrancar el motor, la lectura de este indicador deberá ser de 12.5 volts para el voltaje de la batería. Una vez que el motor arranca y el sistema de carga entra en funcionamiento, el voltaje deberá elevarse hasta el rango de 13-15 volts.

Si el sistema de carga falla, verá que este indicador desciende gradualmente desde el rango de 14 volts hasta 12 volts o aún más bajo. Los motores modernos dejarán de funcionar cuando el voltaje desciende por debajo de los 11 volts, por lo que si ve que el voltaje está descendiendo hacia el valor nominal de 12 volts, deberá darse cuenta de que hay un problema antes de que el auto se quede parado.

Prueba sencilla del sistema de carga

¿Hay una prueba rápida del sistema de carga que pueda hacer usted mismo? Claro que sí. Tome ese útil y práctico voltímetro digital y revise el voltaje de la batería antes de arrancar el motor como se describió antes. Luego, arranque el motor —si puede— con una batería de reemplazo, una batería recargada o cables pasacorriente, y vuelva a revisar el voltaje de la batería. La lectura del medidor deberá estar entre 13.5 y 15 volts aproximadamente, indicando que el sistema de carga está tratando de recargar la batería. Si se mantiene en el rango de 12 volts y no se mueve de ahí cuando el motor arranca, entonces haría bien en dirigirse a la tienda de autopartes mientras todavía están andando, ya que el alternador no está recargando la batería.

SISTEMA DE ARRANQUE

El sistema de arranque de su vehículo es quizá el sistema eléctrico más sencillo, pero el más importante, por supuesto. Se compone de interruptores, cables y conexiones que operan un potente motor de arranque que se acopla con el motor y lo hace girar a 200-300 rpm para que arranque.

Cuando la llave se gira a la posición "start" (arranque) accionada por resorte, el interruptor de encendido envía una señal eléctrica al relevador y/o al solenoide del motor de arranque, la cual prende eléctricamente el motor de arranque y acopla mecánicamente el engranaje propulsor del motor de arranque. El relevador o solenoide del motor de arranque es en esencia un interruptor electromagnético grande que conecta la batería con el motor de arranque. Si la batería está fuerte, si las conexiones están limpias y sólidas, si el motor está afinado, y si las fases de la luna están alineadas, entonces es seguro que su motor arrancará de inmediato.

Qué hacer cuando el motor no arranca

Todos hemos escuchado ese molesto y entrecortado ruido "clic, clic, clic" del relevador/solenoide del motor de arranque. ¿Batería muerta? ¿Conexión defectuosa? ¿Motor de arranque muerto? ¿Solenoide defectuoso? El problema podría ser cualquiera de los anteriores o todos ellos.

Revise primero las conexiones de la batería. Con la mano enguantada (recuerde también sus anteojos de seguridad), pruebe cada terminal/conexión meneándola vigorosa y rápidamente. Si se mueve, está floja. Límpiela, vuelva a apretarla y recargue la batería. Recuerde, más de 75 por ciento de las veces que el motor no arranca se relacionan con la batería/conexiones. Si la batería y las conexiones están en buen estado, el problema podría estar en cualquier parte, desde el interruptor de encendido, pasando por el relevador/solenoide del motor de arranque, hasta el motor de arranque mismo.

Pero antes de que empiece a comprar refacciones costosas, recuerde el siguiente mantra: conexiones y tierra, conexiones y tierra, conexiones y tierra. En la mayoría de las situaciones en que el motor no arranca, los problemas están en las conexiones y las tierras.

¿Cuál es la prueba más sencilla que usted mismo puede hacer? Tome ese mismo pequeño voltímetro digital y mida el voltaje de la batería a la tierra con el chasis. En otras palabras, toque con el cable de prueba rojo/positivo la terminal "POS+" de la batería y con el cable negro/negativo cualquier componente de metal sólido en el motor o en el chasis. Desde luego, la lectura deberá ser de 12.6 volts si la batería está completamente cargada y es capaz de hacer girar el motor. Comience con la batería misma y luego siga con cualquier conexión positiva importante que lleve al motor de arranque, con los guantes y los anteojos de seguridad puestos, por supuesto. Si el voltaje de la batería es superior a 12.2-12-4 volts, el motor debería girar al menos un poco. Tal vez no arranque, pero le dará una indicación de su disposición para girar, si hay suficiente amperaje.

Con un ayudante que gire la llave para arrancar el motor mientras usted hace la prueba, revise el voltaje en todas y cada una de las conexiones posibles. Lo que está buscando es una caída de voltaje de no más de 1/10 de volt por conexión. Cualquier valor superior indica una conexión de pobre calidad y alta resistencia que muy bien podría ser la causa de que el motor no arranque. Si encuentra una, desconecte la batería para protegerse a sí mismo y al vehículo, luego límpiela a fondo con una fibra Scoth-Brite^{MR}, o una fibra de metal, y vuelva a ensamblarla apretada con firmeza.

ARRANQUE CON CABLES PASACORRIENTE

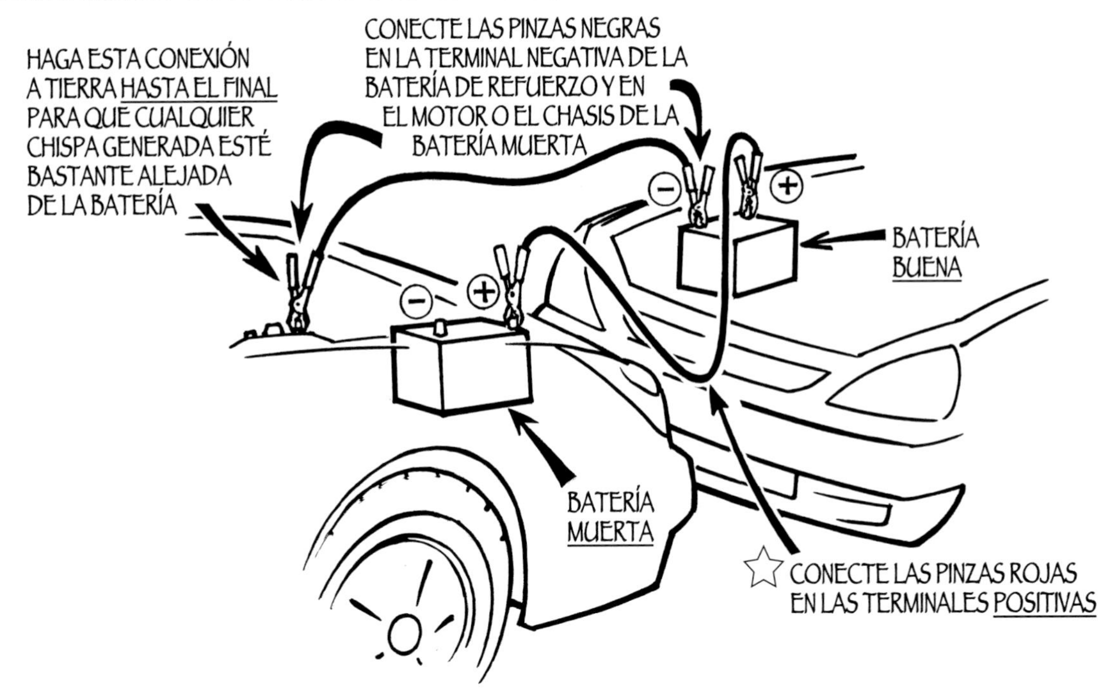

Prueba rápida del sistema de arranque

¿Existe un atajo para solucionar el problema del sistema de arranque? Sí, pero debe tener mucho cuidado al hacerlo. Debido a que demasiados problemas de arranque se deben a conexiones y tierras defectuosas, ¿por qué no saltarse todo eso y aplicar voltaje de batería directamente a la terminal positiva del motor de arranque? Esto debería hacer girar el motor, ¿o no?

Sí, y lo hará, así que debe tener cuidado. El procedimiento es el siguiente. Ponga la transmisión en "park" (estacionar) y deje la llave en "off" (apagado); usted no quiere que el motor arranque realmente, en esta etapa tan sólo desea saber si gira como debe. Utilice sus cables pasacorriente. (Usted tiene un juego de cables pasacorriente de calidad y servicio pesado en su caja de emergencia en la cajuela, ¿verdad?) Conecte un extremo del cable rojo/positivo en la terminal positiva de la batería, luego con todas sus partes corporales y su ropa alejadas del ventilador y/o de las partes móviles, y usando los anteojos de seguridad, los guantes y toda su armadura corporal, haga que el otro extremo del cable rojo/positivo toque rápidamente la terminal positiva del motor de arranque. Asegúrese de que es la terminal positiva, por supuesto, rastreando/siguiendo hacia atrás su cable y confirmando que conecta el solenoide, o relevador, a la batería.

Este contacto momentáneo entre el cable rojo que viene de la terminal positiva de la batería tal vez produzca una chispa rápida, pero también deberá comenzar a hacer girar el motor a una velocidad relativamente normal. Si lo hace, es probable que la batería y el motor de arranque estén bien. Si no lo hace y el motor de arranque sólo produce un ronquido o hace clic, entonces ha encontrado el problema: es el motor de arranque, la batería o la conexión a tierra del motor de arranque al borne negativo de la batería. Por lo tanto, hay que hacer una prueba más.

Manteniendo por el momento alejada del motor de arranque la pinza roja, conecte las pinzas negras/negativas del cable pasacorriente a la terminal negativa de la batería y a un soporte de montaje o componente sólido en el motor mismo; el soporte de montaje del alternador muchas veces es un lugar conveniente para esta tierra. Ahora, vuelva a tocar rápidamente la terminal positiva del motor de arranque con la pinza roja. ¿Esta vez gira el motor? Si es así, el problema es una tierra defectuosa en el chasis entre el motor/tren de transmisión, la carrocería/bastidor, y/o la terminal negativa de la batería. Deje la batería desconectada y desarme, limpie y reasegure todas las conexiones principales a tierra entre estos componentes.

Cómo usar los cables pasacorriente

Si el motor de arranque sigue sin hacer girar el motor, entonces el problema se ha reducido al motor de arranque o a la batería. Trate de hacer arrancar el vehículo con sus cables pasacorriente de manera segura. Use los anteojos de seguridad y los guantes, y recuerde la secuencia de conexión. Es muy, pero muy importante para su seguridad.

- Ambos vehículos apagados
- Pinza roja/positiva en la terminal positiva de la batería de auxilio
- Pinza roja/positiva en la terminal positiva de la batería muerta
- Pinza negra/negativa en la terminal negativa de la batería de auxilio
- Pinza negra/negativa en una tierra en el chasis, bastante alejada de la batería muerta

- Arrancar/acelerar el auto de auxilio durante 30 segundos, y luego arrancar el auto sin batería
- Desconectar en el orden inverso

La clave para el uso seguro de los cables pasacorriente es hacer la última conexión —la conexión con la mayor probabilidad de crear una chispa— bastante alejada de la batería muerta. Nuevamente, para esto funcionará bien el soporte de montaje del alternador o incluso un perno de montaje de la torre de refuerzo. ¿Por qué una tierra en el chasis funcionará igual que la terminal negativa de la batería? Porque eléctricamente son iguales. La terminal negativa de la batería de un automóvil está conectada directamente al chasis y al tren de transmisión del vehículo, por lo que mientras las conexiones estén limpias y sean sólidas, a los electrones que tratan de regresar a la batería no les importa.

¿Recuerda lo que aprendimos antes acerca de los gases de ácido sulfúrico y sulfuro de hidrógeno producidos por las baterías? Bueno, ¿adivine qué? ¡Es explosivo! Una chispa creada cerca de la batería o de las ventilas de la batería puede —y lo ha hecho muchas veces, para pesar de muchos propietarios de vehículos no informados— hacer que se enciendan/exploten esos gases y la batería misma. Se trata de algo que no debe ocurrir bajo ninguna circunstancia, así que no lo olvide.

Cuando arranque el vehículo sin batería, si lo hace, y usted está seguro de que se va a mantener andando, quite los cables pasacorriente en el orden inverso, comenzando con la conexión final a tierra en el chasis del carro sin batería.

CÓMO SABER SI LA PARTE ESTÁ DEFECTUOSA

Bien, usted ha hecho un gran trabajo identificando que la condición de no arranque se debe ya sea a la batería o al motor de arranque. ¿Debe usted ir corriendo a la tienda de autopartes y comprar una nueva... batería?¿O el motor de arranque? Sí y no. Corra a la tienda de autopartes, pero lleve la batería y el motor de arranque consigo. Muchas tiendas de autopartes probarán gratis para usted estos componentes de manera que usted sabrá qué componente en realidad necesita ser reemplazado. Qué bueno que hacen eso, ¿verdad? Pero es bueno para ellos también ya que venden baterías y motores de arranque. Conjuntos de motor de arranque/solenoide de calidad que cuentan con buenas garantías están disponibles como unidades reconstruidas a un precio considerablemente menor que el de las unidades nuevas.

Por cierto, las tiendas de autopartes por lo general también pueden probar alternadores, reguladores de voltaje y módulos de encendido, así que téngalo presente antes de salir corriendo a comprar un montón de partes nuevas como solución a los problemas. Recuerde, la mayoría de las partes y componentes eléctricos del automóvil no admiten devolución.

De hecho, si puede hacer que su vehículo arranque empleando cables pasacorriente, váyase directo a la tienda de autopartes, deje el motor andando y pídales que prueben el alternador y el sistema de carga directamente en el vehículo.

QUE HAYA CHISPA

Una batería fuerte y un motor de arranque sólido pueden hacer que el motor gire durante todo el día (bueno, no todo el día, pero gran parte de él) para que arranque, si el sistema de encendido está suministrando y distribuyendo la chispa adecuada a cada cilindro justo en el momento correcto. A menos que usted esté manejando un vehículo con motor diesel, los vapores de gasolina que con tanto cuidado se mezclan y distribuyen en cada cilindro no podrán quemarse apropiadamente para producir energía a menos que sean encendidos por una intensa chispa proveniente de las bujías. Ésa es la tarea del sistema de encendido.

Los primeros motores de gasolina de combustión interna utilizaban magnetos para producir la chispa. Un magneto es un pequeño generador incorporado en un distribuidor. Cuando el motor del vehículo hace girar el eje del distribuidor, la pequeña bobina del magneto produce una chispa eléctrica que el distribuidor dirige a la bujía correcta. Listo. Ya está la ignición.

La limitación principal del magneto es el tamaño de su bobina y, en consecuencia, la intensidad de la chispa. Por eso no pasó mucho tiempo antes de que los fabricantes de automóviles introdujeran en sus motores los sistemas de encendido por batería. Los más sencillos incorporaban una batería para suministrar la corriente básica, una bobina eléctrica para producir una chispa de muy alto voltaje, un distribuidor para dirigir la chispa a los cables de las bujías individuales, y bujías para entregar esa chispa a la cámara de combustión para encender la mezcla aire/combustible.

El corazón del sistema eléctrico

La bobina de encendido es un dispositivo elegantemente sencillo. Se suministra voltaje de la batería a una bobina con un devanado muy apretado que rodea un núcleo de hierro. Esta bobina magnetiza el núcleo. Cuando la corriente se detiene de repente, el campo magnético alrededor del núcleo se rompe y una oleada de energía eléctrica se canaliza a través del cable de la bujía hasta esta última. Esta energía eléctrica brinca a través de un claro de aire (entrehierro) entre dos electrodos en la punta de la bujía para producir un arco azul brillante, o chispa, que inicia el fuego en la cámara de combustión.

Para que el motor funcione realmente, ¡la bobina tiene que hacer este trabajo cientos de veces por segundo! Por lo tanto, se necesita un dispositivo de disparo de algún tipo para activar y desactivar la corriente de la bobina.

Aun cuando algunos de los primeros motores tenían una bobina para cada cilindro, convirtiéndolos en los primeros sistemas de encendido sin distribuidor, la mayoría de los motores de gasolina utilizaban un distribuidor para hacer dos tareas diferentes. En primer lugar, los platinos en el distribuidor, operados por una pequeña leva o resalto en el eje del distribuidor, se cerraban para permitir que el voltaje de la batería cargara la bobina. Después se abrían en el momento indicado para romper el campo magnético de la bobina y producir una chispa. El condensador eléctrico conectado a los platinos ayudaba a amortiguar el voltaje y la chispa creada por la apertura y cierre de los platinos, prolongando de esta forma la vida de los platinos.

¿Puede ver por qué la afinación fue tan esencial durante tantos años? Ya sea un juego fresco de platinos/condensador, o por lo menos un ajuste del entrehierro en los platinos para asegurar el tiempo de subida —la cantidad de tiempo que la corriente fluía en la bobina para crear el campo magnético— en la bobina, ayudaban a asegurar que el motor funcionara de manera suave, limpia y eficiente.

El segundo papel del distribuidor era distribuir la chispa a cada cilindro. La flecha giratoria del distribuidor era impulsada por el árbol de levas y hacía girar al rotor, que estaba conectado eléctricamente vía un pequeño claro de aire al cable proveniente de la bobina que llevaba la energía para la chispa de alto voltaje al cable de la bujía para cada cilindro en la secuencia correcta. Aflojar un perno retenedor y girar el cuerpo del distribuidor permitían un rango de ajuste para asegurar la sincronización apropiada de la entrega de la chispa.

En esencia, el distribuidor actuaba como el disparador para generar la chispa desde la bobina, y luego distribuía esa chispa al cilindro correcto en el momento correcto. Una maravilla mecánica, sin lugar a dudas. Reemplazar y/o ajustar los platinos y luego restablecer la regulación del encendido eran servicios de afinación esenciales que se necesitaban por lo menos una vez al año.

Módulos de control electrónico

En la década de 1970, los fabricantes de automóviles reemplazaron los platinos del distribuidor con componentes electrónicos como bobinas captadoras (éste le encantará), transmisores de efecto Hall y módulos de encendido electrónico. En muchos de los motores actuales, los distribuidores se han eliminado por completo, aunque todavía se siguen construyendo varios motores con distribuidores. La regulación y el control del encendido ahora se realizan por computadora (¿le sorprende?). Unos sensores en el cigüeñal y el árbol de levas determinan la posición giratoria del cigüeñal y los pistones y envían esta información a la computadora de gestión del motor, la cual está programada para disparar la chispa a cada cilindro en un momento específico. Estos sistemas aún usan bobinas para generar la chispa, pero utilizan bobinas múltiples. En algunos casos, hay una bobina de encendido para cada cilindro, a menudo montada justo arriba de la bujía.

Observe la primera ventaja importante de este sistema sobre un distribuidor: no hay partes móviles. No hay platinos, no hay distribuidor, no hay rotor, nada que sufra desgaste mecánico, se queme o se rompa. Y, en segundo lugar, debido al control por microprocesador del encendido, los sistemas de encendido electrónico entregan una regulación de la chispa mucho más precisa y exacta para cada cilindro bajo todas las condiciones de operación. Los sistemas de encendido actuales no sólo se desempeñan infinitamente mejor que sus predecesores, sino que son mucho más duraderos y confiables, y requieren mucho menos mantenimiento.

Una regulación exacta de la chispa y un control exacto del combustible significan que las bujías duran mucho más tiempo, y no es raro que actualmente el reemplazo se dé cada 160 000 kilómetros. Incluso los cables de las bujías duran más tiempo debido a sus materiales y construcción de alta calidad. Pero estos componentes secundarios del encendido, que llevan un voltaje en extremo alto para la chispa, no son partes que tengan la misma duración que el vehículo y necesitan revisarse de manera periódica.

Incluso los motores que siguen utilizando distribuidor ya no tienen partes internas que necesiten reemplazo. En lugar de platinos y condensadores, los distribuidores modernos cuentan con disparadores eléctricos o electrónicos: bobinas captadoras magnéticas o transmisores de efecto Hall. Aun cuando tienen nombres complejos, en realidad son dispositivos sencillos que reconocen e identifican la posición rotacional específica del motor a fin de proporcionar información para la regulación de la chispa al módulo de encendido —el pequeño microprocesador que decide exactamente cuándo suministrar una chispa a cada cilindro—.

QUÉ HACER CUANDO LAS COSAS HACEN CORTO, SACAN CHISPAS Y SE MUEREN

Cuando dejan de funcionar las ventanas eléctricas y el ventilador de la calefacción, cuando dejan de encender las luces direccionales, o cuando las bocinas no suenan, ¿qué va a hacer usted? ¿Llevar el auto a la agencia? ¿A un taller independiente? ¿A la gasolinera de la esquina? (¿Todavía hay gasolineras en la esquina?) ¿O pedirle a su vecino que conoce todo sobre autos que vea si puede solucionar el problema?

Todas las anteriores pueden ser respuestas viables, pero algo que tienen en común es que no lo incluyen a usted en la etapa de solución del problema. Su única participación consiste en sacar su cartera y entregar un montón de dinero, o un paquete de cervezas si se trata de su vecino fanático de los automóviles.

Pero usted no está completamente indefenso cuando se trata de solucionar los problemas eléctricos de su moderno automóvil. Sí, en muchos de los casos —tal vez incluso en la mayoría— usted necesitará ayuda profesional. Pero siempre vale la pena aplicar primero el principio KISS (*Keep It Simple, Stupid*; Mantenlo simple, estúpido). La aplicación automotriz de este conocido concepto es: “revisa primero las cosas simples”.

Recuerde la naturaleza básica del sistema eléctrico de su vehículo. Opera con corriente directa de 12 volts. Ya sea que se trate de la bomba eléctrica de combustible que suministra combustible al motor, el motor eléctrico que sube y baja las ventanas, el ventilador que lleva calor a la cabina o el CD/estéreo con música *heavy metal* que retumba por sus bocinas, todos ellos requieren un circuito completo para que viajen los electrones. La corriente debe fluir desde la terminal positiva de la batería al dispositivo y luego del dispositivo de regreso a la terminal negativa de la batería. En la mayoría de los casos, los dispositivos se prenden y se apagan interrumpiendo la energía o la conexión a tierra.

El principio de los fusibles, los relevadores y las conexiones (FRC)

Esto significa que si un componente eléctrico o un sistema no están funcionando, debe revisar primero las causas simples. FRC no es una exclamación ruda de frustración, significa: “fusibles, relevadores y conexiones”. Al igual que en un escenario en que no gira el motor debido a la batería o a problemas con las conexiones, la mayoría de los problemas eléctricos pueden rastrearse hasta uno de los tres culpables siguientes:

Un fusible es un dispositivo sencillo de protección que limita la cantidad de corriente eléctrica que puede llevar un circuito. En términos sencillos, el pequeño alambre dentro del fusible se quemará y fallará si trata de fluir demasiado amperaje. Literalmente, su vehículo de motor de 300 000 pesos está protegido contra incendio y destrucción por varios fusibles que cuestan 5 pesos cada uno. Por supuesto, cuando falla un fusible, éste debe ser reemplazado con un fusible que tenga exactamente el mismo amperaje. Aquí no hay lugar para trampas, no instale fusibles de mayor amperaje para tratar de resolver el problema.

Un relevador es tan sólo un interruptor operado eléctricamente. Suena más complejo de lo que es. Una pequeña corriente magnetiza una pequeña bobina que acopla un conjunto de puntos de contacto, encendiendo dicho circuito. La ventaja aquí es que sólo se necesita una pequeña cantidad de corriente para activar el interruptor que puede llevar grandes cantidades de corriente al ventilador de la calefacción, a los faros delanteros, al estéreo de 600 watts, etcétera.

Una conexión es tan sólo lo que el nombre sugiere, la unión de dos cables o circuitos. A menudo, la conexión está asegurada mediante un perno o una tuerca o implica algún tipo de clavija o enchufe.

Familiarícese con la ubicación y el contenido de los tableros de fusibles y relevadores en su vehículo. Observe que usamos el plural, ya que muy bien podría encontrar un tablero de fusibles debajo o cerca del tablero de instrumentos dentro del auto, y otro tablero de fusibles/relevadores debajo del cofre. Muchos de los automóviles más recientes también cuentan con cajas de fusibles en la cajuela y/o debajo del asiento trasero. Por lo tanto, identifique dónde están ubicados los fusibles y relevadores en su vehículo.

¿Dónde encontrará esta información? En el manual del propietario, por supuesto.

A propósito, ¿encontró el billete de 100 pesos que está metido en el manual del propietario de cada vehículo nuevo? No sabía que el fabricante del automóvil lo puso ahí, ¿verdad? Bueno, el hecho de que usted no supiera esto es que no ha leído su manual del propietario. Si lo ha hecho, habrá descubierto que no lo hacen. En realidad estoy compartiendo un viejo truco utilizado durante años por los gerentes de flotillas —ésta era la única forma en que podían engañar a sus choferes para que dedicaran un poco de tiempo a familiarizarse con el vehículo específico que estaban manejando—.

Así es que no, los fabricantes de automóviles no ponen dinero entre las páginas de los manuales del propietario, pero sí colman dichas páginas con información útil —como la identificación, capacidad y función de cada fusible, e información sencilla para solución de problemas que le ayudarán a manejar algunos problemas que se le presenten en el camino—.

De hecho, los únicos sistemas/circuitos eléctricos que no están protegidos por fusibles son los faros delanteros/luces diurnas, que generalmente son operadas por un relevador y están protegidas por un ruptor interno en el interruptor de los faros delanteros, así como los circuitos de contacto momentáneo como ventanas/seguros eléctricos, asientos eléctricos y la liberación remota de la cajuela/puerta trasera. A menudo estos componentes también se activarán mediante relevadores y estarán protegidos por ruptores térmicos. ■

TABLA PARA SOLUCIÓN DE PROBLEMAS DEL SISTEMA ELÉCTRICO

PROBLEMA	CAUSAS PROBABLES	ACCIONES PARA LA REPARACIÓN
EL MOTOR NO GIRA	Batería muerta	Limpie y apriete las conexiones de la batería, vea si hay cables sueltos. (*Proyecto 14: Limpieza de las terminales (bornes) de la batería*)
	Conexiones eléctricas defectuosas	Recargue/reemplace la batería. (*Proyecto 16: Reemplazo de la batería*)
	Interruptor de encendido desgastado	Revise y reemplace el interruptor de encendido
	El interruptor del relevador del motor de arranque está defectuoso	Reemplace el interruptor del relevador del motor de arranque Revise si hay voltaje en la pequeña terminal del motor de arranque/solenoide con el encendido en "start" (arranque). Si no hay voltaje, revise el interruptor de encendido y el interruptor de seguridad estacionar/neutral
	Interruptor de seguridad estacionar/neutral con fallas/desajustado	Haga puente con las conexiones en el interruptor para probarlo. Si el motor gira, el interruptor está "abierto" o la transmisión no está en estacionar o neutral
	Problema mecánico del bloqueo hidráulico	Vea la tabla de Solución de problemas del motor
EL MOTOR GIRA PERO NO ARRANCA	Auto sin gasolina	Revise el nivel del combustible
	El relevador o el fusible de la bomba de combustible están defectuosos	Revise el relevador y el fusible de la bomba de combustible. (*Proyecto 17: Prueba y reemplazo de fusibles*)
	Falló la bomba de combustible	Revise la presión del combustible en el puerto de prueba del riel de inyectores. Después de girar la llave a on/off 6 veces, con la llave en off, sostenga un trapo 15 centímetros arriba de la conexión de prueba, y presione el pequeño "pivote". Deberá ver un fuerte chorro de combustible saliendo de la conexión. Si no hay chorro o sólo hay un goteo de combustible, entonces no hay presión en el combustible. CUIDADO: mantenga cualquier flama alejada del área donde haga esta prueba ya que puede liberarse combustible al aire circundante
	Interruptor de encendido, módulo de control electrónico, o fusible o relevador del PCM defectuosos	Revise los fusibles y relevadores de encendido, del módulo de control electrónico (ECM) y del PCM. Reemplace cualquier fusible que haya fallado. (*Proyecto 17: Prueba y reemplazo de fusibles*)
	No hay chispa	Revise si hay chispa en la bujía mientras le da marcha al motor. Si ve una chispa azul oscuro en la bujía, el motor probablemente no está recibiendo combustible. Pase a la tabla de Solución de problemas del sistema de combustible. Si no hay chispa, revise varias bujías diferentes para asegurarse de que el problema no está sólo en una bujía. Si sólo una bujía no genera chispa, se sugiere el reemplazo de los cables de las bujías y (si su auto la tiene) la tapa del distribuidor Si varias bujías no generan chispa, revise todos los fusibles y relevadores (vea el manual del propietario). Si la prueba de los fusibles es satisfactoria, lleve al auto a su mecánico para un diagnóstico. (*Proyecto 17: Prueba y reemplazo de fusibles*)
	Revisar los relevadores de la energía principal/ASD (apagado automático)	Pruebe con el reemplazo de los relevadores
UNO O LOS DOS FAROS DELANTEROS NO PRENDEN	Faros delanteros fundidos	Revise los faros delanteros y reemplace los focos que tengan los filamentos rotos. (*Proyecto 20: Reemplazo de faros delanteros*)

TABLA PARA SOLUCIÓN DE PROBLEMAS DEL SISTEMA ELÉCTRICO

PROBLEMA	CAUSAS PROBABLES	ACCIONES PARA LA REPARACIÓN
LOS DOS FAROS DELANTEROS Y LAS LUCES DIURNAS NO PRENDEN	Revise los fusibles/relevadores de los faros delanteros/luces diurnas	Reemplace los focos, fusibles o relevadores con falla
	Falla de la conexión/interruptor de los faros delanteros	Revise, limpie y restablezca el conector del interruptor de los faros delanteros debajo del tablero de instrumentos
NO PRENDEN LAS LUCES ALTAS Y BAJAS	Conexión floja en el conector del cableado	Revise el interruptor de las luces altas/bajas y el conector/cableado
NO PRENDEN LAS LUCES DE LOS FRENOS	Interruptor defectuoso/desajustado de las luces de los frenos	Revise las conexiones debajo del tablero de instrumentos y el interruptor de las luces de los frenos
		Puentee los cables del interruptor para hacer una prueba; las luces de los frenos deben prenderse
		Ajuste el interruptor de las luces de los frenos. Por lo general, empuje el interruptor hacia arriba en el varillaje del pedal y luego pise firmemente el pedal de los frenos
	Conexión defectuosa en el cableado	Revise el cableado/conexión a las luces de los frenos
NO PRENDEN LAS DIRECCIONALES NI LAS LUCES INTERMITENTES	Relevador o unidad de luces intermitentes defectuosos	Revise el relevador/unidad de las luces intermitentes; pruebe con una unidad de repuesto si es necesario
NO PRENDEN LAS LUCES INTERIORES NI DEL TABLERO DE INSTRUMENTOS	Interruptor de las puertas con falla	Vehículos más antiguos—revise la pieza retráctil en el bastidor de la puerta. ¿La pieza retráctil se extiende con la puerta abierta y el circuito a tierra?
		Vehículos más nuevos—el interruptor de la puerta está incorporado en el mecanismo de cierre en el interior de la puerta. Pruebe rociar lubricante en aerosol en el botón de apertura para lubricar el mecanismo de cierre. Debe quitar la guarnición del interior de la puerta para acceder al mecanismo/interruptor
	Módulo de cortesía/gem (módulo electrónico genérico) defectuoso	Revise el módulo de fusibles/relevadores, generalmente debajo del tablero de instrumentos. (*Proyecto 17: Prueba y reemplazo de fusibles*)
NO PRENDE LA LUZ INTERIOR	Foco, portafocos o tierra defectuosos	Revise/reemplace el foco, revise si hay voltaje a tierra en el portafocos
NO FUNCIONA EL VENTILADOR DE LA CALEFACCIÓN/AIRE ACONDICIONADO	Relevador/fusible/módulo de control defectuosos	Revise los fusibles/relevadores. (*Proyecto 17: Prueba y reemplazo de fusibles*)
	Falla del motor del ventilador	Pruebe usar un cable de cierre de circuito de la terminal positiva + de la batería a la terminal positiva + del motor del ventilador. El motor deberá funcionar a alta velocidad
EL VENTILADOR DE LA CALEFACCIÓN SÓLO FUNCIONA AL MÁXIMO	Falla del bloque de resistores del ventilador de la calefacción	Reemplace el bloque de resistores del ventilador, generalmente en la caja del calefactor sobre el guardafuegos o debajo del tablero en el lado del pasajero
LOS ACCESORIOS NO FUNCIONAN (estéreo, desempañador de la ventana trasera, ventanas eléctricas, seguros eléctricas, asientos eléctricos, antena, cajuela/puerta eléctrica, botón de la puerta trasera, quemacocos eléctrico)	Fusible o relevador defectuoso	Revise y reemplace los fusibles y relevadores apropiados
	Falla de la conexión a tierra	Revise si hay tierra defectuosa al circuito

Proyecto 9

Cambio de los cables de las bujías y las bujías

TALENTO: 2

TIEMPO: 30–45 minutos

HERRAMIENTAS:
Llave con dados largos y extensión larga

COSTO: $350–500

SUGERENCIA:
Agregue una pequeña cantidad de compuesto antiadherente a las roscas para impedir que se peguen. Asegúrese de que enrosquen y giren suavemente. No utilice la llave para forzar una bujía que se resista ya que destruiría la cuerda.

1 La instalación de bujías y cables es relativamente sencilla en un vehículo como este Honda, donde el acceso es directo. Algunos motores V-6 en vehículos de tracción delantera pueden tener un acceso muy difícil en la parte posterior y quizá requieran inclinar el motor hacia adelante para el cambio de las bujías. Si los cables de las bujías son delgados como alambre regular, el vehículo tiene un sistema de encendido con bobinas montadas sobre las bujías y el reemplazo de los cables no es un mantenimiento de rutina.

2 El cable de la bujía se jala en el extremo de la bujía para quitarlo. Agarre y jale la funda alrededor de la bujía, no el cable mismo. Siempre es una buena idea usar aire comprimido (de su compresora o una lata de aire comprimido de una tienda de electrónica) para soplar cualquier basura y residuos de la cavidad de la bujía antes de quitarla. La mayoría de las bujías actuales ya vienen con la distancia del entrehierro ajustada por el proveedor, a diferencia de las bujías de los autos más antiguos que requerían que el instalador ajustara la distancia del entrehierro. Nunca es una mala idea revisar la distancia con una herramienta barata para calibrar el entrehierro y que puede adquirirse en la tienda de autopartes.

3 La bujía puede quitarse ahora utilizando una matraca con dados largos.

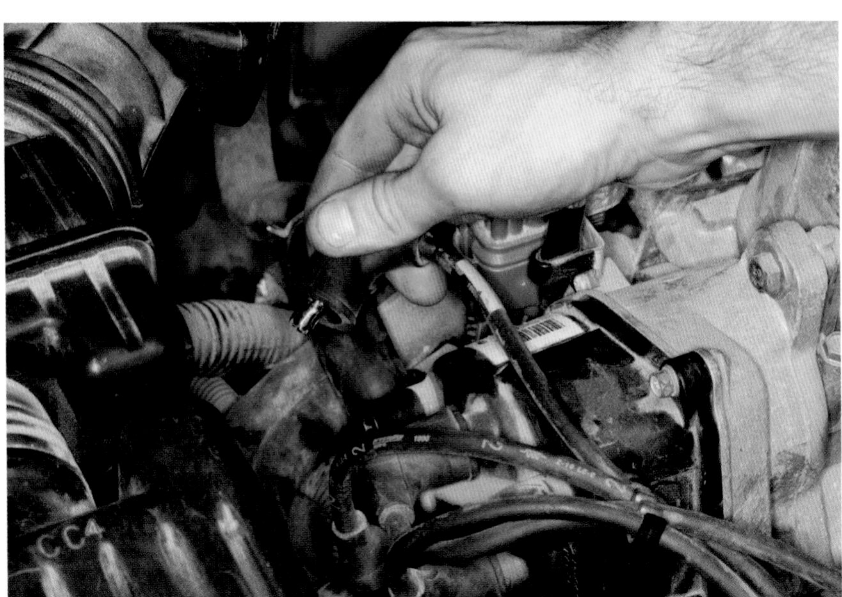

4 El cable de la bujía también se jala para desprenderlo en el extremo del distribuidor (si hay un distribuidor). Asegúrese de llevar el registro de las conexiones de las que se desprenden los cables. Si se instalan en el lugar incorrecto, el orden de encendido del motor se alterará, ocasionando un desempeño pobre y posibles daños. Una forma fácil de recordar el orden de encendido es marcar cada conexión con un pedazo de cinta adhesiva donde se identifique la bujía a la que corresponde.

Proyecto 10

Reemplazo de la tapa del distribuidor y el rotor

TALENTO: 3

TIEMPO: 15–30 minutos

HERRAMIENTAS:
Ninguna, desarmador/llave de dados

COSTO: $250–500

SUGERENCIA:
Algunos rotores están atornillados; algunos se empujan. Si el rotor no sale al jalarlo, localice y quite el tornillo de retención.

1 Quite los cables de las bujías como en el proyecto 9 (Cambio de los cables de las bujías y las bujías), llevando un registro de las conexiones en las que va cada uno. Luego libere los sujetadores que fijan la tapa del distribuidor. Los vehículos más viejos normalmente usaban abrazaderas de sujeción que podían liberarse con el pulgar o con un desarmador. La tapa de este Honda está montada con pequeños pernos.

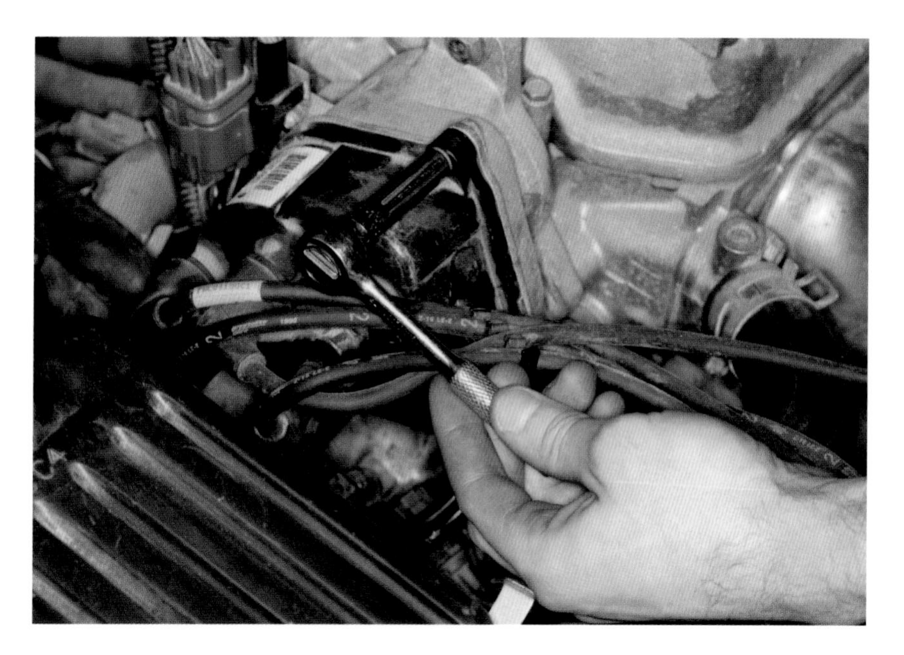

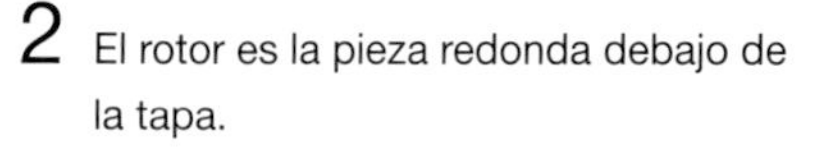

2 El rotor es la pieza redonda debajo de la tapa.

3 Algunos rotores pueden sacarse jalándolos. El de este Honda está sujeto con un tornillo a la flecha del distribuidor. Quite el tornillo para sacar el rotor.

Nota: si la punta del rotor no está quemada o desgastada, podría limpiarlo y pulirlo con una fibra Scotch-Brite[MR], o fibra de metal, y volver a usarlo.

Invierta estos pasos para colocar el nuevo rotor y la tapa.

Proyecto 11

Prueba del alternador

TALENTO: 3

TIEMPO: 15 minutos

HERRAMIENTAS:
Voltímetro

COSTO: $250–500

SUGERENCIA:
Si la batería no carga, revise si hay un cable flojo o desconectado en el alternador y revise las conexiones de la batería.

1 Puede probar el alternador con un voltímetro, una útil herramienta para muchas partes del sistema eléctrico. Primero pruebe el voltaje de la batería con el motor apagado. El voltímetro mostrará el voltaje disponible en la batería. Deberá ser de aproximadamente 12.5 volts.

2 Arranque el motor y pruebe de nuevo la batería. Si el voltímetro muestra más voltaje que el que mostraba la batería con el motor apagado —en el mejor de los casos de 13-15 volts—, el alternador está funcionando.

Proyecto 12

Reemplazo del alternador

TALENTO: 4

TIEMPO: 30–60 minutos

HERRAMIENTAS:
Desarmador, llave de dados, extensión(es)

COSTO: $750–2000

SUGERENCIA:
Haga que le prueben el alternador viejo en una tienda para confirmar que está defectuoso. Normalmente obtendrá un reembolso por un alternador usado cuando compre el nuevo, por lo que conviene que lleve el alternador viejo a la tienda de autopartes.

1 Desconecte el cable negativo de la batería. Quite la banda del alternador liberando la tensión y sacándola de la polea del alternador. El tensor puede estar en el alternador mismo, como en el caso del Dodge del proyecto 29 (Reemplazo de la bomba de agua), o puede provenir de una polea accionada por resorte o ajustable que aplica tensión a la banda (como se describe en el proyecto 8, Reemplazo de la banda serpentina).

La ruta de la banda se muestra aquí.

2 Desconecte los cables, que a menudo incluyen un tapón y un enchufe atornillado.

3 Quite los pernos que sujetan la caja del alternador al motor y cualquier abrazadera. Este Dodge Dakota tiene un perno paralelo a la flecha del alternador (aquí se muestra). Tiene otro perpendicular a él (que se muestra, aflojado, en la foto superior). Los pernos de montaje tienen muchas configuraciones, pero los pasos básicos para cambiar un alternador son los mismos.

4 El perno se muestra de nuevo en su lugar. Al instalar de nuevo la banda, asegúrese de que las costillas de la banda queden alineadas correctamente con la polea. La tensión se ajusta de manera automática con el tensor.

5 Incluso sin los pernos, el alternador puede tener un ajuste apretado. Tal vez necesite menearlo hacia atrás y hacia adelante para moverlo y quizá sea necesario palanquearlo con un desarmador largo o una barra metálica. Haga palanca lenta y cuidadosamente, y distribuya la fuerza de manera uniforme a lo largo de las superficies atoradas para que entre.

Proyecto 13

Reemplazo del motor de arranque

TALENTO: 3–5 (dependiendo de su ubicación y las obstrucciones)

TIEMPO: 30–90 minutos

HERRAMIENTAS: Llave de dados, llave(s) mixta(s)

COSTO: $1000–2500

SUGERENCIA: Obtendrá un reembolso por su motor de arranque viejo, como en el caso de su alternador viejo.

1 Antes de realizar cualquier trabajo eléctrico —o, para el caso, cualquier trabajo en el compartimiento del motor—, desconecte el cable negativo de la batería.

Siempre use guantes cuando trabaje con baterías.

2 El motor de arranque generalmente está unido con pernos al extremo de la transmisión del motor y tiene un engrane o piñón propulsor que llega al espacio donde se unen el motor y la transmisión, denominado campana. El motor de arranque en este Camry de Toyota se encuentra justo debajo de la manija de color naranja cerca de la manguera del radiador. Cuando se activa, este engrane se acopla con una corona dentada montada en el volante del motor en un auto con velocidades manuales o en el plato flexible en un auto automático. Al girar el volante, o el plato flexible, el motor de arranque hace que gire el motor.

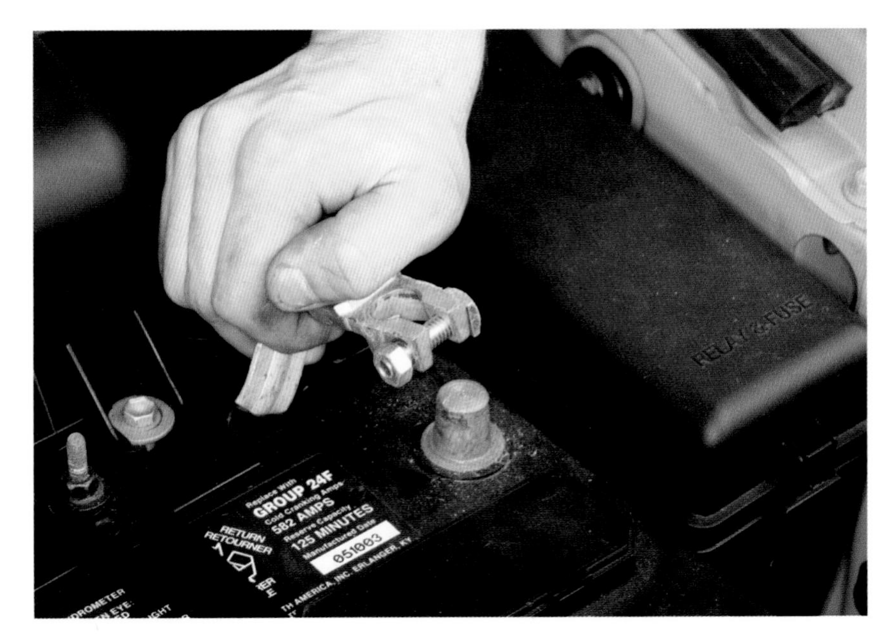

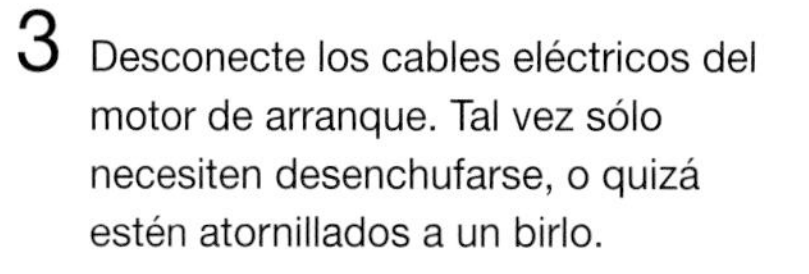

3 Desconecte los cables eléctricos del motor de arranque. Tal vez sólo necesiten desenchufarse, o quizá estén atornillados a un birlo.

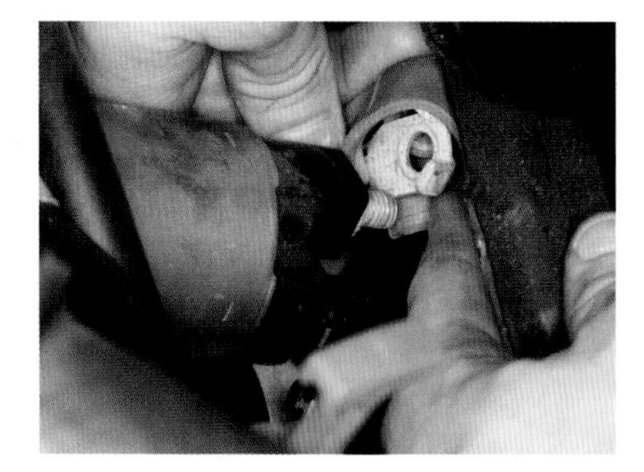

4 Desatornille el motor de arranque del motor y jálelo para sacarlo de su hueco.

5 En este Camry el espacio es estrecho; para sacar el motor de arranque fue necesario empujar la caja de aire negra grande para crear un poco más de espacio libre adicional. El motor de arranque se pudo liberar luego por debajo de la manguera del radiador. Observe si hay calzas o espaciadores usados entre el motor de arranque y su montaje para controlar o ajustar el acoplamiento del piñón con la corona. Si los hay, asegúrese de colocarlos de nuevo en su lugar cuando reinstale el motor de arranque.

La instalación se realiza a la inversa del desmontaje. El paso final es volver a conectar el cable negativo de la batería.

Proyecto 14

Limpieza de las terminales (bornes) de la batería

TALENTO: 1

TIEMPO: 15 minutos

HERRAMIENTAS:
Limpiador de bornes de batería o cepillo de alambre, limpiador comercial o bicarbonato de sodio

COSTO: $0–100

SUGERENCIA:
Use ropa vieja y guantes siempre que trabaje con la batería de un automóvil, ya que el ácido en cualquier momento hace hoyos en la ropa.

1 Los bornes, las terminales y los cables de la batería pueden —y por lo general lo hacen— corroerse con el tiempo, dejando una sustancia blanca sarrosa. Esta sustancia interfiere con el flujo de corriente y deberá removerse.

Use anteojos de seguridad y guantes cuando trabaje con la batería. Lávese las manos y la ropa tan pronto como termine el trabajo.

2 Desconecte los cables de la batería, primero la conexión negativa.

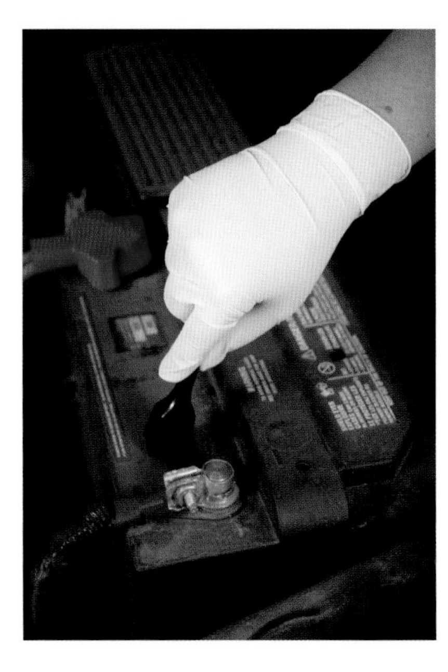

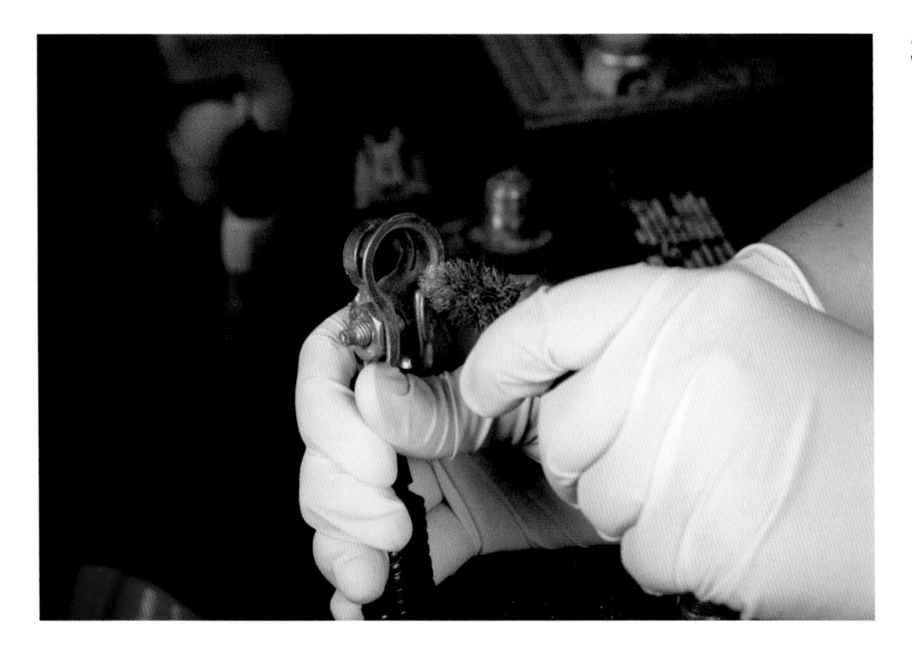

3 Con un cepillo de alambre, limpie la corrosión del cable y la terminal de la batería.

4 Un limpiador barato de bornes de batería tiene un cepillo común y un cepillo para bornes.

5 Limpie los bornes colocándolo sobre cada uno de ellos y girándolo de un lado a otro para remover la corrosión.

6 Una vez que están bien limpios los bornes, utilice una solución de bicarbonato de sodio y agua con una cubeta y esponja, o rocíe líquido de una bebida gaseosa dietética para limpiar y neutralizar el ácido y la corrosión.

No olvide remover la corrosión del soporte y la charola de la batería.

7 Las tiendas de autopartes también venden productos en aerosol y empaques O-ring de fieltro tratados con un agente anticorrosivo que puede colocar debajo de las tomas de la batería para inhibir una futura corrosión.

8 Reinstale los cables de la batería. Primero el positivo, luego el negativo.

Proyecto 15

Revisión del electrolito de la batería

TALENTO: 1

TIEMPO: 5 minutos

HERRAMIENTAS:
Probador

COSTO: $100

SUGERENCIA:
Use ropa vieja y guantes, y limpie cualquier ácido de la batería que se derrame para minimizar la corrosión.

1 Algunas baterías están selladas de manera permanente. Otras, como ésta, tienen tapas que le permiten revisar el nivel del electrolito de la batería y su fuerza. Haga una leve palanca abajo de las tapas y levántelas. Colóquelas sobre una toalla de papel para que absorba cualquier electrolito.

Use anteojos de seguridad y guantes, y lávese las manos y la ropa después de la prueba.

2 Con una linterna prendida vea cada celda para determinar si el nivel del electrolito está arriba del extremo superior de las placas. Si no es así, agregue suficiente agua destilada para cubrir las placas. Ahora inserte el probador en el electrolito y succiónelo en el cilindro de prueba. El disco o las esferas flotantes indican el estado de la carga retenida por esa celda.

Proyecto 16

Reemplazo de la batería

TALENTO: 2

TIEMPO: 15–30 minutos

HERRAMIENTAS: Llave pequeña para cables; puede ser necesaria una llave de dados con extensión para el perno de la abrazadera

COSTO: $500–1500

SUGERENCIA: Si deja parado un vehículo por mucho tiempo, cargue periódicamente la batería, o utilice un cargador de carga lenta para mantenerla viva.

1 Una vez más, asegúrese de traer puestos sus anteojos de seguridad y sus guantes. Desconecte y ponga a un lado el cable negativo de la batería. Haga lo mismo con el cable positivo de la batería.

2 Desconecte y quite todos los soportes de montaje o herrajes, los cuales pueden estar unidos en la parte inferior (abajo izquierda), como sucede aquí, o correr a través de la parte superior de la batería.

3 Levante la batería para liberarla, manteniéndola nivelada para evitar la posibilidad de un derrame de ácido. Una correa o una banda barata para levantar la batería (disponible en las tiendas de autopartes) facilitan mucho la tarea de sacar una batería con las terminales en la parte superior.

Si la batería tiene las terminales en la parte superior, pero usted utiliza las laterales, como se muestra aquí, mantenga tapadas las terminales superiores para eliminar el riesgo de que una pieza o herramienta metálica haga corto entre ellas y cree un peligro de incendio.

Proyecto 17

Prueba y reemplazo de fusibles

TALENTO: 2

TIEMPO: 15–30 minutos

HERRAMIENTAS:
Fusible(s), probador

COSTO: $250–400

SUGERENCIA:
Su manual del propietario deberá explicar dónde va cada fusible y qué parte controla. Los relevadores, que son cajas o cilindros que van dentro de la caja de fusibles, también pueden fallar, haciendo inoperable un componente (como la bomba de combustible, una luz direccional o el aire acondicionado).

1 Vea en el manual del propietario la ubicación y funciones de los fusibles. Una lámpara de prueba barata es la forma más sencilla de verificar la condición de un fusible. Conecte la toma negativa de la lámpara de prueba con el cable negativo de la batería, y luego toque con la punta cada patita o extremo del fusible. En el caso de fusibles tipo cuchilla, hay una pequeña ranura o abertura en la parte superior de cada patita; ahí es donde debe tocar con el probador. Si hay energía disponible en el fusible y éste está en buenas condiciones, la lámpara de prueba se iluminará en ambos lados. Si el fusible está mal, sólo se iluminará del lado de la energía o batería del fusible. Otra manera consiste en quitar el fusible y revisarlo visualmente. El alambre en un fusible malo estará roto.

2 Para quitar un fusible tipo cuchilla, tómelo de cada lado y jale para liberarlo. Este trabajo se facilita con un extractor de fusibles, de plástico y barato, que está disponible en las tiendas de autopartes.

Para quitar los fusibles más antiguos BUSS tipo cristal, utilice un extractor de fusibles barato para asir el tubo de cristal cerca de un extremo, jale para aflojarlo y luego jale para liberarlo.

3 Reemplace un fusible presionándolo en las ranuras apropiadas en la caja de fusibles.

Si un fusible está fundido, es por una razón. Podría ser un corto circuito momentáneo o que el circuito esté jalando demasiada corriente. Nunca trate de corregir el problema de un fusible fundido instalando un fusible de mayor amperaje. Hacer esto es una invitación a un cableado sobrecalentado y a un incendio eléctrico potencial.

4 Si el fusible está en buenas condiciones, la conexión de metal (en forma de S en este fusible) entre los dos contactos se verá intacta. Si el fusible está fundido, esta conexión estará quemada y abierta. En ocasiones un fusible que se ve en buenas condiciones no funcionará de manera adecuada debido a que no está asentado correctamente en la caja de fusibles. Por esta razón, una lámpara de prueba es un mejor indicador del estado de un fusible que una inspección visual.

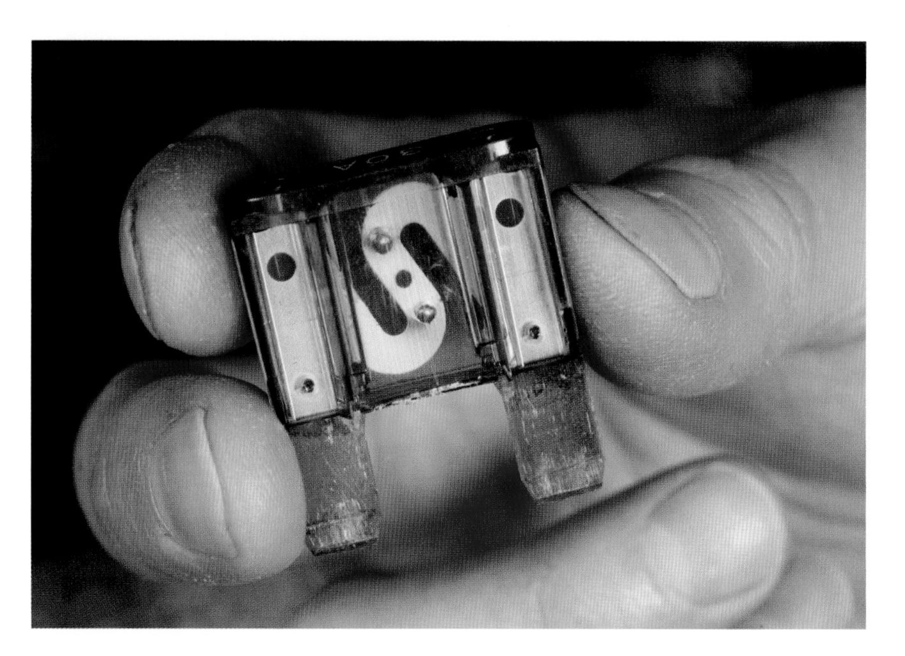

Proyecto 18

Reemplazo de focos traseros

TALENTO: 1–2

TIEMPO: 15–30 minutos

HERRAMIENTAS:
Llave de dados/desarmador

COSTO: $50–100

SUGERENCIA:
Revise el foco que quite para asegurarse de que su filamento está roto; un fusible o un relevador en malas condiciones o una conexión floja también pueden hacer que se apague el foco trasero.

1 Encuentre el cableado y el arnés. Podría estar detrás del forro de la cajuela.

2 La mayoría de los vehículos modernos utilizan un portafocos que se fija en su lugar con un giro. Para sacarlo, tome la base de plástico en la que corre el cableado y gírela en el sentido contrario a las manecillas del reloj. Luego puede deslizar el portafocos para sacarlo de la calavera.

3 Tome el foco por su base de plástico y jale para sacarlo del portafocos. La grasa de color café claro que se usa en la base del foco es dieléctrica, que mejora las conexiones eléctricas y es resistente al agua. No utilice grasa común para este fin.

4 Inserte el foco nuevo, vuelva a meter el portafocos en la calavera y gírelo para fijarlo en su lugar. Cualquier agencia o tienda de autopartes tiene el foco que usted necesita. Muchos de ellos ahora están estandarizados.

Proyecto 19

Reemplazo de la mica de una calavera

TALENTO: 2

TIEMPO: 15 minutos

HERRAMIENTAS:
Llave de dados

COSTO: $200–500

SUGERENCIA:
Si hay agua detrás de la mica, séquela; si el sello alrededor de la mica está dañado, reemplácelo (un sello nuevo podría venir con la mica de repuesto).

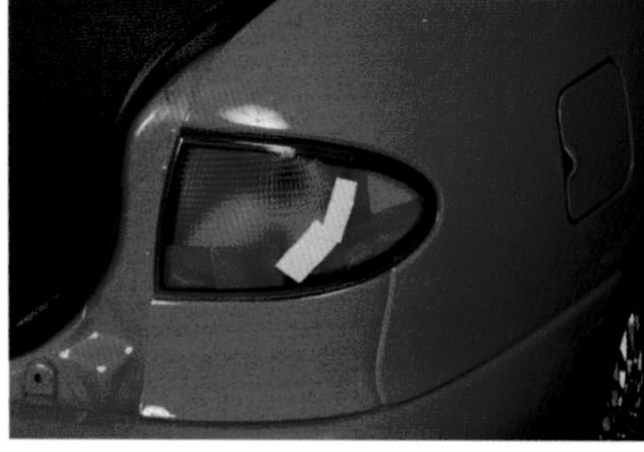

1 Una mica rajada, con el tiempo sufrirá daño por el agua y se empañará.

2 Deje libre el cableado/arnés jalando hacia atrás cualquier parte del forro de la cajuela que pueda estorbar. Saque el foco girando el portafocos y jalándolo para liberarlo, como se describió en el proyecto 18 (Reemplazo de focos traseros). Ahora afloje los pernos que fijan la calavera.

3 Sostenga el conjunto de la calavera mientras quita la última tuerca o perno de sujeción, y luego jale el conjunto para liberarlo. En los autos modernos la mica por lo general está incorporada en el conjunto, como en el de este Chevrolet. Se reemplaza el conjunto completo y no sólo la mica roja; ésa es la razón por la que cuestan mucho más.

Ensamble de nuevo invirtiendo estos pasos.

Proyecto 20
Reemplazo de faros delanteros

TALENTO: 2

TIEMPO: 15–30 minutos

HERRAMIENTAS:
Llave de dados (posiblemente pinzas de corte para liberar el clip del cuerpo si está presente)

COSTO: $300 o más

SUGERENCIA:
Tenga cuidado de no mover los tornillos de alineación del faro.

1 Es posible acceder a algunos faros delanteros desde el compartimiento del motor sin quitar nada excepto el montaje del faro mismo. En este Chevy Cavalier, tuvimos que quitar una guarda de plástico que corre a lo largo de la parte superior del frente del compartimiento del motor.

2 Puede usar unas pinzas de corte para liberar algunos clips del cuerpo; utilícelas como cuña y palanca en vez de cerrarlas para cortar. Con esto quedan al descubierto los pernos de montaje de la carcasa del faro delantero.

3 Quite los pernos que sujetan la carcasa del faro delantero.

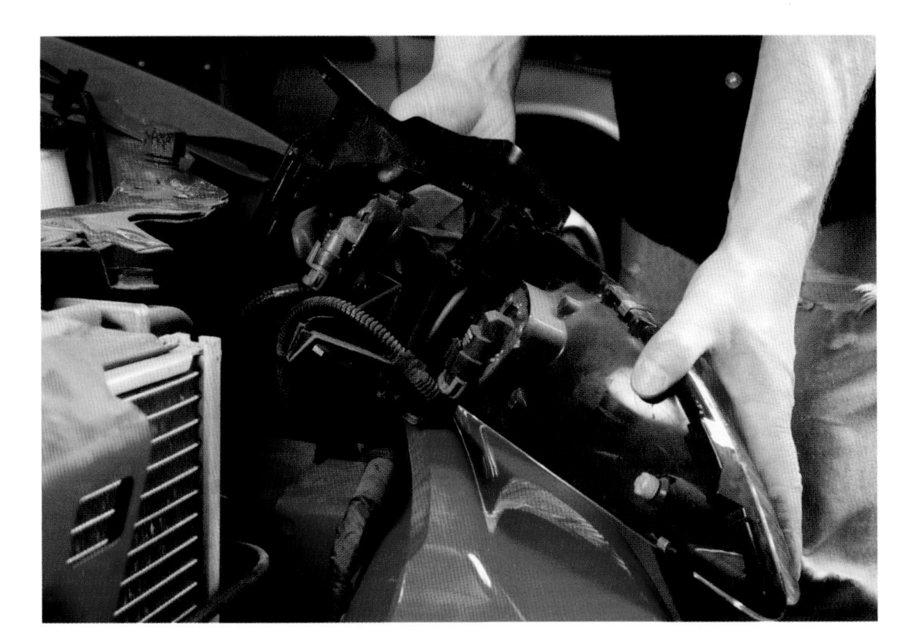

4 Ahora jale la carcasa hacia adelante para que se vea el arnés eléctrico.

5 Gire el anillo de presión o el portafocos en el sentido contrario a las manecillas del reloj y jale el foco del faro delantero para liberarlo de la carcasa. Ahora desenchufe el foco.

Enchufe el foco nuevo e invierta el procedimiento de remoción de los componentes.

No toque un foco de halógeno del faro delantero excepto por la base de plástico. La grasa de sus dedos en el vidrio podría hacer que el foco falle prematuramente.

Proyecto 21

Reemplazo de focos de las direccionales

TALENTO: 1–2

TIEMPO: 15–30 minutos

HERRAMIENTAS:
Llave de dados o mixta

COSTO: $50–100

SUGERENCIA:
Revise si el filamento está roto; si no está roto, revise el fusible, el cableado y el relevador para encontrar el origen de la falla en la señal.

1 El reemplazo del foco de la direccional es muy parecido al reemplazo de un foco trasero. Para tener espacio libre, algunos vehículos, como este Ford Ranger, requieren que usted quite de la carrocería la cubierta de la direccional pare tener acceso al foco. La cubierta puede tener tuercas y pernos con sujetadores que presionan un clip.

2 La cubierta de la direccional del Ranger sólo requiere quitar un perno.

3 Jale la cubierta para liberarla.

4 Gire el portafocos en el sentido contrario a las manecillas del reloj y jale para sacarlo de la cubierta.

5 Luego se jala el foco para liberarlo del montaje.

Inserte un foco nuevo y vuelva a ensamblar en el orden inverso. Una pequeña cantidad de grasa dieléctrica (no de grasa común) ayudará a la conexión y repelerá la humedad.

Proyecto 22

Reemplazo de las luces de reversa

TALENTO: 1–2

TIEMPO: 15–30 minutos

HERRAMIENTAS:
Desarmador

COSTO: $50–100

SUGERENCIA:
Revise si hay agua detrás de la mica; seque y revise el sello si está presente.

1 Las luces de reversa, o de marcha atrás, a menudo se encuentran en la misma carcasa que las luces y las direccionales traseras, particularmente en las camionetas.

2 La carcasa de esta camioneta Ford está sujeta mediante tornillos que pasan a través de la mica roja y a través de la abertura de la puerta trasera hasta la parte lateral de la carcasa. Gire los tornillos en sentido contrario a las manecillas del reloj para quitarlos.

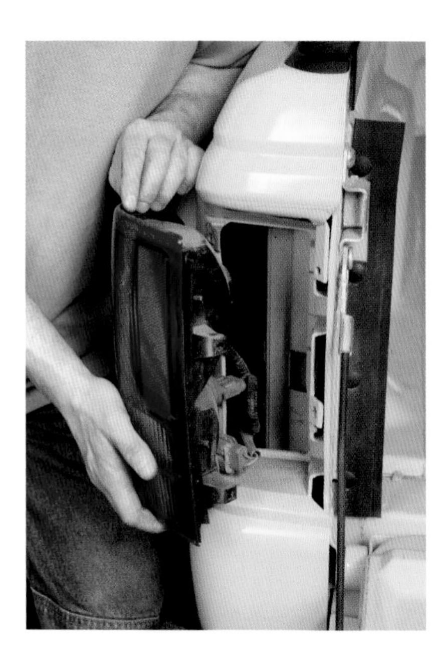

3 La carcasa se jala luego para liberarla de su lugar.

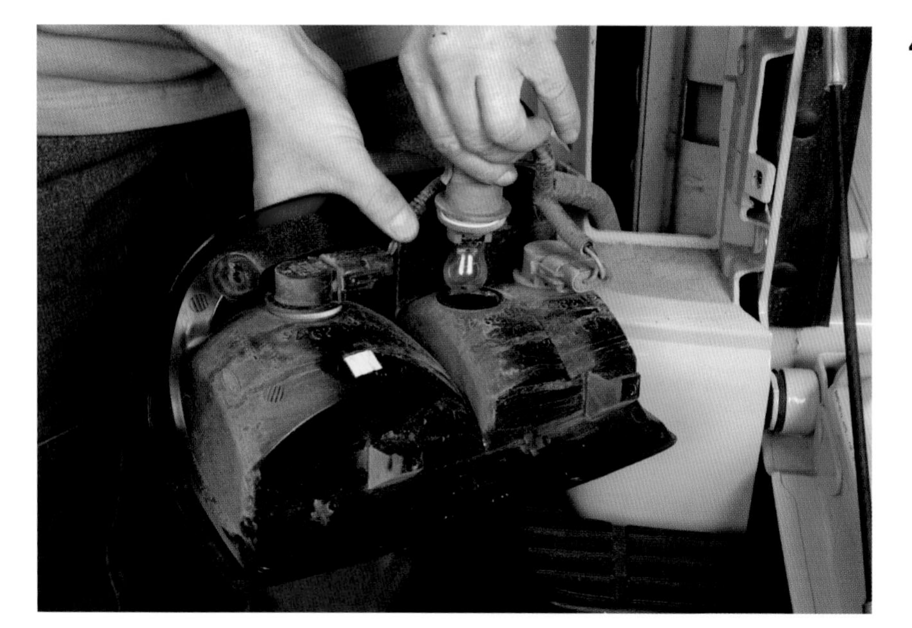

4 Para sacar de la carcasa el portafocos de la luz de reversa, gírelo en el sentido contrario a las manecillas del reloj y jálelo.

5 Tome el foco por su base de plástico y jale para sacarlo del portafocos.

Inserte el foco nuevo y vuelva a ensamblar en el orden inverso.

Capítulo 5

Sistema de enfriamiento

Cómo funciona

 ¡CUIDADO!

CONCEPTO CLAVE

 TECNOLOGÍA DEL PASADO

SUGERENCIA DE MANTENIMIENTO

 TECNOLOGÍA DEL MAÑANA

SUGERENCIA PARA AHORRAR DINERO

Los motores de combustión interna producen potencia quemando el combustible para crear una cantidad tremenda de calor y presión, que se convierte en energía mecánica para mover el vehículo. Y aun con toda la maravillosa eficiencia de los motores modernos, éstos tan sólo son aproximadamente 80 por ciento eficientes en convertir la energía del combustible en potencia útil. En otras palabras, los motores producen más calor del que pueden convertir en potencia, por lo que se necesita algún tipo de sistema de enfriamiento para controlar las temperaturas de operación y evitar un sobrecalentamiento.

A lo largo de las décadas se han utilizado dos tipos de sistemas de enfriamiento: aire y agua. A final de cuentas, todo el calor en exceso producido por un motor debe disiparse a la atmósfera. Los motores de algunos vehículos, como la planta de poder de cuatro cilindros planos del icónico Volkswagen sedán, se enfriaban directamente mediante flujo de aire sobre las cabezas y el bloque de los cilindros. No había un sistema de enfriamiento separado al que hubiera que darle servicio, no había refrigerante que tuviera que purgarse y limpiarse, no había termostato que tuviera que cambiarse, y no había bomba de agua con fugas y que fallara; simplemente un ventilador impulsado por banda para soplar aire sobre el motor. Pero aun con toda la sencillez, peso ligero y confiabilidad de los motores de automóvil enfriados por aire, éstos tienden a sufrir mayores temperaturas de operación con mayores pérdidas en desempeño y economía del combustible. Y como no hay refrigerante, no son tan eficientes en el suministro de calor para mantener calientes la cabina y a sus ocupantes. El enfriamiento mediante aire todavía es popular en los motores más pequeños que se encuentran en equipos para podar césped y de jardinería.

La mayoría de los vehículos de motor tienen sistemas de enfriamiento cerrados que hacen uso de algún líquido. La bomba de agua hace circular el refrigerante a través del bloque y las cabezas de los cilindros para absorber y llevarse el calor en exceso de la combustión al radiador, el cual envía el calor al aire atmosférico que se mueve pasando por sus aletas y núcleos de enfriamiento.

Para ayudar a la eficiencia del sistema de enfriamiento que utiliza un líquido, el sistema está presurizado y se controla con un termostato. Al operar el sistema a presiones más altas, normalmente en el rango de 7-16 lb/pulg^2, se eleva el punto de ebullición del refrigerante basado en agua. Al elevar el punto de ebullición hasta 250 grados Fahrenheit (120 grados Celsius) o a un nivel mayor, el refrigerante no hervirá ni perderá eficiencia a las temperaturas normales de operación del motor de 180-230 grados Fahrenheit (82-110 grados Celsius). La presión se controla mediante la tapa de presión en el radiador o el tanque de recuperación.

Como los motores de combustión interna no operan de manera eficiente o limpia en términos de emisiones hasta que

SISTEMA DE ENFRIAMIENTO BÁSICO

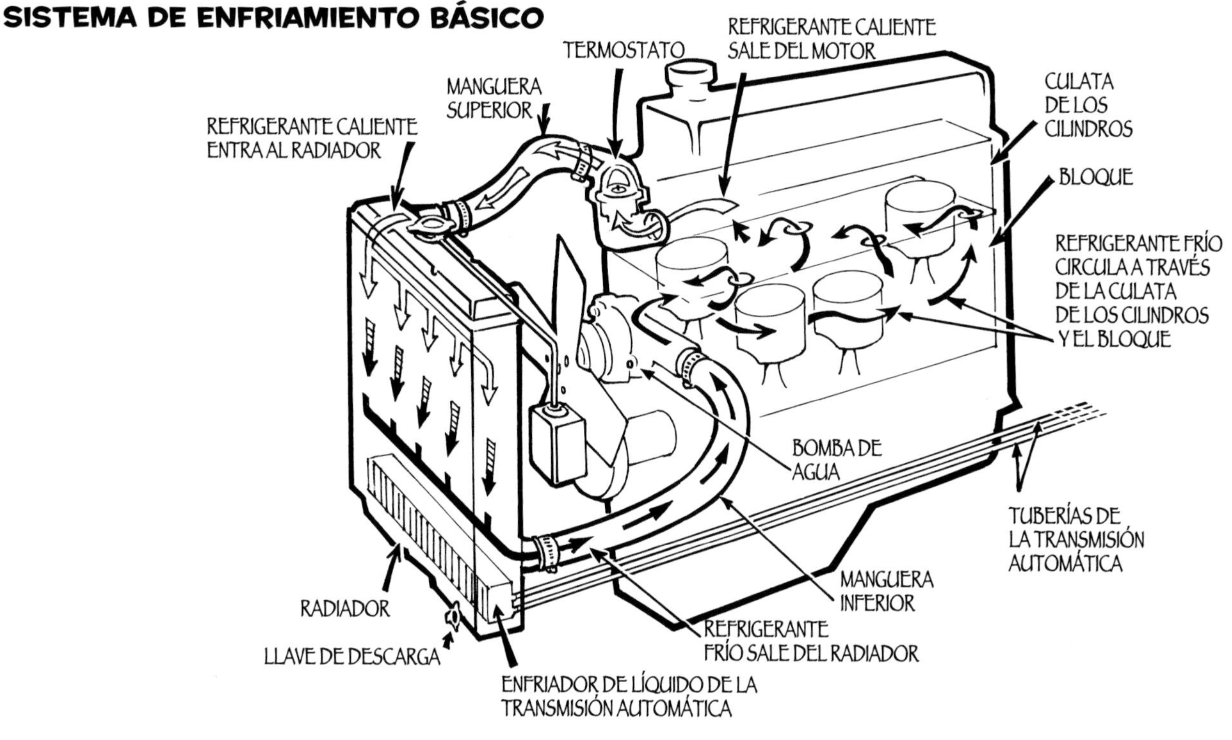

llegan a la temperatura plena de operación, un termostato en el sistema restringe el flujo de refrigerante hasta que las temperaturas de éste llegan al rango normal. A partir de ese punto, el termostato sólo restringirá el flujo del refrigerante si las temperaturas comienzan a descender por debajo del umbral del valor normal, por lo general alrededor de 180 grados Fahrenheit (82 grados Celsius).

Un componente final del sistema de enfriamiento es el refrigerante mismo. Créalo o no, por lo que respecta a una eficiencia pura de enfriamiento, el agua es la mejor opción. Su habilidad para absorber calor de manera rápida y eficiente, junto con su abundancia y bajo costo, la convierte en el refrigerante perfecto —con dos excepciones—. El agua se congela a temperaturas de 32 grados Fahrenheit (0 grados Celsius) o menores, y tiende a promover la corrosión.

Para resolver estos problemas, el refrigerante automotriz moderno es una mezcla de etilenglicol, el componente anticongelante en el refrigerante, y agua. Una mezcla de 50/50 protegerá del congelamiento a los sistemas de enfriamiento hasta alrededor de 34 grados Fahrenheit bajo cero (–36 grados Celsius). ¿Hay algo mejor? Sólo hasta cierto punto. El etilenglicol funciona muy bien como anticongelante, pero no es tan eficiente como el agua en la transferencia de calor. Por esa razón no hay ventaja o beneficio al operar el sistema de enfriamiento con una mezcla de aproximadamente 60 por ciento de anticongelante y 40 por ciento de agua en los climas más fríos.

Para evitar la corrosión en el sistema de enfriamiento, al refrigerante se le incorpora un paquete de aditivos que incluyen inhibidores de oxidación y un lubricante para la bomba de agua. Históricamente, los inhibidores de oxidación han sido fosfatos, boratos y silicatos. Hoy en día éstos todavía son populares, pero muchos fabricantes de automóviles están llenando sus sistemas de enfriamiento con refrigerantes de larga duración que utilizan diferentes componentes químicos para evitar la corrosión. Probablemente el más conocido es Dex-Cool^MR utilizado por General Motors. Sigue siendo un anticongelante de etilenglicol, pero utiliza un compuesto de carbón orgánico para recubrir los componentes y protegerlos contra la corrosión.

MANTENIMIENTO DEL SISTEMA DE ENFRIAMIENTO

¿Alguna vez se ha preguntado por qué los fabricantes de automóviles desarrollaron un refrigerante de larga duración? Históricamente, recomendaban un sistema de enfriamiento tipo vaciar y llenar, en el que el refrigerante se reemplazaba cada 2-3 años o cada 50 000 kilómetros. Ahora, los intervalos de servicio son de 5 años y 80 000-250 000 kilómetros. ¿Por qué la enorme reducción en los requerimientos de mantenimiento del sistema de enfriamiento?

Debido a que muchos propietarios de automóviles no daban el mantenimiento adecuado al sistema de enfriamiento de sus vehículos. Al no reemplazar el refrigerante de manera oportuna, en el sistema se presentaba corrosión y se acumulaban residuos, a menudo sin síntomas, hasta que ocurría una falla mayor. Núcleos del calefactor tapados, núcleos del radiador tapados, fallas en las juntas de la culata de los cilindros o bombas de agua con fuga dejaban al auto sobrecalentado y al propietario enojado y con una factura considerable por la reparación.

Los nuevos refrigerantes de larga duración tienen paquetes de aditivos mejorados que evitan mejor la corrosión, aunque es importante recordar que los componentes del sistema de enfriamiento del vehículo le pertenecen a usted, no al fabricante del vehículo.

Los problemas de oxidación y corrosión en los sistemas de enfriamiento que hacían que se trabajara con poco refrigerante durante prolongados periodos de tiempo han sido un costoso recordatorio para el propietario del vehículo de que debe revisar con regularidad el nivel del refrigerante y dar servicio periódicamente al sistema de enfriamiento.

No debe dejar de vaciar el sistema de enfriamiento y volver a llenarlo con refrigerante fresco cada dos o tres años, o cada 50 000-80 000 kilómetros —es un seguro barato—. Con un servicio de vaciado del sistema de enfriamiento a un costo entre 600 y 800 pesos, comparado con el costo del reemplazo de las juntas de las cabezas de los cilindros de entre 6000 y 12 000 pesos, el mantenimiento de rutina del sistema de enfriamiento tiene sentido, y ahorra dinero.

Corrosión

¿Por qué se produce corrosión en el sistema de enfriamiento? Es muy fácil explicarlo; en un sentido muy real, el sistema de enfriamiento ¡es una batería química! La circulación del agua a través de las superficies de distintos metales crea un potencial eléctrico, que es la definición de una batería. Los motores modernos cuentan con componentes hechos de acero, aluminio, hierro fundido, cobre y otras aleaciones, todos ellos bañados por el flujo de refrigerante. Con el tiempo, la acidez del refrigerante aumenta, creando corrosión y residuos en el sistema que pueden obstruir y restringir el flujo de refrigerante, sobrecalentar el motor y destruir costosas piezas.

¿Hasta qué punto se trata de una batería? Es posible medir realmente un voltaje en un sistema de enfriamiento con refrigerante viejo y ácido. Es común encontrar unas cuantas décimas de volt, en tanto que varios volts significan que el sistema ha pasado mucho tiempo sin recibir servicio.

Pruébelo usted mismo. Con el motor frío, quite el tapón del radiador y meta el cable de prueba rojo/positivo de su voltímetro digital en el refrigerante líquido. Toque con el cable negro/negativo una buena tierra eléctrica en el motor y lea el voltaje. No le sorprenda que la lectura indique varias décimas de volt.

Una nota acerca del refrigerante viejo: aun cuando es posible tirar de manera segura refrigerante usado de etilenglicol por la alcantarilla que lleva a una planta de tratamiento, el anticongelante viejo es muy dañino para los sistemas sépticos.

Aún más importante, el etilenglicol es un producto de la industria petrolera y, en consecuencia, es un recurso limitado. Entonces, ¿por qué no reciclarlo? La mayoría de las agencias y talleres independientes reciclarán anticongelante viejo limpiándolo y filtrándolo, agregando un nuevo paquete de anticorrosivo y lubricante para la bomba de agua, y reutilizando el refrigerante en otro vehículo. Con esto los precios se mantienen bajos, se evita el desperdicio y se conserva más limpio el ambiente —cosas muy positivas todas ellas—. Infórmese con su gobierno municipal dónde se encuentra en su área el centro más cercano para reciclaje de refrigerante.

Recuerde también que el refrigerante es en extremo tóxico para los seres humanos y los animales.

CUIDADO DE LA BANDA, EL RADIADOR Y LA MANGUERA DEL CALEFACTOR

Poner refrigerante fresco cada dos años es sencillo y barato, pero esto no representa un mantenimiento completo del sistema de enfriamiento. Las bandas, el radiador, las mangueras del calefactor, el termostato y el tapón del radiador también requieren atención periódica. El reemplazo de estos componentes cada dos veces que le da servicio al sistema de enfriamiento, es decir, entre cada cuatro y seis años, es una buena práctica. ¿Pueden durar más tiempo estos compo-

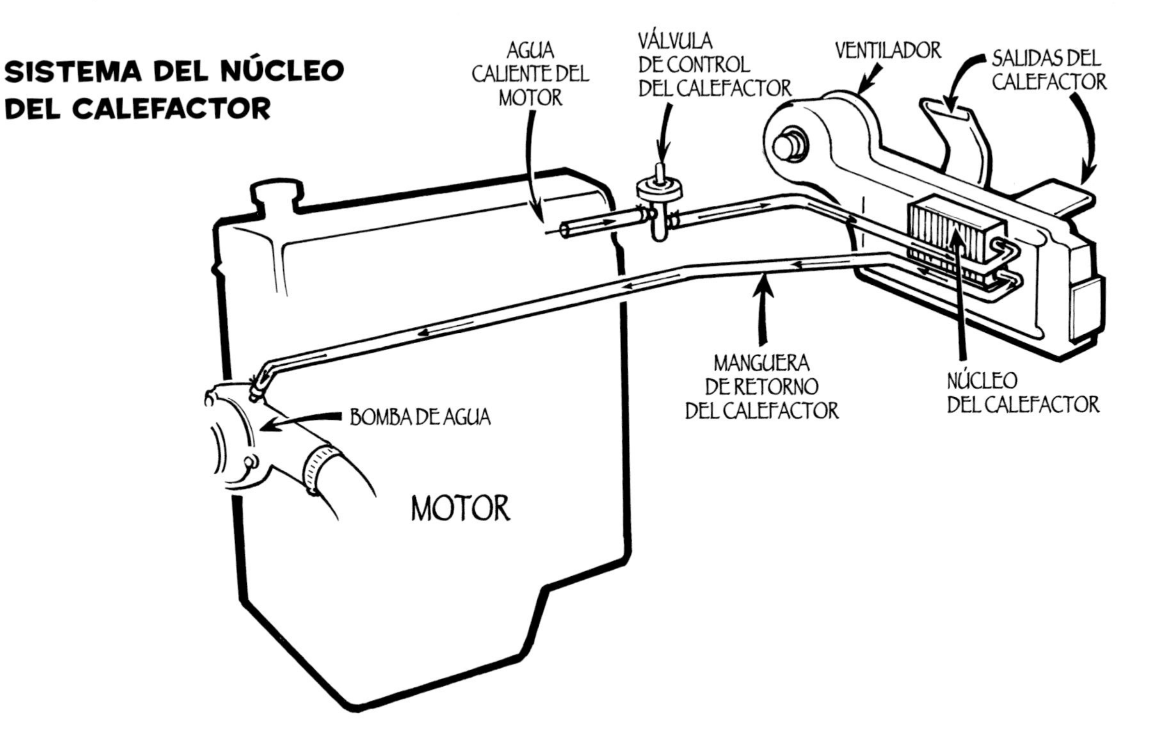

nentes? Sí, pero, una vez más, considere el costo de reemplazarlos como una póliza de seguro. ¿Cuánto cuesta quedarse varado al lado de la carretera con un sistema de enfriamiento que ha fallado, con un motor sobrecalentado y con unas vacaciones arruinadas?

Cada vez que tenga el cofre abierto, haga una inspección visual de las bandas y las mangueras. (Seguramente revisa los niveles del aceite y el refrigerante por lo menos una vez al mes, ¿verdad?). Las bandas —ya sean bandas en V sencillas o las bandas serpentinas modernas con costillas múltiples— necesitan estar en buenas condiciones para realizar su trabajo. Cualquier tipo de desgaste o deshilachado, particiones, rajaduras o trozos faltantes significan en definitiva que es momento de su reemplazo. Tenga presente que las grietas menores en la superficie enervada de una banda serpentina son relativamente normales y no significa que esté a punto de fallar. Una regla empírica básica es la siguiente: si la banda serpentina no tiene más de tres grietas por cada 2.5 centímetros y no hay roturas de borde a borde, entonces la banda todavía está en buenas condiciones. Las bandas serpentinas son muy confiables y tienden a proporcionar una vida de servicio de 120 000 kilómetros o más, lo cual hace que su reemplazo cada dos veces que da servicio de rutina al sistema de enfriamiento sea el momento perfecto.

Revise las mangueras del sistema de enfriamiento con el motor frío o un poco caliente, pero no cuando esté completamente frío de ser posible. Es deseable revisarlas a temperaturas superiores a la temperatura ambiente para que estén cerca de su temperatura de operación. Con los guantes puestos, toque cada manguera. Deberán sentirse firmes, no blandas, y no deberán mostrar protuberancias anormales en ningún punto, en particular en cada extremo donde se conectan con una salida de agua. Cualquier endurecimiento o grieta justifican su reemplazo —de inmediato—.

Al reemplazar bandas, mangueras, termostatos y tapones del radiador, instale componentes de alta calidad. Su mejor elección siempre debe ser la de equipos originales o partes de marcas reconocidas y respetadas. Ninguno de estos componentes es costoso ni afecta la ecuación general de poseer, operar y dar mantenimiento a un automóvil, por lo que debe adquirir las mejores partes disponibles. ¿Por qué poner en riesgo su vehículo con una pieza hecha por una compañía de la que nunca había oído hablar o de un país que no sabía que existiera?

Hay un servicio más que debe realizarse anualmente y que no le costará ni un centavo. Mantenga limpios y libres de residuos el radiador y el condensador del aire acondicionado, que se encuentra frente al radiador. Utilice la manguera de su jardín o aire comprimido y lave o sople desde el lado del motor hacia el frente del vehículo, despegando y lavando cualquier insecto o restos de hojas que estén pegados en el frente del radiador o en el condensador del aire acondicionado. Este sencillo mantenimiento mejorará la eficiencia, y reducirá el esfuerzo tanto del sistema de enfriamiento como del aire acondicionado.

SOLUCIÓN DE PROBLEMAS

Enfrentémoslo, el principal síntoma de cualquier problema en el sistema de enfriamiento es el sobrecalentamiento. ¿Cómo saber que el motor se está calentando demasiado? Esa luz roja grande de advertencia en el tablero de instrumentos podría ser una señal, o la aguja en el medidor de temperatura que se mantiene en la zona roja. O la marcha irregular del motor o la pérdida de potencia. O el vapor que sale debajo del cofre. Incluso la pérdida de calor del sistema de calefacción puede indicar un problema grande con el sistema de enfriamiento.

La primera regla empírica para manejar el problema de sobrecalentamiento es atenderlo de inmediato. Si su motor comienza a sobrecalentarse, oríllese al lado del camino, deténgase y apague el motor —inmediatamente—. No continúe manejando a menos que sea una absoluta necesidad para su seguridad inmediata. Si continúa operando el motor, las temperaturas aumentarán aún más y terminarán por causar daños severos al motor. Recuerde, el motor se está sobrecalentando debido a que está produciendo más calor sobrante del que puede disipar el sistema de enfriamiento. Por lo tanto, se está calentando más. . . y está produciendo aún más calor sobrante. . . que no puede ser disipado. Es un efecto dominó, por lo que las temperaturas del motor continuarán disparándose hasta que usted se detenga y lo apague.

Un sobrecalentamiento severo puede hacer que fallen las juntas del múltiple de admisión y las juntas de las cabezas de los cilindros, así como agrietar las cabezas y los bloques de los cilindros. También puede romper los anillos de los pistones, rayar las paredes de los cilindros, e incluso permitir que el refrigerante entre al aceite del motor. Si el motor continúa funcionando con una cantidad significativa de refrigerante en el aceite, los cojinetes sufrirán un daño fatal. La lección es: continuar operando un motor que se está sobrecalentando seguramente conducirá a un daño muy costoso.

Por lo tanto, deténgase y espere a que el motor se enfríe. No abra inmediatamente el cofre si hay evidencia de que sale vapor del compartimiento del motor. Si no hay vapor ni humo, póngase sus guantes y sus anteojos de protección y libere el cofre hasta el pestillo de seguridad. Espere un rato para asegurarse de que no hay humo ni vapor, y luego abra lentamente el cofre para dejar que escape el calor.

La siguiente es una sugerencia. Si advierte que la temperatura del motor está aumentando *antes de* que llegue al rango de sobrecalentamiento, pruebe prender la calefacción en su nivel más alto. El núcleo del calefactor es otro pequeño radiador y podría ayudar a disipar algo de ese calor en exceso para ayudar a controlar la temperatura del motor hasta que usted llegue a su destino. Es más barato que usted se sobrecaliente un poco y no el motor, ¿no lo cree?

No quite el tapón del radiador. Recuerde, el sistema de enfriamiento esta bajo considerable presión. Liberar esa presión al quitar el tapón hará que el refrigerante sobrecalentado hierva al momento, causando potenciales lesiones graves. No se meta con el tapón ni con el sistema y déjelos que se enfríen completamente.

¿Necesita hacer algo mientras tanto? Llame con su teléfono celular para solicitar asistencia. Una vez que el sistema de enfriamiento se haya enfriado hasta la temperatura ambiente, es posible hacer una inspección para encontrar la causa del sobrecalentamiento. Si es un problema sencillo, haga las reparaciones, rellene con refrigerante y siga su camino.

¡Eso significaría que usted tiene mucha suerte! Una banda rota, una perforación en el radiador, una manguera rota, o una junta de la culata reventada mandarán su vehículo a la banca hasta que sea sometido a la reparación adecuada, lo que significa que probablemente necesitará que remolquen su vehículo hasta un taller. No trate de conducirlo con un problema obvio en el sistema de enfriamiento que va a ocasionar una pérdida rápida de refrigerante. No tiene caso provocar un daño adicional sobrecalentando otra vez el motor.

Señales de que su motor se está sobrecalentando

¿Le podrá dar su motor una señal de que se está desarrollando un problema en el sistema de enfriamiento? Sí. Cualquier fuga o pérdida de refrigerante, falta de calor en el sistema de calefacción y, por supuesto, cualquier señal de sobrecalentamiento que aparezca en el tablero de instrumentos o la luz de advertencia de la temperatura. Una vez más, está revisando más o menos cada mes el tanque de sobreflujo o recuperación del refrigerante mientras tiene abierto el cofre para revisar el aceite, ¿verdad? Este tanque deberá estar lleno hasta el nivel FRÍO (COLD) cuando el motor está frío. Si está vacío, llénelo con una mezcla de 50/50 y revise su nivel cada mañana antes de arrancar el motor—hasta que haya identificado hacia dónde se está yendo el refrigerante—.

Cómo manejar fugas

Si el refrigerante está desapareciendo del tanque de recuperación —o del radiador, si no lo ha revisado con la frecuencia suficiente—, busque una evidencia física de la fuga. Humedad alrededor de mangueras particulares, en el fondo del radiador, goteo proveniente de la manguera inferior del radiador, o a los lados o en la parte posterior del motor indican que hay una fuga considerable. . . ¡de alguna parte!

Las fugas más comunes son:

Sello de la bomba de agua: refrigerante que se está fugando de la manguera inferior del radiador

Radiador: parte inferior del radiador húmeda, pero con la parte superior de la manguera inferior seca

Manguera del calefactor del radiador: manguera mojada/húmeda con refrigerante cerca de la fuga, ¿un charco cercano?

Núcleo del calefactor: refrigerante en el piso del lado del pasajero, olor agridulce de refrigerante en la cabina, mancha de una película de grasa en la parte interior del parabrisas

Junta del múltiple de admisión: fuga externa en la junta, o fuga interna con pérdida de refrigerante, pero poco o ningún sobrecalentamiento o problemas de manejo, por lo menos hasta que se haya consumido suficiente refrigerante para hacer que el motor se sobrecaliente

Junta de la culata de los cilindros: pérdida de refrigerante en el tanque de recuperación debido a una sobrepresión del sistema con presión de la combustión; pérdida de refrigerante, sobrecalentamiento, refrigerante en el aceite, humo blanco proveniente del escape, el sistema de calefacción no genera calor —todos estos son síntomas potenciales de una junta reventada en la culata de los cilindros—.

NOTA SOBRE LOS PRODUCTOS PARA DETENER FUGAS DEL RADIADOR/ SISTEMA DE ENFRIAMIENTO

Los profesionales de servicio en el sector automotriz continúan debatiendo sobre la utilidad de los productos para detener fugas a fin de enfrentar una fuga del sistema de enfriamiento. Créalo o no, la mayoría de los fabricantes de automóviles agregan a los sistemas de enfriamiento de los vehículos nuevos algún tipo de químico para detener fugas por una sencilla razón. Hay una gran cantidad de conexiones para el refrigerante en el sistema de enfriamiento de un automóvil, y los fabricantes de automóviles no desean que usted estacione en la entrada de su casa su automóvil nuevecito de 300 000 pesos, sólo para descubrir a la mañana siguiente un pequeño charco de refrigerante debajo de él.

Por lo tanto, el uso de un producto para detener fugas no es nada malo, aunque no va a detener una fuga mayor, ni a reparar una junta reventada de la culata de los cilindros, ni a curar como por arte de magia un sobrecalentamiento. Pero puede detener un goteo molesto o una pérdida menor de refrigerante del sistema. O podría retardar una fuga el tiempo suficiente para que usted pueda terminar su viaje. En cualquier caso, si funciona, es una solución barata.■

TABLA PARA SOLUCIÓN DE PROBLEMAS DEL SISTEMA DE ENFRIAMIENTO

PROBLEMA	CAUSAS PROBABLES	ACCIONES PARA LA REPARACIÓN
SE PRENDE LA LUZ DE NIVEL BAJO DEL REFRIGERANTE	Nivel bajo del refrigerante	Revise el nivel del refrigerante en el tanque de recuperación/radiador; agregue refrigerante Recuerde: no quite el tapón del radiador a menos que el motor esté completamente frío
	Revise el nivel de refrigerante en el tanque de recuperación semanal/diariamente para determinar la tasa de la pérdida de refrigerante	Si la pérdida es mayor a la nominal, haga que le revisen profesionalmente el sistema de enfriamiento
CHARCOS DE REFRIGERANTE DEBAJO DEL AUTOMÓVIL	Fuga en el sistema	Determine qué parte del sistema de enfriamiento está directamente arriba del punto del charco. Inspeccione el área del compartimiento del motor para ver si hay fugas Si la fuga es de una conexión de una manguera, apriete la abrazadera de la manguera Revise si hay fuga/humedad en la parte inferior de la bomba de agua Si la bomba de agua tiene fuga, reemplácela *(Proyecto 29: Reemplazo de la bomba de agua)* Monitoree la tasa de fuga, como se indicó antes
SE PRENDE LA LUZ DE ADVERTENCIA DE LA TEMPERATURA DEL REFRIGERANTE	Oríllese de manera segura al lado del camino y pare el motor tan pronto como le sea posible. ADVERTENCIA: continuar conduciendo con el motor sobrecalentado puede producir un daño serio del motor	Deje que el motor se enfríe durante 30 minutos o más; vuelva a arrancarlo. Si la luz de la temperatura se apaga, lleve el vehículo a una estación de servicio. Si no, haga que remolquen el automóvil.
SOBRECALENTAMIENTO DEL MOTOR A TAL GRADO QUE SALE HUMO O VAPOR POR DEBAJO DEL COFRE	Fuga de refrigerante, nivel bajo de refrigerante, radiador bloqueado o con fallas	Si el humo/vapor proviene del cofre, ¡no lo abra! Espere a que se enfríe el motor (por lo menos 30 minutos), luego abra el cofre con cuidado. Revise el nivel del refrigerante en el tanque de recuperación; agregue refrigerante si es necesario. Vea si hay señales de fuga (charcos de refrigerante de color verde o mangueras o conexiones mojadas); si identifica que el origen de la fuga es una manguera o una conexión, reemplace la manguera o apriete la conexión. Haga un recorrido de prueba para ver si vuelve a aparecer el vapor; si no, revise con atención el nivel del refrigerante durante las semanas siguientes. Si el vapor vuelve a aparecer, deje que se enfríe el auto, rellene con anticongelante y lleve el auto a un mecánico para su reparación. *(Proyecto 23: Revisión/llenado de refrigerante; Proyecto 26: Reemplazo de la manguera del radiador)*
VIBRACIÓN DEBAJO DEL COFRE	Banda defectuosa de la bomba de agua	Revise si la banda de la bomba de agua presenta deshilachado, grietas u otro tipo de daño; si la banda de la bomba de agua está dañada, reemplácela *(Proyecto 29: Reemplazo de la bomba de agua)* Revise el radiador para ver si hay flujo/bloqueo del refrigerante Revise la parrilla/abertura frontal para ver si existe restricción a la entrada de aire al radiador

TABLA PARA SOLUCIÓN DE PROBLEMAS DEL SISTEMA DE ENFRIAMIENTO

PROBLEMA	CAUSAS PROBABLES	ACCIONES PARA LA REPARACIÓN
LA LECTURA DEL MEDIDOR DE TEMPERATURA ESTÁ ARRIBA DE LO NORMAL Y/O ESTÁ AUMENTANDO	Fuga de refrigerante, bajo nivel del refrigerante, calefactor bloqueado o con falla. NOTA: una vez que el medidor llega a la lectura máxima o la zona roja, está próximo un sobrecalentamiento con vapor que va a salir del cofre. Si sucede eso, vea la sección anterior acerca de **Sobrecalentamiento del motor**	Cuando la lectura del medidor de temperatura está arriba de lo normal, usted puede adoptar las siguientes medidas para retardar el proceso de sobrecalentamiento: ponga en "alto" ("high") la calefacción y en "alto" ("high") el ventilador para disipar más calor del motor; oríllese a una ubicación segura, cambie a neutral; acelere el motor para incrementar la circulación del refrigerante
	No está funcionando el ventilador del radiador	Revise/escuche si está operando el ventilador del radiador
	Falla de la bomba de agua	Revise la banda de la bomba de agua
	Fuga de refrigerante proveniente de una conexión en una manguera	Cuando el motor se haya enfriado, identifique el área de la fuga y apriete la abrazadera de la manguera. *(Proyecto 26: Reemplazo de la manguera del radiador)*
	Ruptura de una manguera del sistema de enfriamiento	Quite, acorte y reinstale la manguera. *(Proyecto 26: Reemplazo de la manguera del radiador)*
	Radiador con una perforación	Si el radiador tiene una perforación, agregue un producto para detener fugas Haga una prueba de presión del sistema. NOTA: no afloje/quite el tapón del radiador hasta que el motor se haya enfriado completamente. *(Proyecto 30: Prueba de presión del sistema)* Rellene el sistema de enfriamiento con agua o una mezcla de anticongelante Reemplace el radiador. *(Proyecto 27: Reemplazo del radiador)*
EL CALEFACTOR NO ENTREGA CALOR	Nivel bajo del refrigerante	Revise el nivel del refrigerante en el tanque de recuperación; con el motor frío, revise el nivel en el radiador. *(Proyecto 23: Revisión/llenado de refrigerante)*
	El termostato se quedó en la posición abierta (el refrigerante nunca se calienta lo suficiente para proporcionar buen calor en el auto)	Reemplace el termostato. *(Proyecto 25: Cambio del tapón del radiador y el termostato)* NOTA: no afloje/quite el tapón del radiador hasta que el motor se haya enfriado completamente
SONIDO FUERTE DE RUGIDO DEBAJO DEL COFRE	Embrague hidráulico del ventilador atascado/con falla	Reemplace el embrague del ventilador
PELÍCULA GRASOSA EN LA PARTE INTERIOR DEL PARABRISAS, OLOR AGRIDULCE DENTRO DEL AUTO; ALFOMBRA MOJADA EN EL PISO DEL PASAJERO	Fuga de refrigerante proveniente del núcleo del calefactor	Agregue al radiador un producto para detener fugas para su reparación temporal. Al final necesitará encontrar la conexión defectuosa y repararla, o reemplazar el núcleo del calefactor completo

TALENTO: 1

TIEMPO: 5 minutos

HERRAMIENTAS:
Refrigerante, embudo

COSTO: $100

SUGERENCIA:
Ponga atención al medidor de temperatura del motor y deténgase de inmediato ante cualquier señal de sobrecalentamiento. Un motor sobrecalentado puede sufrir daños como alabeo de la culata de los cilindros, que puede llevar a otros problemas, como una junta de la culata reventada.

Proyecto 23

Revisión/llenado de refrigerante

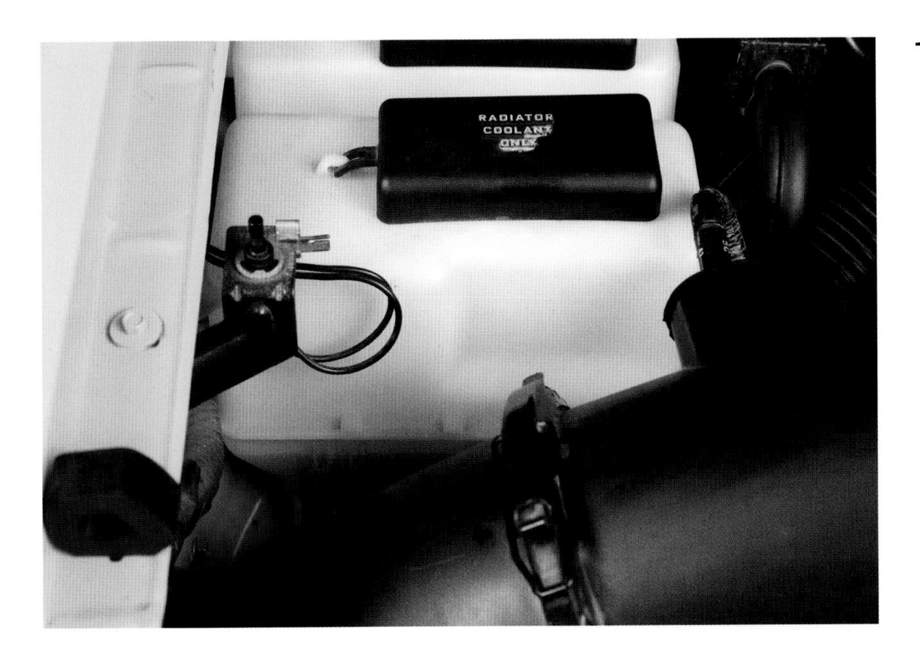

1 Los radiadores actuales por lo general tienen un depósito de sobreflujo separado que indica el nivel correcto del refrigerante. En algunos vehículos, el refrigerante puede revisarse por medio del tapón del radiador cuando el motor está completamente frío. Algunos fabricantes tal vez utilicen un sistema sellado sin acceso al tapón del radiador.

Nunca afloje el tapón del radiador cuando el motor esté caliente —saldrá un chorro de refrigerante hirviendo—.

2 Para revisar el nivel del refrigerante en el radiador cuando el motor está frío, presione hacia abajo el tapón del radiador, gírelo dos posiciones en el sentido contrario a las manecillas del reloj y sáquelo.

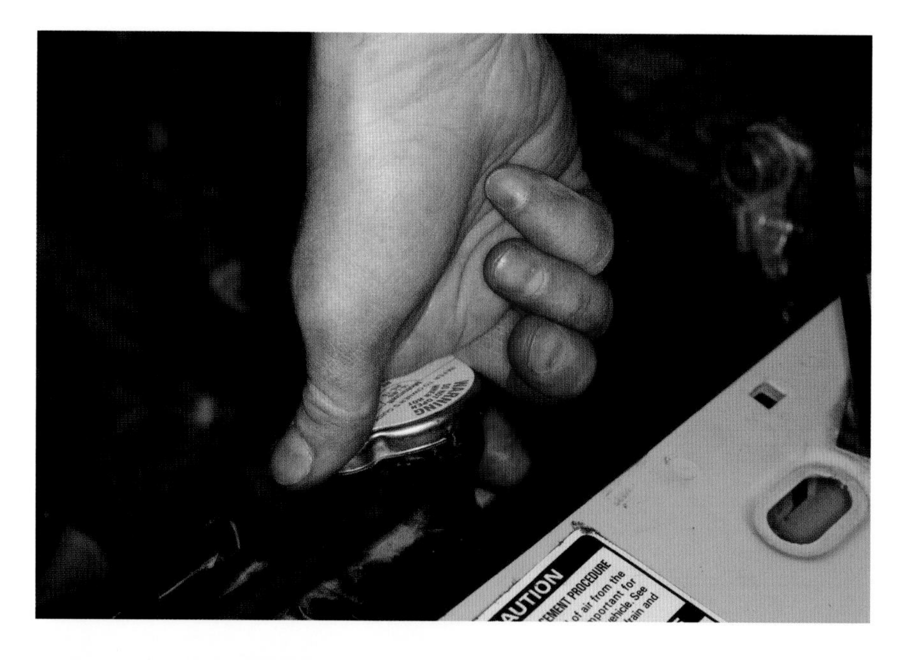

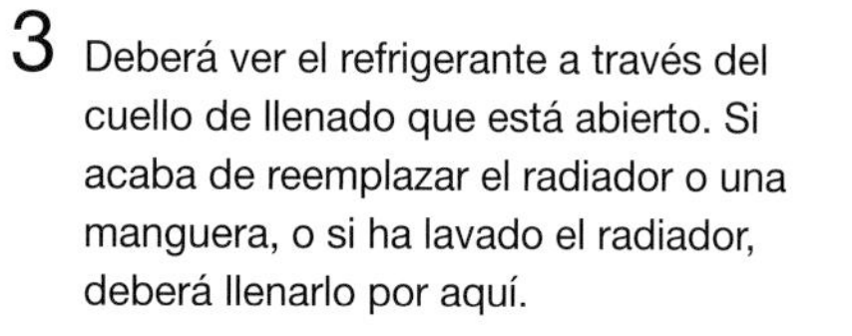

3 Deberá ver el refrigerante a través del cuello de llenado que está abierto. Si acaba de reemplazar el radiador o una manguera, o si ha lavado el radiador, deberá llenarlo por aquí.

4 Si está rellenando un sistema de enfriamiento vacío, mezcle partes iguales de refrigerante y agua en un recipiente limpio (para refrigerante que no esté premezclado), luego viértalo desde el recipiente. Vea el proyecto 24 sobre la revisión de la concentración del fluido.

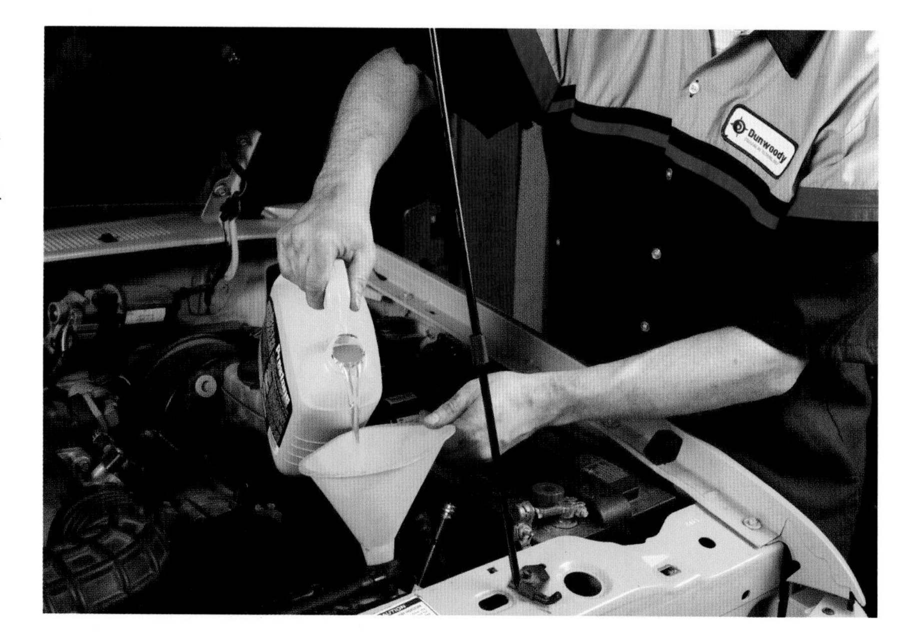

5 Una herramienta barata que utilizan algunos mecánicos para llenar radiadores cuenta con un depósito que se conecta como un tapón del radiador en el cuello de llenado. Vierta refrigerante hasta que llene el fondo del depósito y haga funcionar el motor con la herramienta puesta. Agregue refrigerante si el depósito se vacía. Cuando ya no fluya más refrigerante al radiador, inserte un tapón tipo émbolo para sellar el depósito, luego retire la herramienta e instale el tapón del radiador.

6 El radiador tiene un depósito de sobreflujo. Si la presión se eleva demasiado en el radiador, el tapón liberará presión y expulsará un poco de refrigerante en el depósito. A medida que el sistema se enfría y desciende la presión, se aspirará algo de refrigerante de regreso al radiador. Este contenedor de sobreflujo siempre deberá tener algo de refrigerante en él. Una marca indicará dónde debe estar el nivel cuando el sistema está frío o caliente. Si el nivel del depósito es bajo, agregue refrigerante hasta que el nivel esté justo encima de la línea de llenado FRÍO (COLD).

Nota: su sistema de enfriamiento está lleno con la concentración de anticongelante que recomienda el fabricante, en general una mezcla 50/50 de refrigerante/agua. (Vea el Proyecto 24, Revisión de la concentración del fluido.)

Algunos refrigerantes ya vienen premezclados; lea la etiqueta. Utilice un embudo y viértalo lentamente para evitar derrames. Si purgó el sistema de enfriamiento, éste contendrá aire que deberá ser desplazado con el refrigerante. Para ello, tome y apriete unas dos veces una de las mangueras del radiador a medida que lo llena.

Tenga paciencia, necesitará agregar el refrigerante poco a poco para permitir que escape el aire y el sistema se llene completamente.

Proyecto 24

Revisión de la concentración del fluido

TALENTO: 1

TIEMPO: 5 minutos

HERRAMIENTAS:
Probador

COSTO: $100

SUGERENCIA:
Algunos refrigerantes ya vienen premezclados; lea con atención la etiqueta.

1 Cuando el motor esté frío, quite el tapón del radiador. Apriete la pera de goma en el probador de anticongelante. Inserte el tubo en el cuello de llenado del radiador y suelte la pera.

2 Extraiga refrigerante hasta que se llene el depósito de plástico y lea el indicador. Mostrará el punto de congelación de la mezcla del refrigerante. Este punto deberá estar debajo de las temperaturas más bajas experimentadas en su área. Si la fuerza es demasiado débil, agregue refrigerante anticongelante puro; si es demasiado fuerte, agregue agua destilada. Luego vuelva a probar.

Proyecto 25

Cambio del tapón del radiador y el termostato

TALENTO: 3

TIEMPO: 30–60 minutos

HERRAMIENTAS:
Llave mixta o de dados

COSTO: $200–300

SUGERENCIA:
Los tapones vienen con diferentes categorías de presión. Asegúrese de adquirir la correcta para su vehículo.

1 Los tapones de los radiadores están accionados por resorte a fin de mantener cierta cantidad de presión en el sistema. Cuando la presión del sistema de enfriamiento es demasiado elevada, el sello accionado por resorte es forzado hacia arriba, liberando presión y permitiendo que escape refrigerante al depósito de sobreflujo. No es una mala idea reemplazar el tapón de su radiador después de algunos años, o de acuerdo con las recomendaciones del fabricante, para asegurarse de que selle y funcione correctamente. Para quitarlo —con el motor frío, por supuesto—, empújelo con fuerza hacia abajo con la palma de la mano con un guante puesto y gírelo en el sentido contrario a las manecillas del reloj.

2 En la mayoría de los vehículos, el termostato se encuentra donde la manguera superior del radiador se conecta con su caja. La remoción de la caja del termostato por lo general liberará algo de refrigerante, por lo que debe colocar convenientemente una bandeja para el drenado. Mejor aún, drene el radiador hasta un nivel que quede debajo de la caja del termostato.

3 Utilice la llave de dados o la llave española correcta para llegar a los pernos de la caja del termostato y aflojarlos.

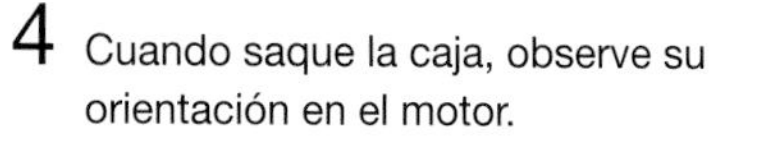

4 Cuando saque la caja, observe su orientación en el motor.

5 Tal vez necesite un desarmador para aflojar el termostato si está pegado. Vea cómo el lado interior o del motor, que contiene el elemento sensible a la temperatura, se ve diferente desde afuera. No instale el termostato nuevo al revés ya que no funcionará correctamente.

6 El empaque puede ser un anillo unido alrededor del termostato mismo, como sucede en este caso, o una hoja separada cortada para que coincida con la caja. Limpie todos los rastros del empaque viejo. Instale el termostato nuevo con su empaque igual que como estaba instalado el anterior y apriete los pernos. Haga funcionar el motor y revise si hay fugas.

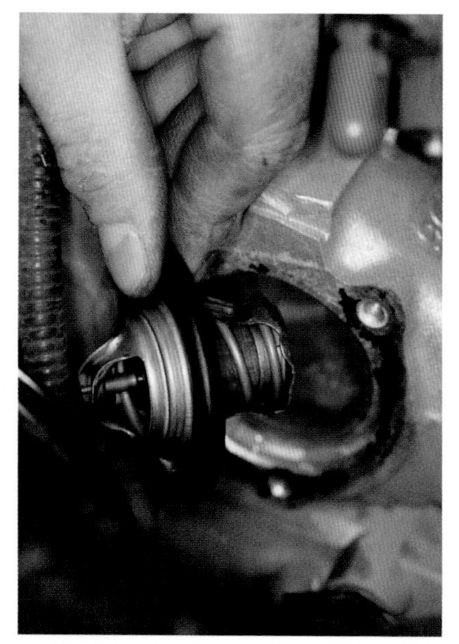

Proyecto 26

Reemplazo de la manguera del radiador

TALENTO: 3

TIEMPO: 30–60 minutos

HERRAMIENTAS:
Desarmador o pinzas, dependiendo del tipo de abrazadera de la manguera

COSTO: $200–400

SUGERENCIA:
Reemplace las abrazaderas al mismo tiempo. Vea el proyecto 24 para las instrucciones acerca de cómo drenar el sistema.

1 Una manguera del radiador que tenga fugas o muestre señales de daño (una protuberancia, fisuras, que esté endurecida, que muestre obstáculos, o con hule agrietado) debe ser reemplazada. Si condujo su vehículo hasta la tienda de autopartes, compare la manguera de reemplazo con la vieja antes de retirarse. Si tiene un segundo vehículo, lleve la manguera vieja a la tienda para asegurarse de adquirir el repuesto correcto.

La manguera superior de un radiador por lo general puede cambiarse sin drenar el sistema de refrigeración, aunque se derramará algo de refrigerante. El reemplazo de una manguera inferior requerirá que primero se drene el refrigerante. Coloque una bandeja de drenado debajo de la manguera. Quite cualquier componente que bloquee el acceso a la manguera. En este caso, hemos quitado la admisión de aire (que se explica en el Proyecto 27: Reemplazo del radiador).

2 Quite las abrazaderas de cada extremo de la manguera apretando juntos los dos extremos. Si la abrazadera es del tipo tornillo/gusano, utilice un desarmador o un dado que corresponda al tornillo/cabeza del perno y gire en el sentido contrario a las manecillas del reloj para liberarla.

3 Gire la manguera para sacarla del conducto de salida.

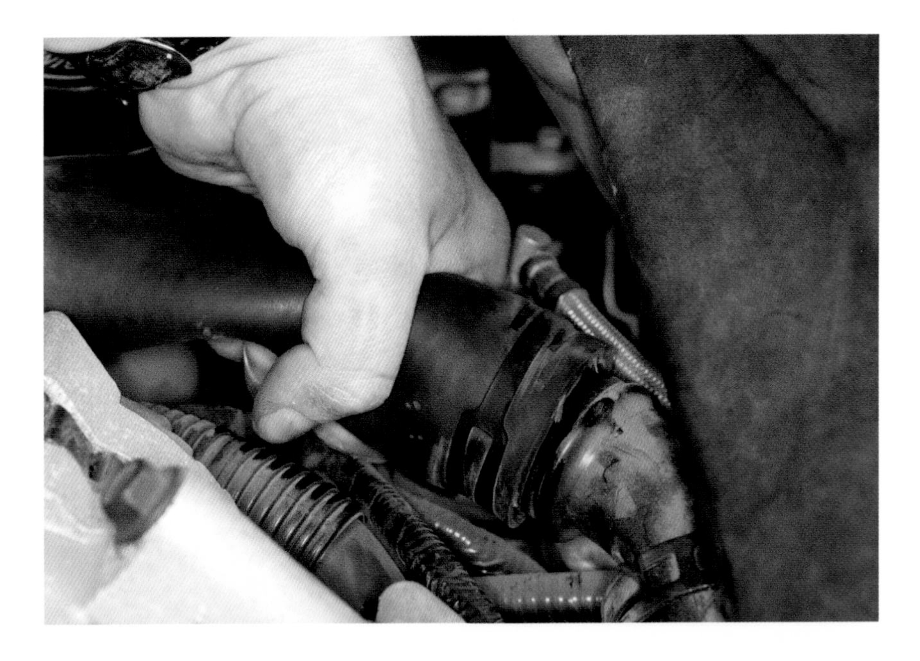

4 Si está pegada, por lo general podrá liberarla deslizando un desarmador plano entre la manguera y el conducto de salida. Para instalar la nueva manguera, deslice las abrazaderas en cada extremo de la manguera nueva, empuje/gire la manguera sobre los conductos de salida y asegure las abrazaderas.

Rellene el radiador como se indicó en el proyecto 24.

Proyecto 27

Reemplazo del radiador

TALENTO: 5

TIEMPO: 60–120 minutos

HERRAMIENTAS:
Pinzas/herramienta para abrazaderas de manguera, llave de dados, desarmador, extensión, pinzas de corte (para los clips de la caja)

COSTO: $1500–3000

SUGERENCIA:
Un proyecto que puede realizarse en casa en camionetas, vehículos deportivos utilitarios (SUV) y otros vehículos con compartimientos del motor relativamente espaciosos.

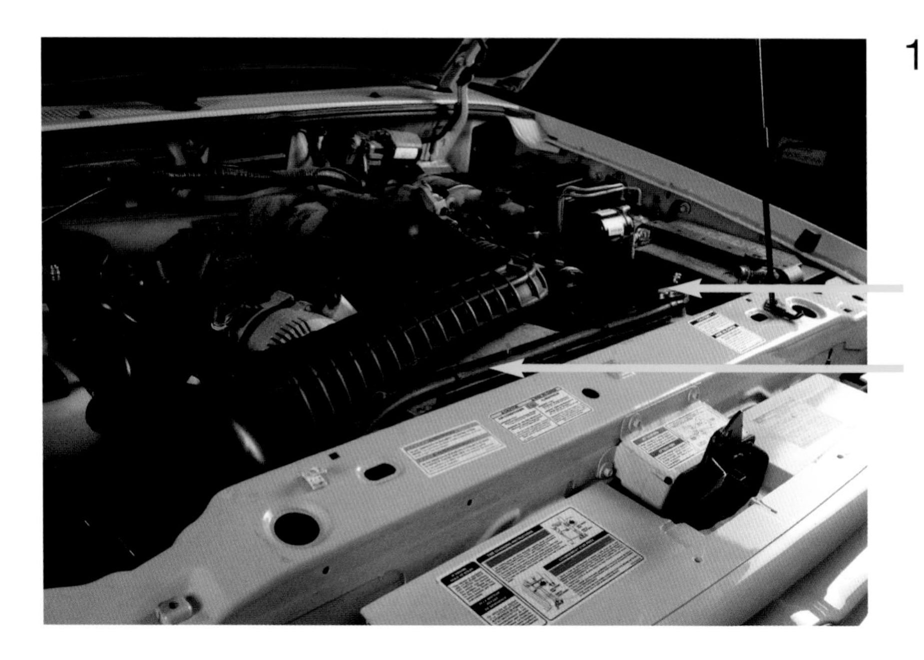

1 Esta camioneta Ford Ranger tiene un compartimiento del motor típico de un vehículo moderno. El radiador está montado en el frente. En esta foto, el tapón del radiador se encuentra a la derecha, con una manguera de sobreflujo que corre desde el cuello de llenado y por la parte superior hasta el tanque de recuperación. El tubo grueso con el patrón de rejilla es una admisión de aire para el sistema de combustible. Tanto el radiador como los componentes de inducción son más fáciles de desmontar de lo que parece a simple vista. El radiador de su vehículo podría no estar obstruido por una admisión. Si es así, vaya al paso correspondiente para drenar el radiador y desatornillarlo.

2 Como la mayoría de los radiadores de vehículos, el de esta Ford Ranger está atornillado en el frente de la camioneta. Detrás de él, y atornillado a él, hay una cubierta del ventilador. Tanto el radiador como la cubierta en este vehículo están atornillados sólo en la parte superior; la parte inferior está sujeta mediante una brida sencilla a cada lado que entra en una canaleta o ranura.

3 Hay dos formas de drenar un radiador. Una consiste en desconectar la manguera inferior. Eso fue lo que hicimos aquí debido a que la remoción de la manguera drena más rápido el radiador y esto se requiere para reemplazar el radiador.

4 La otra forma de drenar un radiador consiste en abrir una llave de purga, si está disponible, que es una válvula en forma de T en la parte inferior del radiador y que se abre como una llave de agua.

El refrigerante llega a calentarse demasiado; no abra el tapón del radiador ni afloje ninguna manguera hasta que el motor esté frío.

5 Las abrazaderas de las mangueras modernas son de acero de resorte, las cuales sujetan el extremo de la manguera en un conducto de salida tubular corto en el radiador o en la conexión con otra manguera. Para quitar la abrazadera, apriete juntos los dos extremos y deslícela hacia atrás.

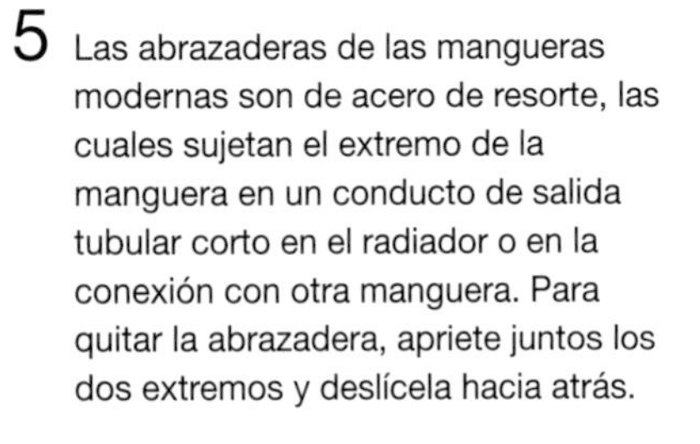

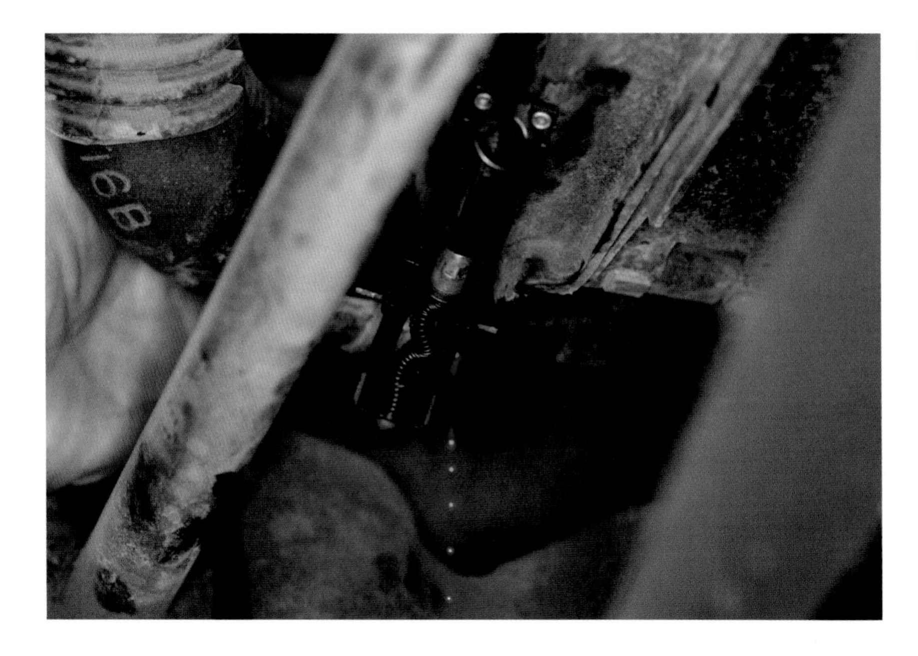

6 Otra manera de liberar la abrazadera de una manguera es con esta herramienta especial, que agarra la lengüeta a cada lado de la abrazadera y las jala juntas. Esta herramienta tiene un cable flexible largo, por lo que puede llegar a espacios estrechos.

Coloque una cubeta grande o una bandeja de drenado debajo de la manguera. Gire el extremo de la manguera hacia atrás y hacia adelante para jalarla y sacarla. Tenga cuidado de no doblar o dañar el conducto de salida donde la manguera se une con el radiador. El refrigerante saldrá a gran velocidad, por lo que debe dirigir rápidamente la manguera hacia el recipiente para evitar derrames.

El refrigerante es tóxico para las personas y las mascotas. Mantenga los envases de refrigerante sellados y fuera del alcance de niños y mascotas. Si el refrigerante se derrama, límpielo rápidamente, ya sea regando agua con manguera en toda el área o secándolo con toallas de taller.

7 Mientras se drena el refrigerante, quite cualquier parte que bloquee el acceso al radiador. Primero estará la admisión de aire, que bloquea el acceso a los pernos y a la manguera superior del radiador. La admisión en la Ranger está sujeta en cada extremo con una abrazadera. A lo largo de ella tiene dos aditamentos con sensores electrónicos y una tubería de aire. Los sensores se desconectan liberando los clips y la tubería de aire simplemente se jala hacia afuera. Los sensores electrónicos a menudo tienen un pequeño enganche en ellos con una lengüeta ranurada que se inserta en un pequeño resalto. Para liberar los clips, jale la lengüeta hacia atrás o empújela para dejar libre el nudo de cierre y luego jale para separar las dos mitades.

8 El extremo del motor de la admisión de aire está montado con un clip circular unido mediante un tornillo o perno vertical. Éste tiene una cabeza estilo perno que también está ranurada, por lo que puede aflojarlo con un desarmador, un dado o una llave. También hay un clip como éste en el otro extremo, que está unido al receptáculo del filtro de aire. Tal vez no necesite liberar ese clip, ya que desmontar el receptáculo del filtro de aire puede permitir mover las partes.

9 El sensor de admisión de aire se separa jalándolo una vez que se levanta la lengüeta de cierre (exactamente a la izquierda del pulgar en la foto).

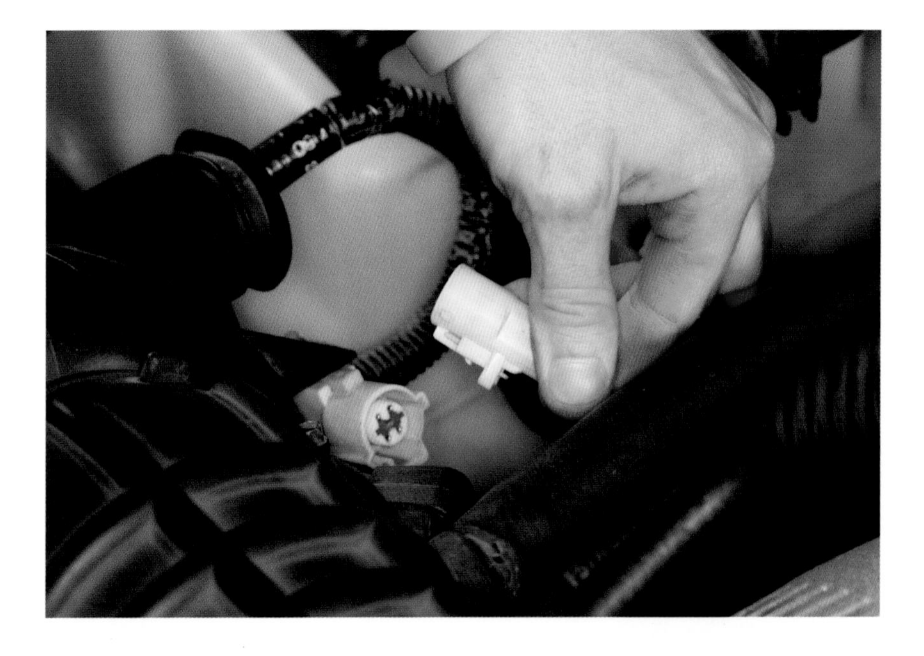

10 El segundo sensor también se separa jalándolo; esta vez el enganche se libera con la presión del dedo índice, como se muestra.

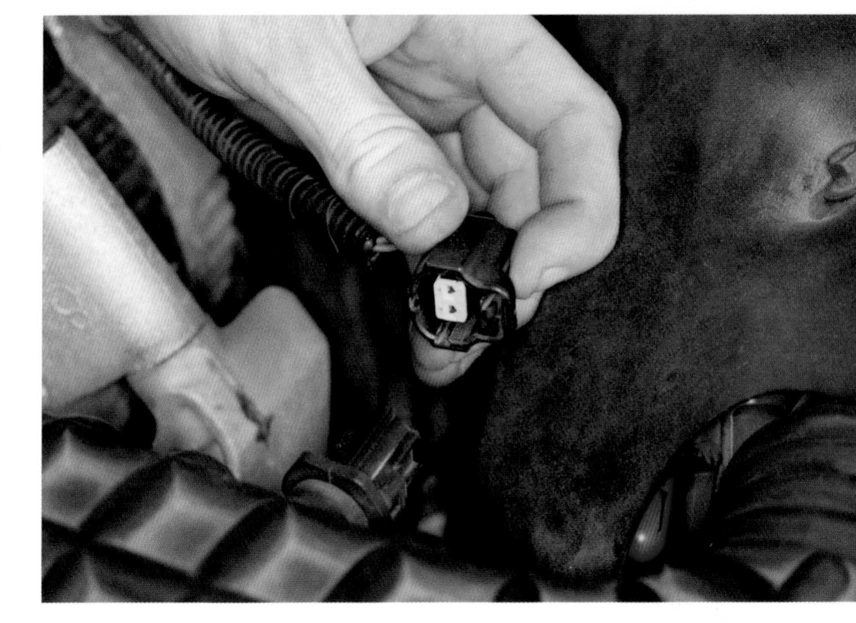

11 La tubería de aire se saca jalándola.

12 El receptáculo del filtro de aire en la Ranger se abre con un sencillo clip de palanca.

13 La admisión de aire y la cubierta del radiador a menudo tienen clips para su sujeción. El siguiente es un truco para liberar los clips con pinzas de corte. Utilice la parte superior de la herramienta como cuña para hacer palanca y aflojar el clip. No cierre las pinzas ya que así cortará el clip. Se desea liberarlo, pero también conservarlo intacto para poder reemplazarlo posteriormente.

14 Levante el receptáculo del filtro de aire para liberarlo, junto con el resto de la admisión de aire. Habiendo desmontado la admisión de aire, ahora tenemos un acceso fácil al radiador.

15 Quite los pernos que sujetan la cubierta del ventilador en el radiador.

16 La parte inferior de la cubierta del ventilador en la Ranger utiliza una brida sencilla que entra en una ranura. Ésta es una técnica común de montaje. Una vez retirados los pernos, separe del radiador la cubierta. En muchos vehículos simplemente se puede hacer descansar la cubierta contra el ventilador.

17 Quite la abrazadera en la manguera superior del radiador y deslícela hacia atrás. Aquí utilizamos la herramienta especial para apretar juntos los extremos de la abrazadera. Unas pinzas también funcionan.

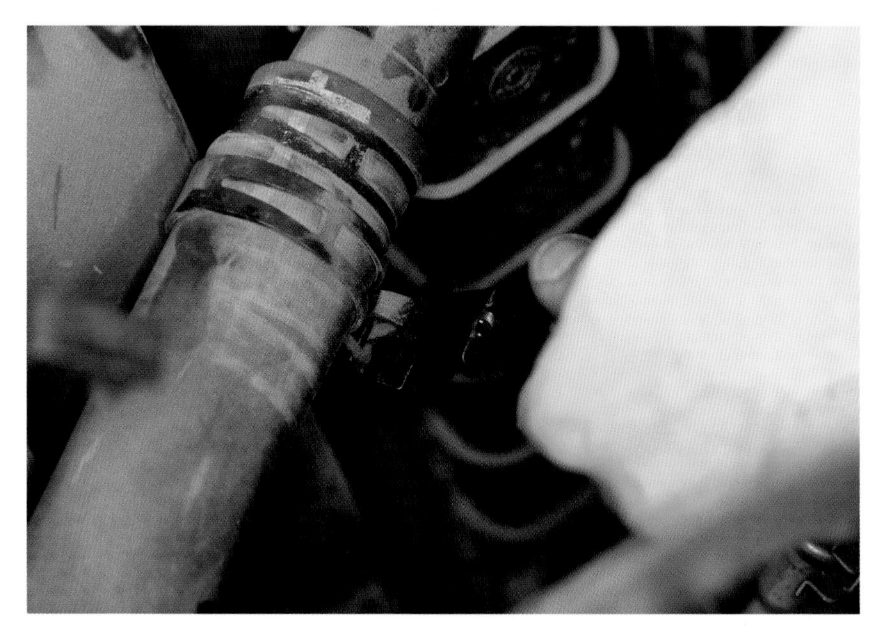

18 Para evitar que gotee refrigerante de la manguera superior, colóquela de manera segura a un lado en el compartimiento del motor para que no estorbe, con el extremo hacia arriba. Colóquele una toalla de taller en el extremo para evitar que le entre basura. Aquí insertamos la manguera en una bolsa junto al tanque de sobreflujo del radiador.

19 Si su vehículo tiene transmisión automática, tal vez haya tuberías adicionales del enfriador de la transmisión conectadas al radiador o un enfriador separado conectado al radiador. Será necesario que desconecte estas tuberías para jalar el radiador y liberarlo.

20 Quite los pernos que sujetan el radiador al armazón metálico.

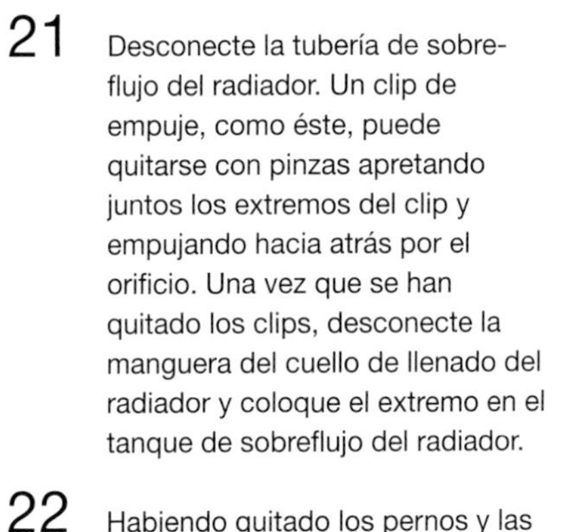

21 Desconecte la tubería de sobreflujo del radiador. Un clip de empuje, como éste, puede quitarse con pinzas apretando juntos los extremos del clip y empujando hacia atrás por el orificio. Una vez que se han quitado los clips, desconecte la manguera del cuello de llenado del radiador y coloque el extremo en el tanque de sobreflujo del radiador.

22 Habiendo quitado los pernos y las mangueras y desmontado la cubierta del ventilador, el radiador puede levantarse hacia arriba para sacarlo del compartimiento del motor. Manténgalo en su posición para evitar que se derrame cualquier refrigerante restante. Una vez completamente libre, incline el tubo de montaje de la manguera inferior del radiador sobre su bandeja para drenar cualquier refrigerante restante.

La instalación del radiador nuevo se hace básicamente invirtiendo estos pasos, pero tal vez desee instalar y asegurar la manguera inferior del radiador tan pronto como atornille el radiador en su lugar. De esa manera no se le olvidará hacerlo.

NOTA: asegúrese de llenar el radiador con refrigerante que tenga la concentración correcta. (Vea el Proyecto 23: Revisión/llenado del refrigerante, y el Proyecto 24: Revisión de la concentración del fluido.)

Proyecto 28

Limpieza del sistema de enfriamiento

TALENTO: 3

TIEMPO: 45–60 minutos

HERRAMIENTAS: Navaja de rasurar, desarmador

COSTO: $150–200

SUGERENCIA: Limpie el sistema de enfriamiento cada dos años, o de acuerdo con la recomendación del manual del propietario.

Con el tiempo se acumularán óxidos, incrustaciones y depósitos en el sistema de enfriamiento de su motor. La forma de quitarlos y mantener la máxima eficiencia en su sistema de enfriamiento consiste en lavar el sistema —es decir, hacer que corra agua a través de él—. En este proyecto le mostraremos cómo instalar un receptor de lavado en línea. Esto le permitirá lavar su sistema de enfriamiento con una manguera de jardín.

1 Encuentre un conducto de retorno del sistema de calefacción o núcleo del calefactor con la longitud recta suficiente para instalar el aditamento especial. Pregunte a su mecánico o revise un manual de servicio para asegurarse de que tiene la manguera correcta.

2 Coloque una bandeja de drenado debajo de la manguera para captar cualquier refrigerante. Con una navaja de rasurar, un cuchillo u otro cortador con filo, haga un corte recto a través de la manguera.

Maneje con cuidado las herramientas filosas. Nunca empuje ninguna herramienta —navaja de rasurar, cuchillo, cortador, desarmador, etc.— hacia su otra mano o hacia otra persona.

3 Deslice las abrazaderas de la manguera sobre cada extremo de la manguera cortada e inserte el receptor que ajusta con la manguera (el juego incluye varios).

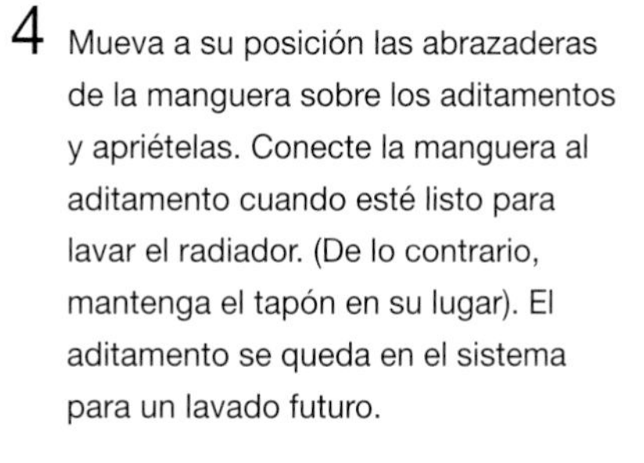

4 Mueva a su posición las abrazaderas de la manguera sobre los aditamentos y apriételas. Conecte la manguera al aditamento cuando esté listo para lavar el radiador. (De lo contrario, mantenga el tapón en su lugar). El aditamento se queda en el sistema para un lavado futuro.

5 Conecte la boquilla del radiador al cuello de llenado. Tal vez necesite colocarle cinta adhesiva si no cierra correctamente. Coloque una cubeta grande o una bandeja de drenado enfrente de la boquilla y haga que corra agua por la manguera para lavar el sistema.

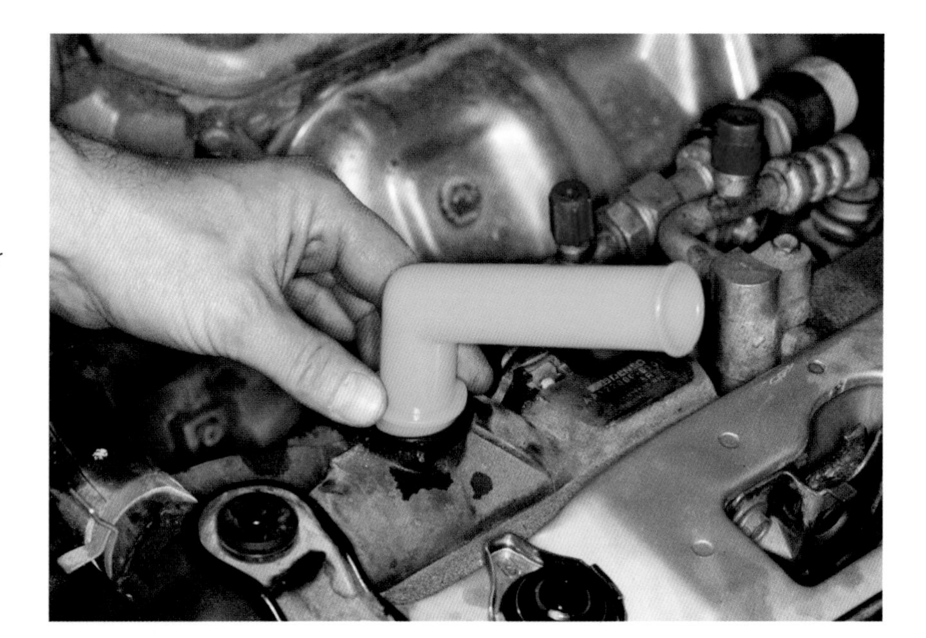

Proyecto 29

Reemplazo de la bomba de agua

TALENTO: 5

TIEMPO: 60–120 minutos

HERRAMIENTAS:
Llave de dados, llave mixta, desarmador, pinzas

COSTO: $250–750

SUGERENCIA:
Lleve un registro de la ubicación de los pernos, ya que algunos pueden ser más largos que otros.

1 La bomba de agua aspira refrigerante desde el fondo del radiador y lo bombea a través del motor. Si el ventilador es impulsado por el motor del vehículo (los ventiladores eléctricos no lo son), la bomba de agua se encuentra por lo general en el otro extremo de la misma flecha.

La bomba de agua se encuentra detrás del ventilador.

2 Desconecte el cable negativo de la batería. Asegúrese de que el motor está frío y drene el sistema de enfriamiento. Para hacer esto, desconecte del radiador la manguera inferior o abra la llave de descarga, si el radiador tiene una, colocando debajo una bandeja de drenado. Muy probablemente también necesitará desconectar la manguera superior del radiador y moverla a un lado para que no estorbe (vea el proyecto 24).

3 Para tener mejor acceso, quite la cubierta del ventilador, desconectando primero la manguera de sobreflujo del radiador si está unida a la cubierta. La cubierta estará atornillada al radiador o a un soporte por la parte superior, en tanto que la parte inferior estará atornillada o sujeta mediante una brida que entra en una ranura.

4 La cubierta de este Toyota Tacoma está dividida en la parte media. La parte inferior debe liberarse quitando los clips (los clips se jalan) y quitarse de manera que la cubierta deje libre al ventilador cuando la levante.

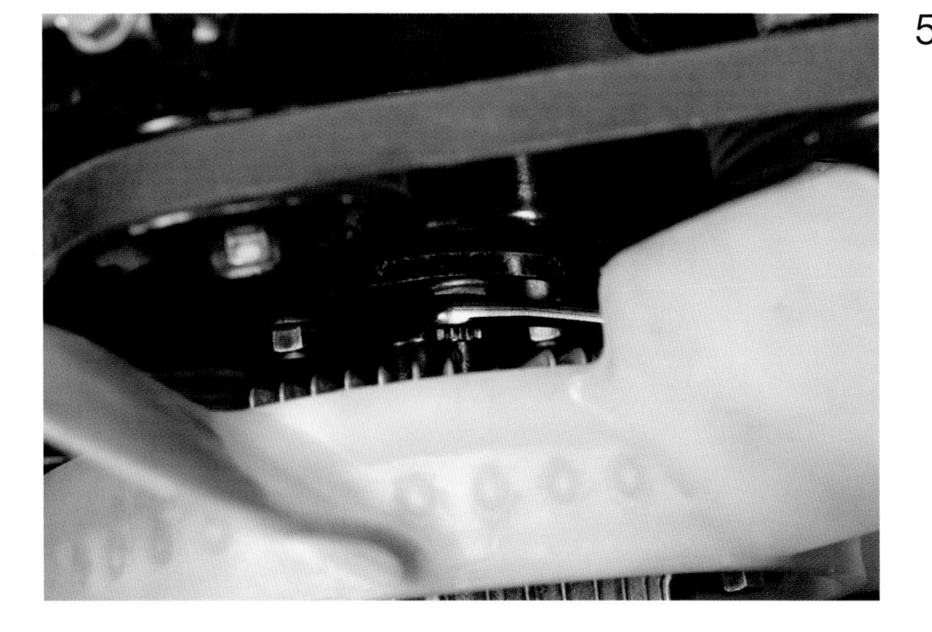

5 Deje en su lugar la banda de la bomba de agua mientras afloja los pernos que fijan la polea a la bomba. La banda ayudará a impedir que la polea gire al aflojar los pernos. No quite los pernos hasta que libere la tensión de la banda.

6 En este caso nos estorba la polea de la dirección hidráulica, por lo que la vamos a desmontar. Para ello, debe liberarse la tensión de la banda. En este Tacoma, el tensor es un perno que se afloja con una llave que se gira en el sentido contrario a las manecillas del reloj. Los tensores de las bandas serpentinas a menudo incluyen una polea en un brazo accionado por resorte. (Vea el Proyecto 8, Reemplazo de la banda serpentina.) La banda de la bomba de agua apenas se puede ver aquí debajo del pulgar del mecánico.

7 Libere la tensión en la banda de la bomba de agua. En el Tacoma esto se hace aflojando dos pernos en el alternador: el primero que sujeta al alternador con su soporte; y el segundo, que se muestra aquí arriba del pulgar del mecánico, y permite que el alternador oscile hacia adentro o hacia afuera para ajustar la tensión de la banda.

8 Ahora quite la polea de la bomba de agua junto con el ventilador (cuando estén unidos).

9 Aquí está la bomba de agua sin su polea y los cuatro birlos que sostienen la polea y el ventilador.

10 Para sacar la bomba de agua, quite todos los pernos que la sujetan al motor.

11 Quite la bomba y el empaque. Su bomba de agua nueva vendrá con un nuevo empaque.

La instalación se realiza invirtiendo los pasos que se siguieron para quitarla. Recuerde conectar la manguera inferior del radiador o cerrar la válvula de la llave de descarga. Si el refrigerante que drenó estaba fresco y lo echó en una bandeja limpia, puede volver a vaciarlo en el radiador una vez que haya reemplazado la bomba. Si no, llene el sistema con refrigerante fresco, como se describe en el proyecto 24. Quite todos los rastros del empaque viejo de la bomba de agua y del bloque.

Proyecto 30

Prueba de presión del sistema

TALENTO: 2–3

TIEMPO: 15 minutos

HERRAMIENTAS:
Probador

COSTO: $800–1200

SUGERENCIA:
Realice una prueba de presión en su vehículo cada dos años cuando limpie y rellene el radiador.

1 La presión que requiere el sistema de enfriamiento para su funcionamiento correcto está indicada en el tapón del radiador.

Puede revisar la presión del sistema con una herramienta barata que combina una bomba manual con un manómetro.

2 Cuando el motor esté frío, empuje hacia abajo y gire el tapón del radiador en el sentido contrario a las manecillas del reloj para quitarlo.

3 Coloque el extremo de la herramienta de presión en el cuello de llenado de su radiador y gírelo en el sentido de las manecillas del reloj para fijarlo. Ahora bombee la herramienta hasta que la presión sea de 4 a 5 $lb/pulg^2$ mayor que la presión requerida por su sistema y que se indica en el tapón del radiador.

4 Cuando la presión en el sistema se estabilice, la lectura descenderá. Si se estabiliza a la presión requerida por su sistema, no hay fugas en su sistema de enfriamiento. Una caída de más de una o dos libras durante los siguientes 10-15 minutos, indica que hay una fuga en el sistema.

Capítulo 6

Sistema de transmisión

¡CUIDADO!

CONCEPTO CLAVE

TECNOLOGÍA DEL PASADO

SUGERENCIA DE MANTENIMIENTO

TECNOLOGÍA DEL MAÑANA

SUGERENCIA PARA AHORRAR DINERO

Para la mayoría de los propietarios de automóviles, el componente clave del sistema de transmisión que más les preocupa es la transmisión automática —una maravilla de ingeniería de cuatro, cinco o seis velocidades con control electrónico—. Es el dispositivo que conecta el motor con las ruedas, haciendo que el auto avance. Si funciona en la debida forma, ofrece cambios de velocidades increíblemente suaves, fluidos y uniformes. Si falla y el auto no quiere avanzar, está usted frente a una costosa factura por reparación.

El sistema de transmisión transfiere potencia del motor del automóvil a las ruedas propulsoras. Varios componentes participan para hacer este trabajo. La transmisión cuenta con varias relaciones de engranajes —la diferencia entre la velocidad del motor y la velocidad del vehículo— para mantener el motor en su banda de potencia eficiente en el rango completo de velocidades útiles del vehículo. Desde la transmisión se transmite potencia a las ruedas propulsoras a través de ejes y flechas motrices. Un diferencial permite que las ruedas propulsoras izquierda y derecha giren a velocidades diferentes (lo que es necesario cuando se da vuelta en una esquina), y otros componentes como los cojinetes de las ruedas y las juntas universales mantienen funcionando de manera uniforme las partes móviles.

En términos de mantenimiento, hagamos las cosas sencillas. Cambie los lubricantes de cada componente del sistema de transmisión cada tres años o cada 50 000-80 000 kilómetros. Esto incluye la transmisión, la caja de transferencia (si tiene tracción en las cuatro ruedas) y los diferenciales.

TRANSMISIÓN

Las transmisiones son de dos tipos básicos: automáticas y manuales. La transmisión manual ha existido desde los primeros vehículos de motor y, como su nombre lo indica, implica un dispositivo, controlado por el propietario/operador, que transmite potencia a las ruedas. La transmisión automática, por otra parte, fue desarrollada e introducida en los automóviles

COMPONENTES BÁSICOS DEL SISTEMA DE TRANSMISIÓN CON TRACCIÓN TRASERA

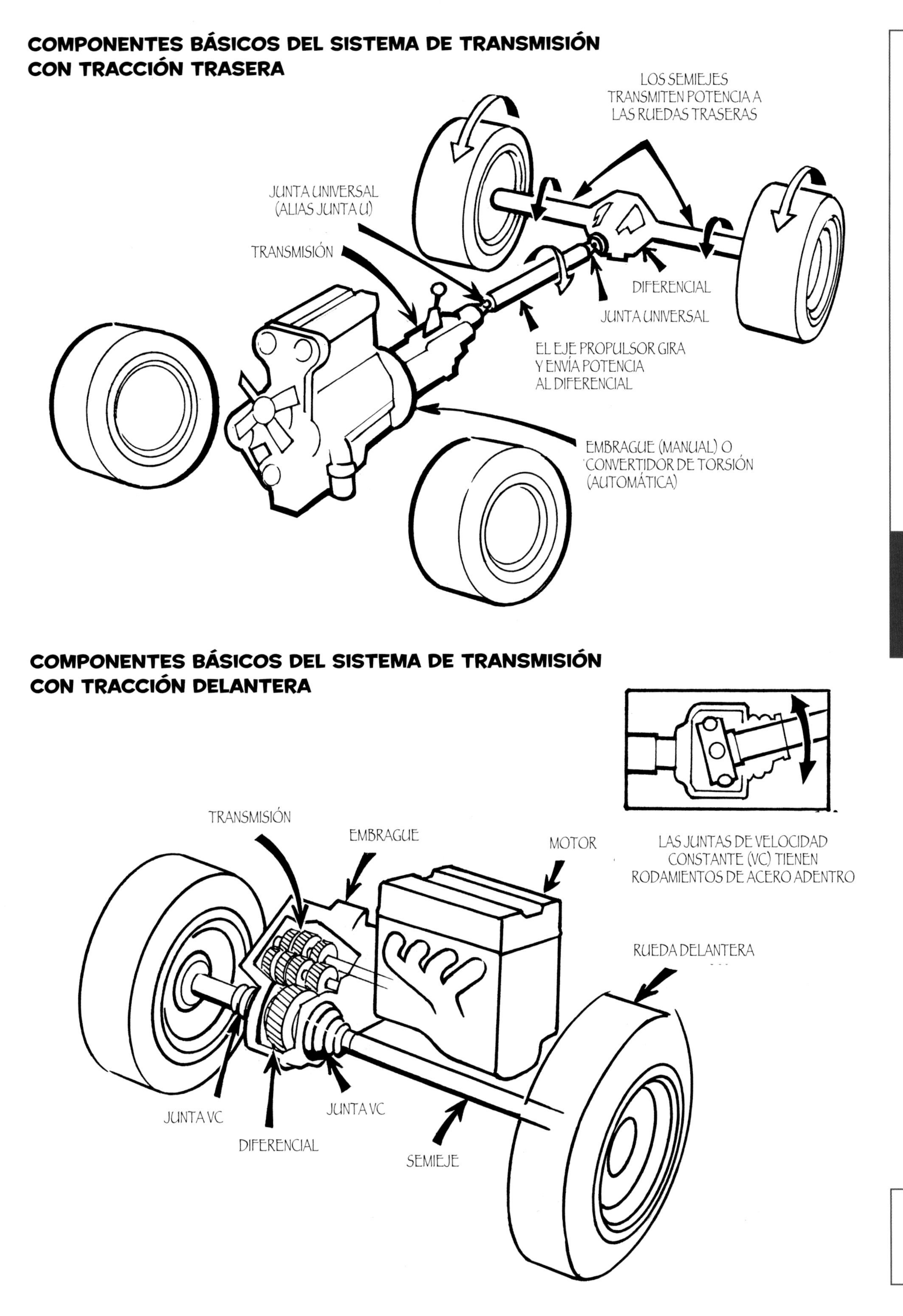

después de la Segunda Guerra Mundial. No requiere una participación directa del conductor una vez que la palanca se pone en la posición "drive" (directa) y libera al operador para que se concentre en conducir o en otras cosas.

Pero por principio de cuentas, ¿para qué necesita usted una transmisión? ¿Por qué no acoplar tan sólo el motor directamente con las ruedas propulsoras —más o menos como en una podadora de césped—? La respuesta, en una sola palabra, es la velocidad. Si su podadora necesitara alcanzar una velocidad de 80 kilómetros por hora, entonces necesitaría una transmisión. Pero como usted no puede caminar ni correr tan rápido, la máquina se las arregla con una sola velocidad.

La tarea principal de cualquier transmisión es hacer que la velocidad del motor corresponda con la velocidad del vehículo. Los motores de combustión interna producen una potencia útil en un rango específico de velocidades del motor o rpm, revoluciones por minuto. Este rango de rpm no tiene la amplitud suficiente para cubrir el rango de velocidades que puede desarrollar el vehículo. Aún más importante, el motor tiene un punto de máxima eficiencia en cuanto a las rpm en el que es eficiente, suave, silencioso y con la potencia suficiente para hacer bien su trabajo.

Así pues, la transmisión se utiliza para mantener al motor en ese punto de máxima eficiencia de rpm en el rango de velocidades del vehículo. A bajas velocidades, la transmisión ofrece una relación alta entre velocidad del motor y velocidad del vehículo en movimiento, relación que entrega muy buena potencia y aceleración. A medida que aumenta la velocidad del vehículo, la transmisión reduce esta relación de manera gradual, lo que significa que el vehículo está viajando a una mayor velocidad con las mismas rpm del motor. Hay menos potencia disponible, pero el vehículo está viajando a una mayor velocidad. A final de cuentas, el motor estará produciendo su mejor eficiencia a velocidad de crucero, maximizando el kilometraje por combustible.

CAMBIO DE VELOCIDADES

¿Cómo varía la transmisión la relación entre la velocidad del motor y la velocidad del vehículo? Mediante engranajes, o velocidades —como en una transmisión de cuatro velocidades, ya sea manual o automática—. Cada engranaje, o velocidad, proporciona una relación específica entre la velocidad del motor y la velocidad del vehículo, comenzando con la relación más alta para la primera velocidad y terminando con la relación más baja para la máxima o cuarta velocidad o sobremarcha.

TRANSMISIONES MANUALES

Las transmisiones manuales cuentan con trenes de engranajes que se acoplan con la palanca de velocidades operada por el conductor. Cuando el conductor selecciona la primera velocidad, la palanca mueve un mecanismo de cambios que acopla el primer engranaje con la flecha de salida de la transmisión, proporcionando esa relación de velocidad entre el motor y las ruedas. Cuando la palanca se mueve a segunda, el mecanismo de cambios desacopla el primer engranaje y acopla el segundo engranaje con el eje de salida, proporcionando esa relación de velocidad entre el motor y las ruedas.

TRANSMISIÓN MANUAL Y EMBRAGUE

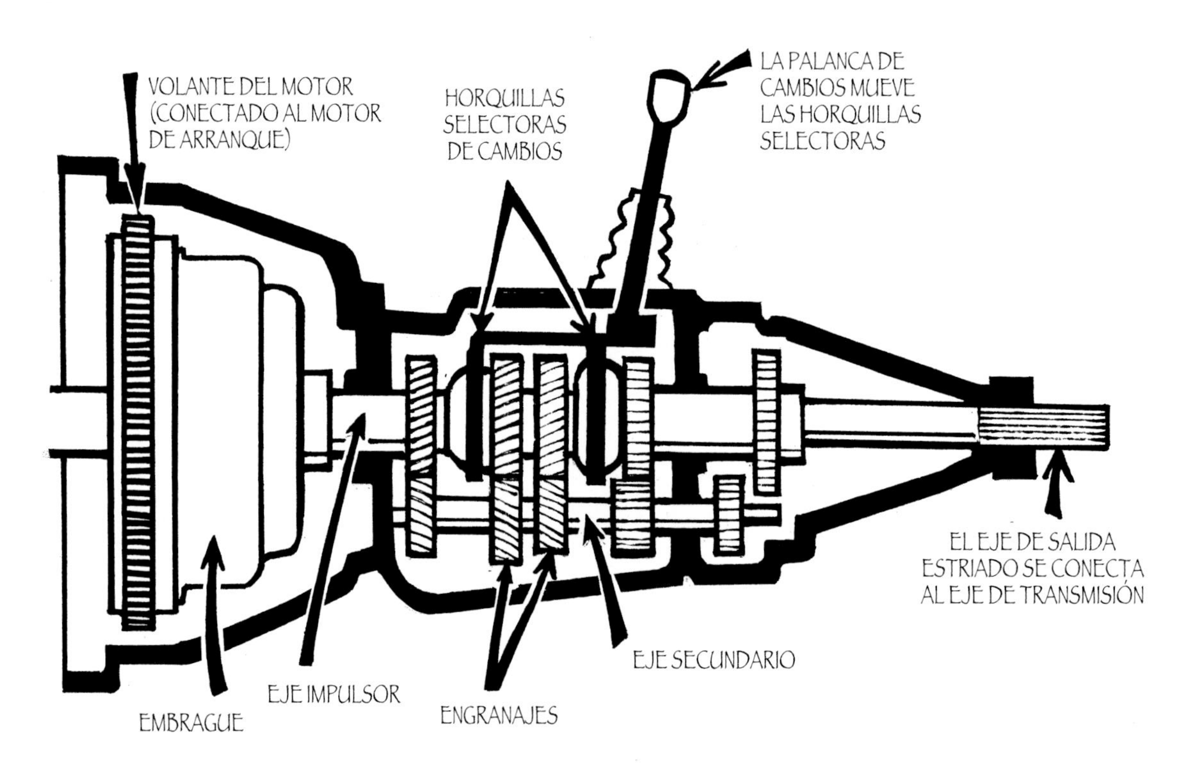

Los engranajes siempre están acoplados entre sí y el mecanismo de cambios tan sólo acopla el engranaje elegido con la flecha de salida, proporcionando esa relación de propulsión. Esto se conoce como transmisión sincronizada o de embrague constante, y explica por qué usted puede hacer cambios en la transmisión sin los horribles sonidos del rechinido o colisión de dientes de engranajes entre sí. En los viejos tiempos usted tenía que aprender cómo hacer un doble embrague en la transmisión para que cada velocidad de los engranajes correspondiera con la velocidad del motor a esa velocidad del vehículo a fin de acoplar ese engranaje de manera suave y silenciosa. Las transmisiones sincronizadas le permiten hacer que la caja de velocidades haga los cambios hacia arriba y hacia abajo de manera rápida y silenciosa como un profesional.

El mecanismo que sincroniza la velocidad del engranaje con la velocidad del motor para permitir estos cambios silenciosos se conoce como embrague de dientes, o anillo sincronizador. Cuando el mecanismo de cambios se mueve para acoplar un engranaje específico con el eje de salida de la transmisión, una horquilla en forma de U empuja el cubo sincronizador —que está embragado directamente mediante estrías con el eje de salida— para que se acople con el engranaje y embrague dicho engranaje con el eje de salida. Pero primero, debe hacer que correspondan las velocidades de rotación del engrane y del eje de salida.

Recuerde, el eje de salida está conectado con las ruedas propulsoras por medio del eje de transmisión (cardán), el diferencial y los ejes, para que continúe girando a la velocidad del vehículo. El engranaje específico seleccionado está girando a la velocidad del motor hasta que se pisa el embrague, punto en el que deja de ser impulsado en absoluto. El embrague de acoplamiento en forma de cono en el cubo sincronizador y el engranaje, cuando son obligados a juntarse por la horquilla de cambios, hacen que correspondan las velocidades de los dos componentes y permiten que el engranaje se acople con el eje de salida. ¿Entendió todo lo anterior?

Como se mencionó antes, hay un embrague entre el motor y la transmisión que el conductor opera con su pie izquierdo. Cuando se pisa el pedal del embrague, la transmisión se desacopla del motor, permitiendo que el proceso de sincronización ocurra con carga mínima en el tren de engranajes, lo que permite que los engranajes se aceleren o se desaceleren a las velocidades correctas correspondientes con poco desgaste y esfuerzo. El embrague, cuando está desacoplado, también permite que el vehículo permanezca estacionario mientras el motor continúa funcionando.

Y sobra mencionar que la habilidad para acoplar con suavidad el embrague en un semáforo que acaba de

TRANSMISIÓN AUTOMÁTICA Y EL CONVERTIDOR DE TORSIÓN

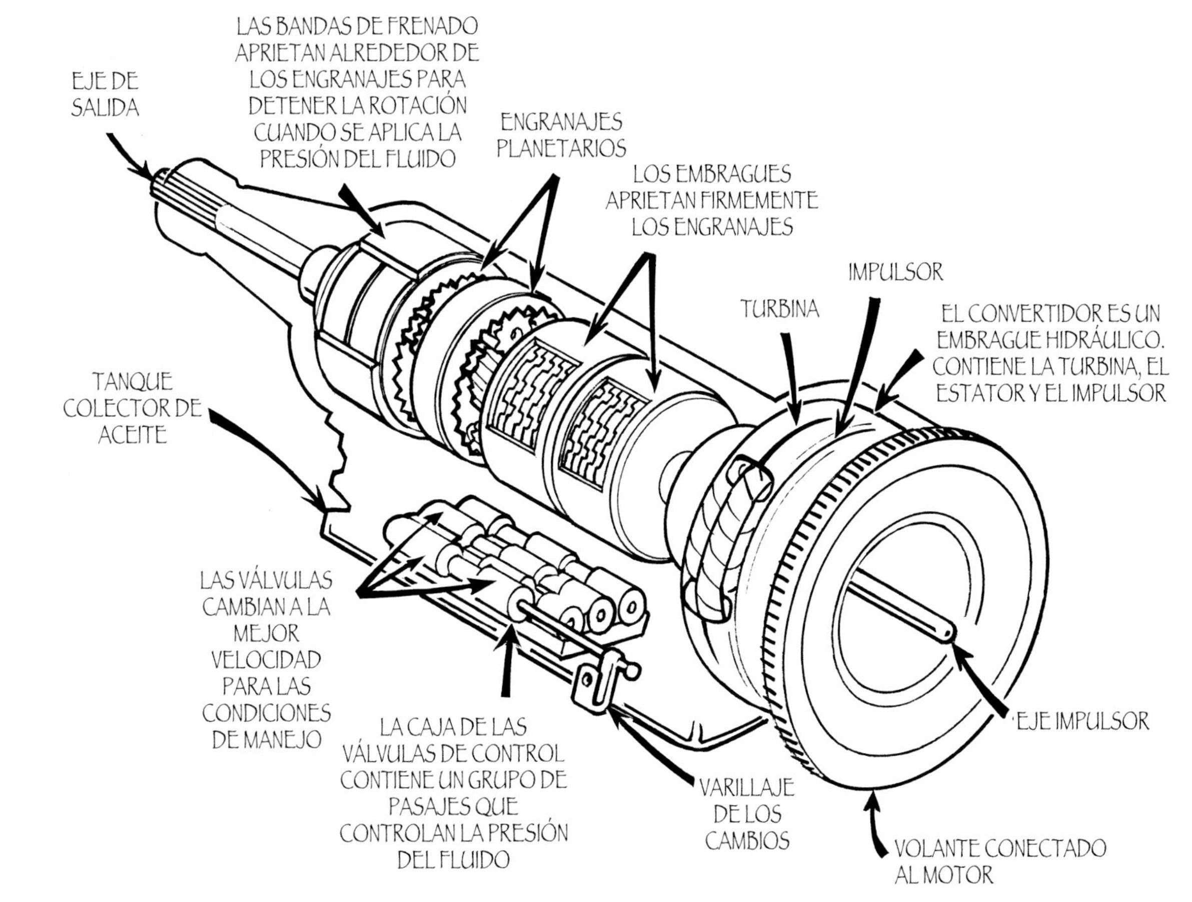

cambiar a verde para hacer que el vehículo se ponga en marcha sin jalonearse, es una destreza que se desarrolla mejor en ¡el vehículo de alguien más! . . .

TRANSMISIONES AUTOMÁTICAS

¡O compre un vehículo con una transmisión automática! En Sudamérica, tan sólo cerca de 3 por ciento de los vehículos de motor tienen transmisiones automáticas. En Estados Unidos, por otra parte, menos de 10 por ciento tienen transmisiones manuales. Esta proporción merece un comentario interesante sobre la vida moderna en Estados Unidos, ¿verdad? Al parecer, los estadounidenses sencillamente ya no tienen el tiempo o la disposición para hacer los cambios de velocidades por sí mismos.

Las transmisiones automáticas no se volvieron populares en los autos de pasajeros sino hasta después de la Segunda Guerra Mundial. Las transmisiones automáticas hicieron que el manejo pasara de ser una verdadera habilidad que requería aprendizaje a algo que cualquiera podría hacer con poca o sin ninguna práctica. Tan sólo ponga la palanca de cambios en "drive" (directa), pise el acelerador, y adelante. Todos los cambios y la selección de velocidades se hacen automáticamente.

Desde las primeras transmisiones automáticas de dos y tres velocidades hasta las actuales de cuatro, cinco y seis velocidades con embragues de convertidor de torsión, las transmisiones modernas se han vuelto notablemente sofisticadas y eficientes en cuanto a su uso, pero al mismo tiempo se están volviendo más complejas y costosas en lo que se refiere a su reparación.

Las transmisiones automáticas con frecuencia se han conocido como transmisiones hidráulicas porque incorporan un convertidor de torsión entre el motor y la transmisión. Este sorprendente dispositivo utiliza aceite para transferir potencia del motor a la transmisión. La forma más sencilla de entender cómo funciona un convertidor de torsión es visualizar dos ventiladores uno enfrente del otro. Prenda un ventilador. Cuando el ventilador gira impulsado por el motor eléctrico, el flujo de aire que genera hace girar el otro ventilador. Volvamos ahora al convertidor de torsión. Considere que el ventilador unido al motor es el impulsor y el ventilador unido a la transmisión es la turbina. Monte ambos ventiladores dentro de un receptáculo sellado y llénelo con fluido de transmisión; ¡ahora ya tiene los fundamentos de un convertidor de torsión!

El fluido en el convertidor ofrece el resbalamiento suficiente para permitir que el motor gire en vacío con el vehículo estacionario. También multiplica el torque del motor para ayudar a poner en marcha el vehículo —particularmente útil cuando se transportan cargas pesadas o para remolcar—.

TRANSMISIÓN VARIABLE CONTINUA (TVC)

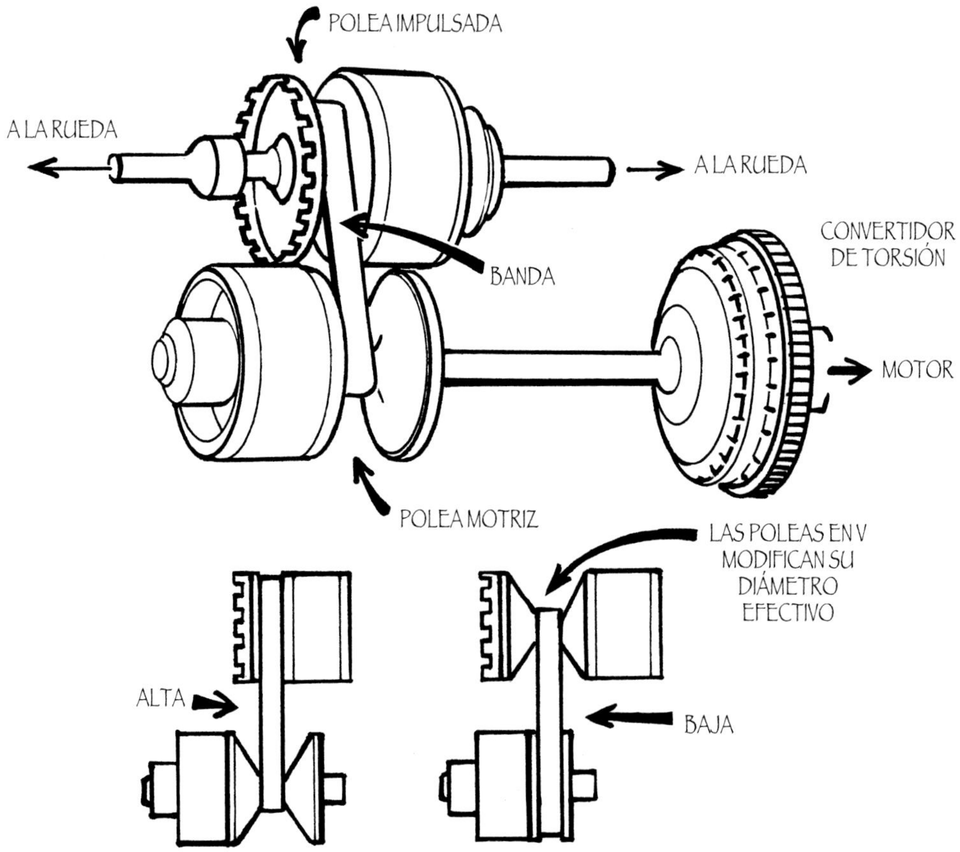

El convertidor de torsión actual también tiene un embrague real que puede acoplarse para eliminar cualquier deslizamiento entre los ventiladores a velocidad de crucero, mejorando de esta forma el kilometraje por combustible.

Cómo cambian las velocidades las transmisiones automáticas

Bueno, ahora tenemos la potencia del motor llegando a la transmisión automática misma. ¿Cómo impulsa al vehículo la transmisión automática? ¿Cómo cambia velocidades? La mayoría de las transmisiones automáticas cuentan con sistemas de propulsión planetarios acoplados mediante embragues húmedos, o hidráulicos, de discos múltiples. ¿Entiende eso?

Los trenes de engranajes planetarios son un poco más difíciles de visualizar. La palabra clave es planetario —una flecha engranada acoplada a una serie de engranajes más pequeños que giran alrededor de la flecha y están engranados con un anillo o corona que rodea a todo el tren de engranajes—. Los embragues hidráulicos se acoplan a los trenes de engranajes planetarios, proporcionando una relación de propulsión específica. Los embragues hidráulicos se aplican mediante presión hidráulica dirigida a ellos a través de la caja de válvulas o, en el caso de transmisiones de control electrónico, mediante solenoides electrónicos. Todo esto es muy complejo y abrumador, ¿verdad?

Las transmisiones automáticas se controlan mediante varios métodos. Antes de la electrónica moderna actual, las transmisiones automáticas se controlaban por presión hidráulica, un regulador mecánico y, en algunos casos, un modulador de vacío. En términos sencillos, la mariposa del acelerador aplicaba presión hidráulica a través del cable de la válvula de la mariposa del acelerador. Entre más se abría la mariposa, mayor era la presión hidráulica y eran más firmes los cambios en la transmisión. El regulador mecánico monitoreaba la velocidad del eje de salida y señalaba los puntos de cambio para que la transmisión cambiara las velocidades.

Tecnología de la transmisión automática moderna

Hoy el mundo de las transmisiones automáticas es diferente. Como ya se mencionó, los vehículos ahora cuentan con transmisiones automáticas de cuatro, cinco o incluso seis velocidades que son controladas electrónicamente y están integradas en el sistema de control del tren de potencia o transmisión del vehículo, lo que significa que la computadora del auto decide cuándo y a qué velocidad debe cambiar. Los componentes hidráulicos en la transmisión siguen siendo en esencia los mismos, pero la caja de válvulas ahora es controlada por solenoides electrónicos en lugar de reguladores mecánicos y cables de la válvula de mariposa.

Y cuentan con embragues de convertidor de torsión de acoplamiento que exprimen hasta el último kilómetro por litro de gasolina para la economía del combustible. El embrague de convertidor se acopla aplicando presión hidráulica al lado delantero de la turbina en el convertidor, forzándolo hacia atrás contra un disco de embrague entre la turbina y la pared posterior de la caja. Esta diferencia de presión hidráulica acopla la turbina con la caja, eliminando cualquier deslizamiento y mejorando la economía del combustible.

El diferencial

Bueno, ya tenemos la velocidad correcta y hay potencia disponible en el eje de salida de la transmisión. ¿A dónde va a partir de ahí? A través de un eje de transmisión (cardán) hasta el siguiente componente importante: el diferencial. Este dispositivo divide la potencia y hace que esté disponible para las dos ruedas propulsoras. Sin embargo, no es tan simple como el eje de una sola pieza de su podadora de césped de motor.

Así está el asunto. Cuando usted da vuelta en una esquina en su vehículo, la rueda propulsora interior debe ser capaz de girar a una velocidad más lenta que la rueda exterior, ya que la primera está viajando en un radio más corto, o sea, una distancia más corta. Si la potencia del motor se aplicara a un eje de transmisión de una sola pieza, en donde ambas ruedas propulsoras giran a la misma velocidad —como en su podadora de césped—, la llanta interior tendría que patinar un poco mientras el vehículo diera la vuelta. Rechinaría y brincaría, provocando el rápido desgaste de la llanta y no se sentiría particularmente bien al hacer esto.

Por lo tanto, se instala un diferencial para permitir una diferencia de velocidades entre la rueda interior y la exterior. Los componentes de un diferencial son un piñón impulsado por la transmisión y un eje de transmisión, una corona impulsada por el piñón y un juego de piñones satélites impulsados por la corona. La acción de los piñones satélites permite que una rueda gire más rápido o más lento que la otra, siempre y cuando el promedio de las dos velocidades sea igual a la velocidad del piñón.

La siguiente es la mejor analogía visual. Ponga en su mesa un par de platos para comida y dos pelotas de tenis. Coloque las dos pelotas de tenis separadas 180 grados en el primer plato volteado hacia arriba sobre la mesa. Coloque el segundo plato sobre las pelotas de tenis, haciendo una especie de sándwich de pelotas de tenis. Ahora, levante con cuidado el par de platos, sosténgalos juntos en un plano vertical, y gire un plato a una velocidad y el otro a una velocidad más rápida o más lenta. Al rodar, las pelotas de tenis proporcionan la acción diferencial necesaria para permitir que cada plato gire a una velocidad diferente. Ahora bien, lo mismo, pero en el argot de los diferenciales es: los piñones planetarios que están girando proporcionan la acción diferencial necesaria para permitir que cada rueda gire a una velocidad diferente mientras el vehículo da la vuelta en una esquina. Para completar el cuadro, unos ejes transfieren la potencia del diferencial a cada rueda propulsora. Los ejes están soportados por un conjunto formado por un cubo y rodamientos en la rueda, la rueda está unida mediante pernos al extremo del eje, y (usted ya sabe esto) la llanta está montada en la rueda.

TRACCIÓN EN LAS CUATRO RUEDAS

Pero espere, ¡todavía hay más! Con tracción en las ruedas delanteras o en las cuatro, las ruedas delanteras necesitan transmitir potencia al pavimento, así como dirigir el vehículo. Los ejes delanteros están articulados con juntas de velocidad constante (VC), las cuales permiten que la potencia se transmita a la rueda en ángulos verticales y horizontales, al tiempo que la suspensión se mueve hacia arriba y hacia abajo y conforme la dirección gira a la derecha y a la izquierda.

Con tracción en las cuatro ruedas se incorpora una caja de transferencia para dividir un porcentaje de la potencia de la transmisión y dirigirlo a través de otro eje de transmisión al diferencial, al eje y a las ruedas delanteras. Las cajas de transferencia a menudo pueden ofrecer un acoplamiento mecánico selectivo de la tracción delantera, como se encuentra en la mayoría de las camionetas con tracción en las cuatro ruedas, o una tracción delantera de tiempo completo, como se encuentra en los sistemas de tracción en todas las ruedas.

La mayoría de las cajas de transferencia dividen la potencia en proporción de 50/50 entre las ruedas delanteras y las traseras, lo que significa que ambos ejes de transmisión deben girar a la misma velocidad. Las cajas de transferencia con embragues o diferenciales hidráulicos pueden variar la potencia que se divide entre las ruedas delanteras y las traseras, con base en el fabricante del automóvil.

MANTENIMIENTO DEL SISTEMA DE TRANSMISIÓN

Bueno, ya hemos presentado la descripción de todos los diversos componentes del sistema de transmisión; veamos ahora qué implica su mantenimiento y reparación.

Transmisión manual—cambie el lubricante cada 80 000 kilómetros. Muchos fabricantes de automóviles no requieren que se realice este servicio de rutina, pero debido a que cada cambio de velocidad produce un poco de desgaste y esfuerzo, el cambio de lubricante es eficaz para limpiar estos residuos y eliminarlos de la unidad.

Embrague—el embrague en sí no requiere mantenimiento, cuya expectativa de vida es de entre 80 000 y 160 000 kilómetros, dependiendo de la calidad del conductor. Los mecanismos de liberación de los embragues mecánicos tal vez requieran un ajuste periódico a fin de mantener un espacio libre aproximado de 2.5 centímetros en la parte superior de la carrera del pedal del embrague. Los mecanismos de liberación de los embragues hidráulicos no requieren ajuste, pero al igual que los mecanismos de los frenos hidráulicos, el líquido deberá reemplazarse cada dos o tres años purgando el sistema.

COMPONENTES BÁSICOS DEL SISTEMA DE TRANSMISIÓN CON TRACCIÓN EN LAS CUATRO RUEDAS

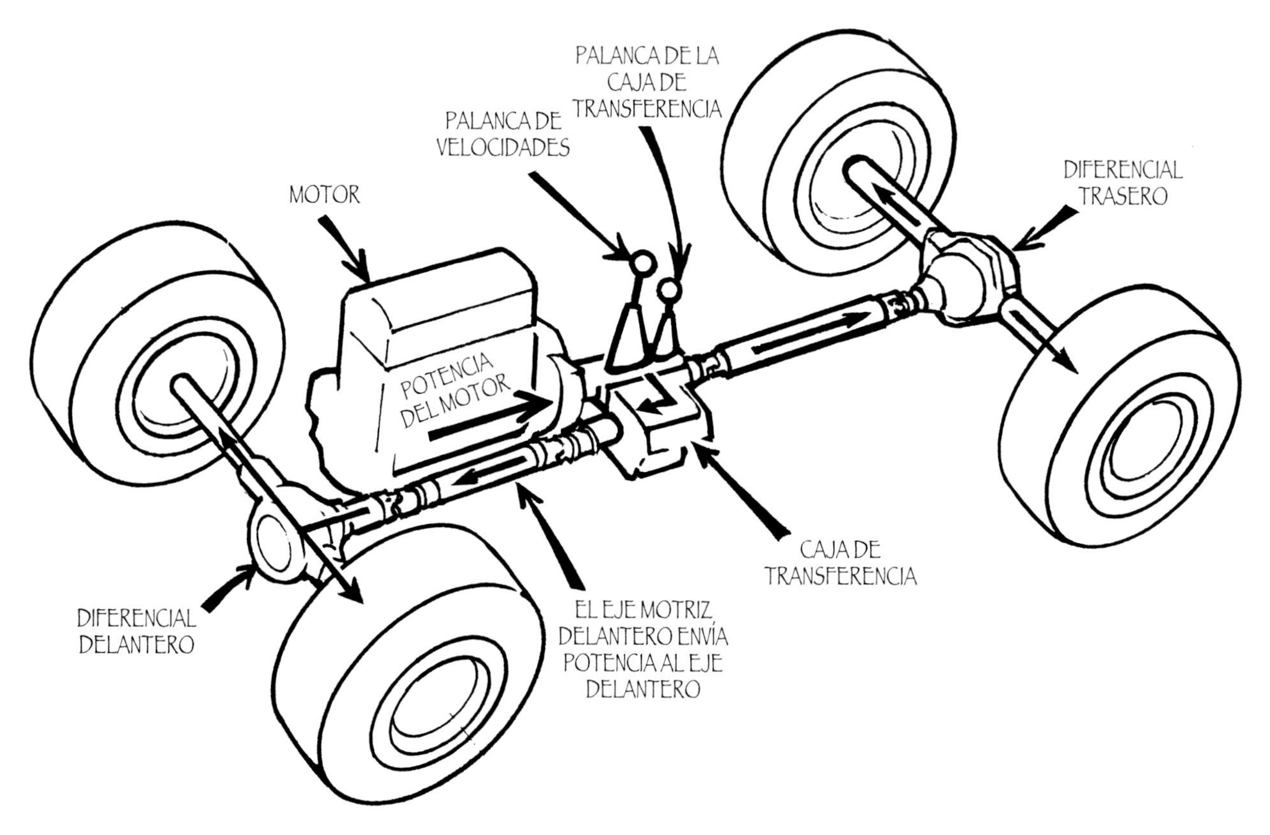

Transmisión automática—haga un cambio completo del líquido y el filtro en el servicio a los primeros 50 000-80 000 kilómetros, después un cambio completo del líquido cada 50 000-80 000 kilómetros y el reemplazo del filtro en cada tercer cambio del líquido. Cabe señalar que algunos fabricantes de autos ya no recomiendan cambios rutinarios del líquido, y algunos no sugieren cambios de líquido sino hasta los 160 000 kilómetros. No obstante, todo profesional de servicio de transmisiones recomienda dar servicio al líquido por lo menos con tanta frecuencia como se acaba de describir.

Diferencial—cambie el aceite de los engranajes cada vez que la transmisión reciba servicio.

Caja de transferencia—cambie el lubricante cada vez que la transmisión reciba servicio.

Juntas universales en el eje de transmisión—engrase después de cada tercera lubricación del chasis si cuenta con conexiones de engrase o zerk.

Juntas de velocidad constante (VC)—inspeccione visualmente si hay bolsas de hule rasgadas/contaminación cada vez que haga un cambio de aceite.

Cubos/rodamientos de las ruedas—los cubos sellados, como se encuentran en muchos de los vehículos modernos, no requieren mantenimiento. Los cubos convencionales de carrera libre con cojinetes de rodillos cónicos deberán revisarse para ver si hay juego excesivo cada vez que se haga un cambio de aceite. Reempaque los rodamientos o cojinetes y reemplace los sellos cada 80 000 kilómetros. ■

TABLA PARA SOLUCIÓN DE PROBLEMAS DEL SISTEMA DE TRANSMISIÓN

PROBLEMA	CAUSAS PROBABLES	ACCIONES PARA LA REPARACIÓN
CHIRRIDO INTERNO CON EL EMBRAGUE ACOPLADO	Cojinete desgastado dentro de la transmisión	Acuda con un profesional
ZUMBIDO PROVENIENTE DEL EMBRAGUE CON EL PIE EN EL PEDAL	Collarín del embrague o cojinete desgastado	Reemplace el conjunto del embrague/collarín
PATINAMIENTO/ESTREMECIMIENTO DEL EMBRAGUE	Componentes del embrague desgastados, dedos del diafragma doblados/rotos	Acuda a un taller para un diagnóstico
	Roto el resorte amortiguador del disco del embrague; contaminación con aceite del disco del embrague	Reemplace el conjunto del embrague y el collarín si es necesario
EL PEDAL DEL EMBRAGUE SE SIENTE PESADO/DURO	Se pega el cable/polea del embrague	Lubrique el cable; si el problema persiste, reemplácelo
	Dedos desgastados del diafragma de la placa de presión del embrague	Si el cable no es el problema, acuda a un taller para un diagnóstico y el posible reemplazo del conjunto del embrague y el collarín
EL PEDAL DEL EMBRAGUE SE SIENTE SUAVE/BLANDO	La placa de presión del embrague está rota o desgastada	Acuda a un taller para su diagnóstico; reemplace el conjunto del embrague y el collarín si es necesario
PEDAL DEL EMBRAGUE BAJO	Cable de liberación del embrague dañado	Reemplace el cable de liberación del embrague
EL DESACOPLAMIENTO DEL EMBRAGUE NO SE DA O ES INCOMPLETO	Aire atrapado en el cilindro hidráulico esclavo/maestro del embrague	Revise el nivel del líquido en el depósito del cilindro maestro del embrague
		Purgue el embrague/reemplace los cilindros esclavo y maestro del embrague
CAMBIOS DE VELOCIDADES CON RUIDOS, RECHINIDOS O DUROS	Desacoplamiento incompleto del embrague; esfuerzo excesivo/desgaste de los conjuntos de sincronización de la transmisión	Acuda a un taller para un diagnóstico; será necesaria la reparación de la transmisión si los conjuntos de sincronización están desgastados

TABLA PARA SOLUCIÓN DE PROBLEMAS DEL SISTEMA DE TRANSMISIÓN

PROBLEMA	CAUSAS PROBABLES	ACCIONES PARA LA REPARACIÓN
NO SE PUEDE HACER EL CAMBIO DE PARK (ESTACIONAR) A VELOCIDAD	El seguro de freno/park no funciona	Pruebe poner la llave en "on" con el motor apagado, pisar el freno, cambiar a neutral
EL MOTOR DE ARRANQUE NO EMBRAGA	Problema del seguro park/neutral	Mientras está tratando de arrancar, mueva la palanca de velocidades todo el rango completo hasta park (estacionar) y luego pruebe lo mismo en neutral
LA TRANSMISIÓN AUTOMÁTICA NO QUIERE EMBRAGAR NINGUNA VELOCIDAD	Baja presión hidráulica	Revise el nivel del líquido y llénelo si es necesario. *(Proyecto 35: Revisión del fluido de la transmisión)*
	Problema o desajuste de la palanca de cambios o del cable	En autos con tracción delantera, revise el punto de unión del cable de cambios en la transmisión debajo del cofre. El cable podría estar roto, flojo o desconectado
	Mecanismo o cable de cambios roto	Ajuste o reemplace el mecanismo de cambios o el cable
	Falla hidráulica en la transmisión	Lleve el auto con un profesional para su diagnóstico y reparación
	Falla de la unidad de control electrónico	Lleve el auto con un profesional para su diagnóstico y reparación
LA TRANSMISIÓN SE TARDA EN EMBRAGAR DESDE PARK (ESTACIONAR)	Bajo nivel del líquido, baja presión hidráulica	Revise el nivel del líquido de la transmisión y agregue según sea necesario. *(Proyecto 35: Revisión del fluido de la transmisión)*
	Líquido de la transmisión contaminado	Cambie el líquido y el filtro de la transmisión. *(Proyecto 36: Cambio del fluido y filtro de la transmisión automática)*
	Sellos hidráulicos desgastados en la transmisión	Reemplace los sellos
CAMBIOS DE VELOCIDADES LENTOS O TARDÍOS	Baja presión hidráulica	Haga que un profesional inspeccione/pruebe la transmisión
EL MOTOR GIRA PERO EL AUTO NO ACELERA	La transmisión se patina	Haga que remolquen el auto a un mecánico profesional. No continúe manejando con la transmisión patinando ya que podría ocurrir un daño mayor en la transmisión
LA TRANSMISIÓN SE DESLIZA A NEUTRAL EN LAS PARADAS	Baja presión hidráulica	Haga que un profesional inspeccione/pruebe la transmisión
CAMBIOS DE VELOCIDADES DIFÍCILES/BRUSCOS	La transmisión está en modo "relajado", lo que significa que algo en la transmisión no está funcionado bien y la unidad funciona en un modo limitado diseñado para permitir que el auto se lleve al taller de reparación de transmisiones más cercano	Lleve el auto con un profesional para su diagnóstico y reparación

TABLA PARA SOLUCIÓN DE PROBLEMAS DEL SISTEMA DE TRANSMISIÓN

PROBLEMA	CAUSAS PROBABLES	ACCIONES PARA LA REPARACIÓN
LA TRANSMISIÓN SE QUEDA PEGADA EN SEGUNDA VELOCIDAD	Elevada presión hidráulica	Revise si el nivel del líquido de la transmisión está en el punto recomendado por el fabricante, lleve el auto a un profesional para su diagnóstico y reparación. *(Proyecto 35: Revisión del fluido de la transmisión)*
NO HAY SOBREMARCHA (OVERDRIVE)	El motor no se ha calentado lo suficiente	Haga que un profesional revise y haga un diagnóstico de la transmisión
SE PRENDE LA LUZ DE "CHECK ENGINE" (REVISAR MOTOR)	Sobrecalentamiento del líquido de la transmisión	Deje el motor en park para enfriar el fluido
	Falla del sensor de posición del acelerador (TPS)/sensor de velocidad	Utilice la herramienta de "scan" (escanear) para diagnosticar los códigos de fallas en la transmisión
CAMBIOS ASCENDENTES RÁPIDOS Y PREMATUROS	Cable de la válvula del acelerador dañado o roto en una transmisión automática no controlada electrónicamente	Haga que un profesional reemplace/ajuste el cable TV (válvula del acelerador).
CAMBIOS ASCENDENTES RETRASADOS A ALTAS RPM	Regulador de velocidad dañado o pegado en una transmisión automática no controlada electrónicamente	Agregue una lata de aditivo para el líquido de la transmisión. Haga que un profesional repare/reemplace el regulador interno
ESTREMECIMIENTO/VIBRACIÓN CON UNA ACELERACIÓN LIGERA A VELOCIDAD DE CARRETERA	Patinamiento del embrague del convertidor de torsión	Pise el pedal del freno 5 centímetros manteniendo la velocidad. Si el estremecimiento se presenta hasta que se libera el freno, el embrague del convertidor de torsión se está patinando **Arreglos del embrague del convertidor de torsión que se patina:** agregue aditivo para el líquido de la transmisión; confirme que el líquido sea el correcto. Cambie el líquido y el filtro de la transmisión. Reemplace el convertidor de torsión desgastado. *(Proyecto 36: Cambio del fluido y filtro de la transmisión automática)*
FUGA DEL LÍQUIDO DE LA TRANSMISIÓN	Conexión floja en la tubería de la transmisión	Revise las tuberías del enfriador de la transmisión y el enfriador en la parte delantera del auto. Apriete las conexiones o reemplace las tuberías
	Empaque defectuoso en el colector de la transmisión	Revise si la junta del colector de la transmisión muestra señales de fugas; si se descubren fugas, reemplace la junta
	El sello principal de la transmisión (entre el motor y la transmisión) tiene una fuga	Verifique fuga en el sello delantero de la transmisión. Si la fuga sólo deja pequeñas manchas de líquido en la transmisión o unas cuantas gotas en el piso de la cochera, puede seguir así hasta que empeore. Si deja grandes cantidades de líquido en el piso de la cochera, el sello necesitará ser reemplazado por un profesional

TABLA PARA SOLUCIÓN DE PROBLEMAS DEL SISTEMA DE TRANSMISIÓN

PROBLEMA	CAUSAS PROBABLES	ACCIONES PARA LA REPARACIÓN
NO HAY EMBRAGUE EN TRACCIÓN EN LAS CUATRO RUEDAS	Problema mecánico/de vacío/hidráulico con la caja de transferencia, problema electrónico con la unidad de control de la transmisión	Revise los componentes/conexiones mecánicas/de vacío en la caja de transferencia/control de cambios. Acuda con un mecánico profesional para su diagnóstico y reparación
LA CAJA DE TRANSFERENCIA EN TRACCIÓN EN LAS CUATRO RUEDAS NO HACE EL CAMBIO DE ALTAS A BAJAS	Problema en la caja de transferencia	Revise la operación de vacío del acoplamiento de la caja de transferencia, revise el varillaje de cambios de la caja de transferencia, revise el acoplamiento del solenoide del eje propulsor delantero
RUIDO DE RECHINIDO/MATRACA PROVENIENTE DEL CUBO DELANTERO	El cubo automático delantero no se desacopla (sólo vehículos de tracción en las cuatro ruedas o de tracción delantera)	Repare o reemplace los cubos delanteros de la transmisión automática
RUIDO DE CLIQUEO PROVENIENTE DEL EJE PROPULSOR DELANTERO AL ACELERAR O DAR VUELTA	Está desgastado el eje propulsor delantero o la junta VC	Revise si está rota o rasgada la bolsa de hule, reemplace la junta VC o el conjunto del eje
RONQUIDO PROVENIENTE DEL CUBO DELANTERO, VARÍA AL ACCIONAR LA DIRECCIÓN	El conjunto del rodamiento de la rueda delantera está desgastado	Revise si hay juego en los rodamientos de las ruedas o vibración en el resorte Reemplace el conjunto del cubo y rodamiento
CHILLIDO PROVENIENTE DEL DIFERENCIAL DELANTERO O TRASERO	Bajo nivel de lubricante, corona/piñones desgastados	Drene e inspeccione el aceite de los engranajes para ver si tiene basuras/agua (después llene con fluido fresco) *(Proyecto 34: Cambio del aceite de la transmisión manual)* Quite la cubierta del diferencial e inspeccione para ver si están desgastadas las coronas/piñones. Si están desgastados, reemplace los engranajes Revise si tiene juego el cojinete del piñón Llene el diferencial con aceite sintético para engranajes o agregue un aditivo especial
RUIDO DE MATRACA PROVENIENTE DEL DIFERENCIAL AL DAR VUELTA	El conjunto de patinamiento limitado en el diferencial está desgastado o se traba	Pruebe agregando un aditivo especial para patinamientos limitados
FUERTE ZUMBIDO O VIBRACIÓN A ALTA VELOCIDAD PROVENIENTE DEL SISTEMA DE TRANSMISIÓN AL ACELERAR	La junta universal en el eje de transmisión está desgastada	Revise si hay juego. Reemplace la junta universal o el eje de transmisión si el juego es excesivo Si hay polvo rojo de óxido alrededor de la junta, reemplace la junta universal o el eje de transmisión
SONIDO METÁLICO SORDO CUANDO EL AUTO LLEGA A UN ALTO O CUANDO COMIENZA A AVANZAR	Atascamiento en las estrías de patinamiento en el yugo de patinamiento en la parte posterior de la transmisión	Lubrique con grasa de bisulfuro de molibdeno. Desmonte el eje de transmisión. Marque la orientación de la junta universal/brida. Saque el yugo de patinamiento del eje de salida de la transmisión. Limpie las estrías y aplique lubricante

Proyecto 31

Revisión del aceite del diferencial

TALENTO: 2

TIEMPO: 15 minutos

HERRAMIENTAS:
Desarmador o llave de tuercas

COSTO: $0

SUGERENCIA:
Observe el nivel con el vehículo en posición horizontal.

1 El diferencial se encuentra en el cárter del eje trasero en un vehículo con tracción en las ruedas traseras, y en el cárter delantero en vehículos con tracción en las cuatro ruedas.

2 Para revisar el nivel del aceite, quite el tapón ubicado al lado del cárter o en la cubierta del diferencial. Puede ser de rosca o puede ser un tapón de hule que se saca haciendo palanca con un desarmador.

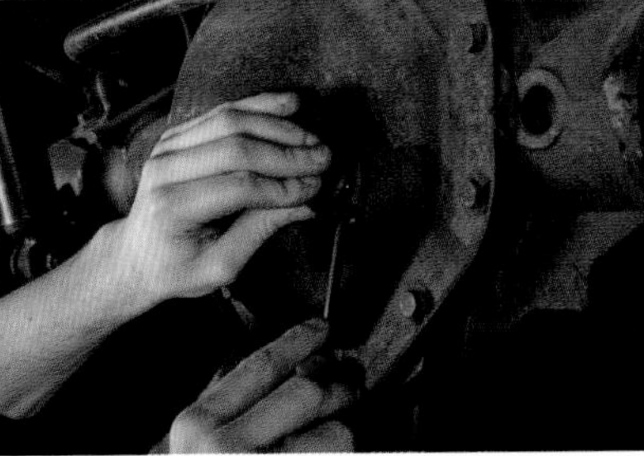

3 El aceite deberá llegar justo al fondo del orificio de manera que usted pueda verlo o tocarlo a través de dicho orificio. Un poco de aceite gotea en este diferencial, el cual está lleno en el nivel correcto.

Proyecto 32

Cambio del aceite del diferencial

TALENTO: 4

TIEMPO: 60 minutos

HERRAMIENTAS:
Llave de dados, raspador de empaques, limpiador, desarmador, martillo, material para juntas, o empaque

COSTO: $200–400

SUGERENCIA:
Una manera sencilla de alargar la vida de su diferencial.

1 Afloje los pernos que están alrededor de la cubierta del diferencial

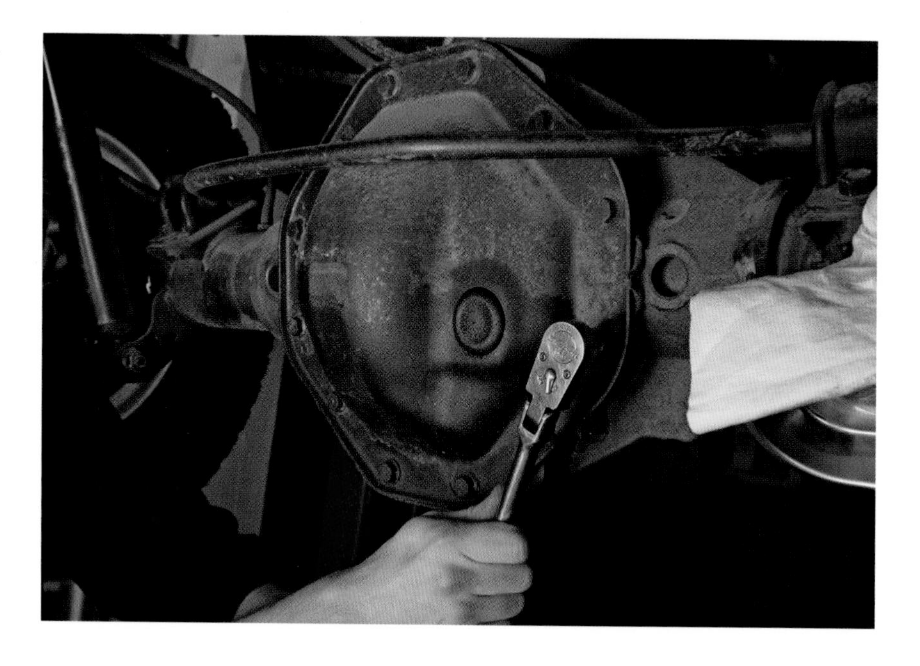

2 En ocasiones las cabezas de los pernos tendrán pintura o una capa protectora pegada, haciendo que sea difícil ajustar una llave sobre ellos. En tal caso, puede dar un golpe suave con un martillo para asentar la llave o el dado. Asegúrese de tener el dado del tamaño correcto.

3 Haga palanca suavemente para evitar daños que podrían ocasionar una fuga. Deje flojos dos pernos en lados opuestos de la cubierta pero atornillados. Evitarán que la cubierta se desprenda y ocasione un lío cuando haga palanca para aflojarla.

4 Puede encontrar material de empaque pegado en el cárter del diferencial. Ráspelo para eliminarlo, cuidando de que no caigan fragmentos de él en los engranajes. Si esto llegara a suceder, remuévalos con una toalla limpia libre de pelusa. Termine la limpieza puliendo las superficies que entran en contacto con fibra Scotch-Brite^{MR}.

5 Raspe y limpie cualquier residuo de empaque eliminándolo de la cubierta.

Nunca empuje una herramienta hacia su otra mano.

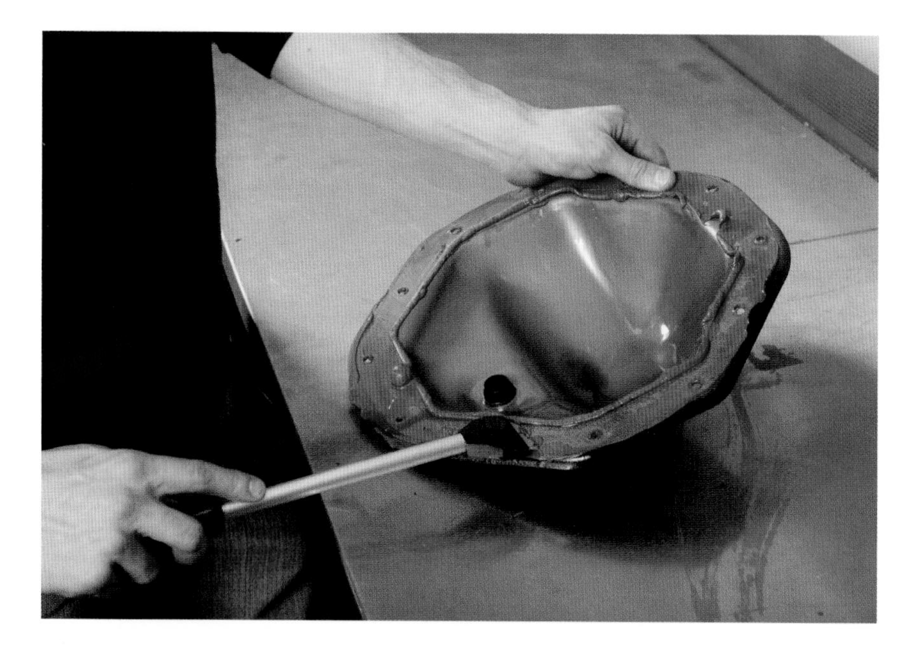

6 Limpie y lave bien toda la cubierta con un limpiador fuerte, como limpiador para frenos en aerosol.

Use guantes cuando trabaje con productos químicos. Algunos solventes pueden traspasar la piel. (Esta cubierta estaba bastante limpia en su interior y requirió poca limpieza, por lo que el mecánico no se puso los guantes, pero lo mejor es usarlos.)

7 Muchos empaques se forman con un sellador (silicona con vulcanización a temperatura bajo techo —RTV). Aplique silicona alrededor de la superficie de contacto. Si la cubierta del diferencial utiliza un empaque formado, extienda el sellador a ambos lados del empaque para ayudar a sellarlo y también para mantenerlo en su lugar mientras reinstala la cubierta.

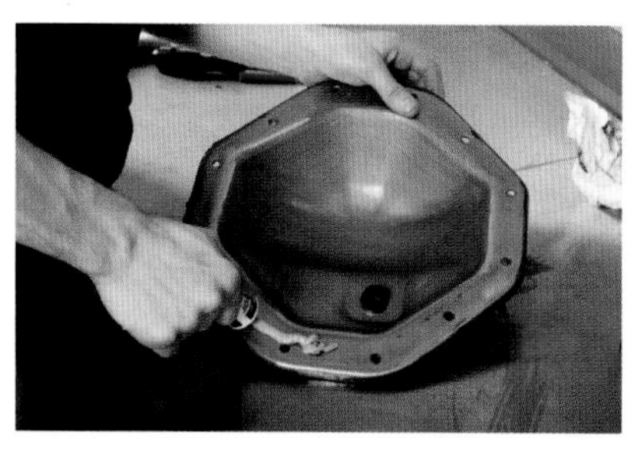

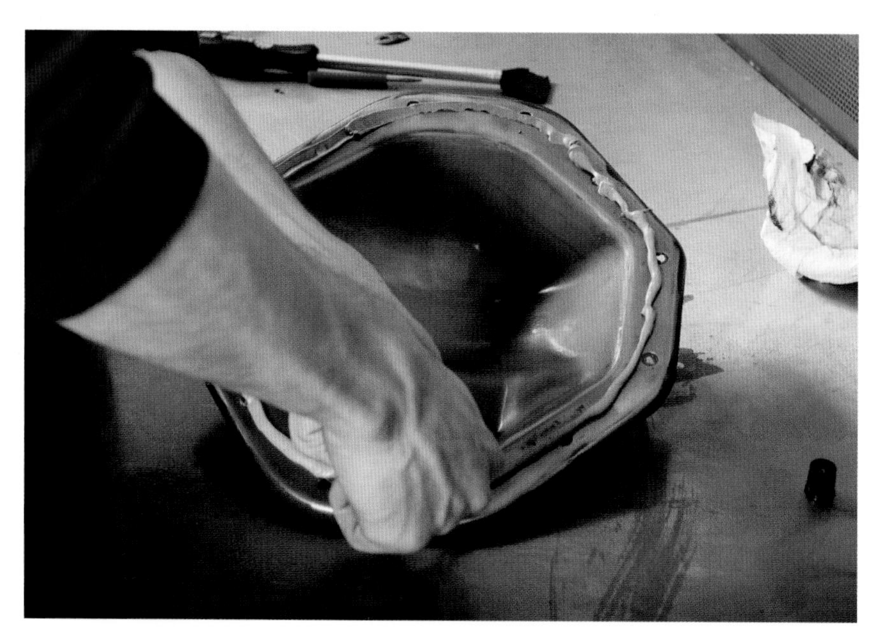

8 Distribuya uniformemente el sellador en una capa que cubra la superficie de contacto, y lávese bien las manos. Empuje la cubierta para que quede en su lugar y reinstale los pernos.

9 Atornille la cubierta, apretando los pernos en un patrón cruzado.

10 Llene el diferencial con la cantidad y el tipo apropiado de lubricante, el cual se especifica en el manual del propietario.

Proyecto 33

Revisión del aceite de la transmisión manual

TALENTO: 2

TIEMPO: 15 minutos

HERRAMIENTAS:
Llave de tuercas

COSTO: $0 pesos

SUGERENCIA:
El nivel de llenado es generalmente hasta la parte inferior del orificio de llenado.

1 La mayoría de las transmisiones manuales tienen dos aberturas: una de llenado y otra de drenado. Ambas estarán tapadas con un perno. (Algunas transmisiones manuales no tienen abertura de llenado ya que no están diseñadas para cambios de lubricante. Para cambiar el aceite en este caso, un taller utilizará una pistola de succión para extraer el aceite viejo.)

2 Quite el perno de llenado. El aceite deberá estar justo debajo del labio inferior del orificio. Si no es así, la caja de engranajes tiene poco aceite. Llénelo con el lubricante correcto y revise si hay fugas.

Proyecto 34

Cambio del aceite de la transmisión manual

TALENTO: 2

TIEMPO: 30–45 minutos

HERRAMIENTAS: Llave de tuercas, bandeja de drenado, manguera flexible

COSTO: $100–150

SUGERENCIA: El nivel de llenado es generalmente hasta la parte inferior del orificio de llenado.

1 Quite el perno de drenado con una bandeja apropiada colocada debajo de él para captar el aceite. Si no hay un perno de drenado, deje esta tarea en manos de un profesional.

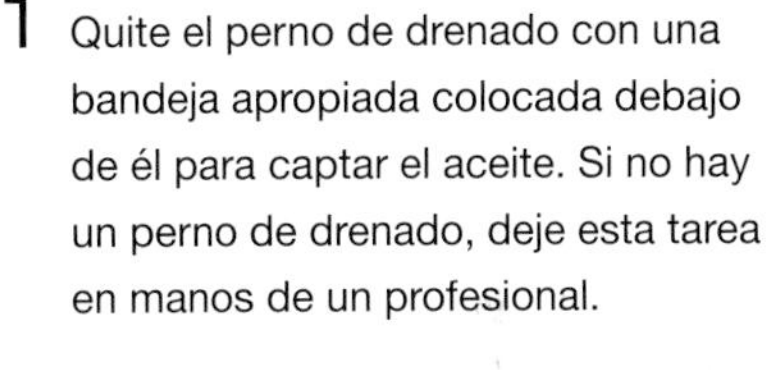

2 Después de dejar que el aceite drene durante unos minutos, vuelva a colocar el perno de drenado. Apriételo bien.

3 Agregue el aceite correcto. Los diseños más viejos utilizan aceites para transmisión más gruesos, pero la mayoría de las transmisiones manuales actuales se llenan con fluido para transmisión automática. El manual del propietario le indicará la cantidad correcta y el tipo que debe comprar, junto con el intervalo de servicio. El nivel típico de llenado es hasta la parte inferior del orificio de llenado. El llenado se puede facilitar con una manguera corta conectada en la boquilla del aceite, o un aditamento para bombear barato para la botella de aceite.

Proyecto 35

Revisión del fluido de la transmisión

TALENTO: 1

TIEMPO: 5 minutos

HERRAMIENTAS:
Varilla indicadora

COSTO: $0

SUGERENCIA:
Los vehículos no queman el fluido de la transmisión; si el nivel está bajo, entonces tiene una fuga que debe corregirse.

1 Revise el fluido de la transmisión con el motor bien calentado y funcionando. La varilla indicadora del fluido de la transmisión se encontrará en el compartimiento del motor y puede estar señalada con palabras o con un símbolo. El manual del propietario identificará su ubicación, las marcas y la capacidad de fluido de la transmisión.

2 Saque la varilla indicadora y límpiela bien con un trapo o una toalla de papel.

3 Con el motor caliente, el fluido deberá llegar a la marca "full/hot" (lleno/caliente) de la varilla indicadora. Este modelo reciente de la camioneta Dodge Dakota tiene el nivel correcto del fluido.

Proyecto 36

Cambio del fluido y filtro de la transmisión automática (Tracción delantera/tracción trasera)

TALENTO: 5

TIEMPO: 1–2 horas

HERRAMIENTAS:
Llave de dados, extensión, limpiador, raspador/removedor de empaques, martillo, desarmador, material para empaque, o empaque

COSTO: $150–500

SUGERENCIA:
La transmisión podría tener dos filtros; reemplace ambos al mismo tiempo, o según lo recomiende el fabricante.

1 El colector de la transmisión automática está en la parte inferior de la transmisión, la cual está atornillada al motor. La foto superior muestra un vehículo con tracción trasera (vista lateral). La foto inferior muestra un vehículo con tracción delantera (vista frontal). Aquí utilizamos un elevador para tomar la fotografía, pero esta operación puede llevarse a cabo fácilmente con el auto descansando en gatos fijos. (Vea en el capítulo 1 cómo levantar su auto).

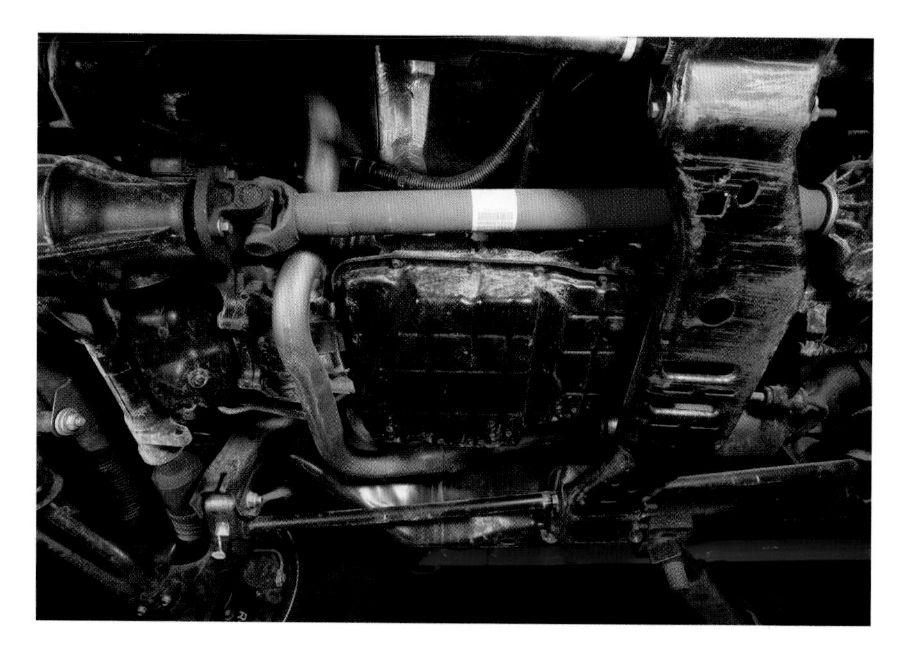

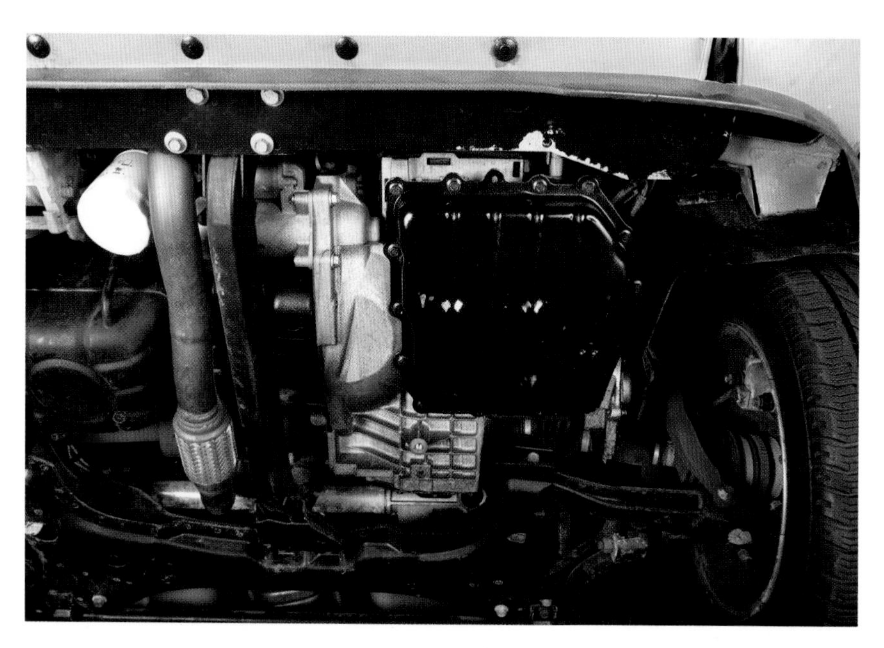

2 Quite los pernos del colector de la transmisión con una matraca apropiada o una llave neumática. Aflojando y bajando un extremo primero, la mayor parte del fluido drenará desde un solo punto, haciendo que sea más fácil captarlo en la bandeja de drenado.

3 Deje dos pernos flojos pero atornillados en lados opuestos del colector. De esa forma, cuando haga palanca para liberarlo, no se caerá ni ocasionará un lío.

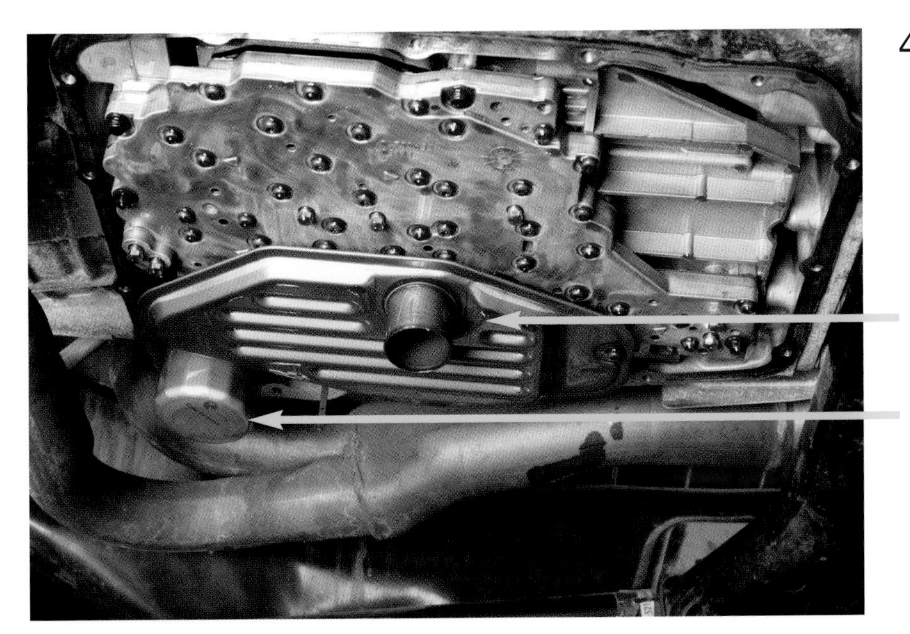

4 Muchas transmisiones tienen dos filtros, uno para la transmisión misma (1) y el otro para el enfriador del aceite de la transmisión (2).

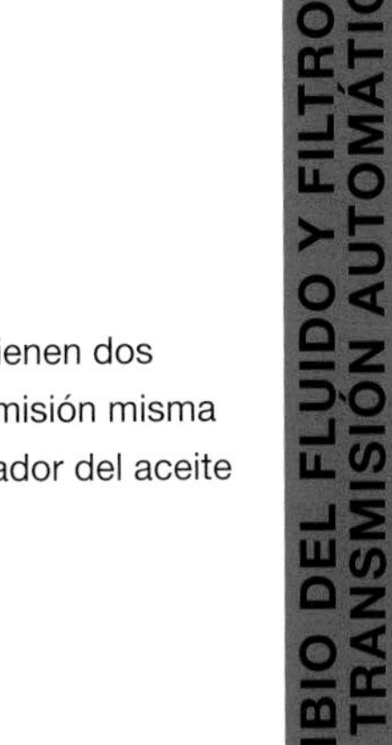

5 El filtro de la transmisión puede quitarse con un desarmador, una llave de tuercas o una llave de dados con punta Torx (estrella).

6 El filtro del enfriador de la transmisión puede requerir el uso de una llave pequeña para filtro de aceite.

7 Raspe el empaque viejo en el colector con un raspador para empaques o una navaja de rasurar según sea necesario y pula la superficie de contacto con fibra Scotch-Brite^{MR}. Luego limpie y lave a fondo el colector con un limpiador fuerte, como un limpiador para frenos.

Nunca empuje una herramienta hacia su otra mano. Además, use guantes de hule siempre que limpie una pieza con un limpiador fuerte o solvente.

8 Muchos colectores de transmisión se sellan con un empaque estilo líquido que se distribuye a lo largo de la superficie de contacto. En la agencia o la tienda de autopartes le dirán lo que necesita. Con su dedo mojado evitará que el sellador se le pegue al extenderlo en una capa delgada y uniforme por toda el área de contacto. Instale los nuevos filtros y reinstale el colector, apretando los pernos siguiendo un patrón cruzado.

9 Las transmisiones automáticas generalmente se llenan a través del orificio de la varilla indicadora.

10 Utilice un embudo y la cantidad y tipo correcto del fluido recomendado en el manual del propietario. Revise el nivel con la varilla indicadora de la transmisión como en el Proyecto 35: Revisión del fluido de la transmisión.

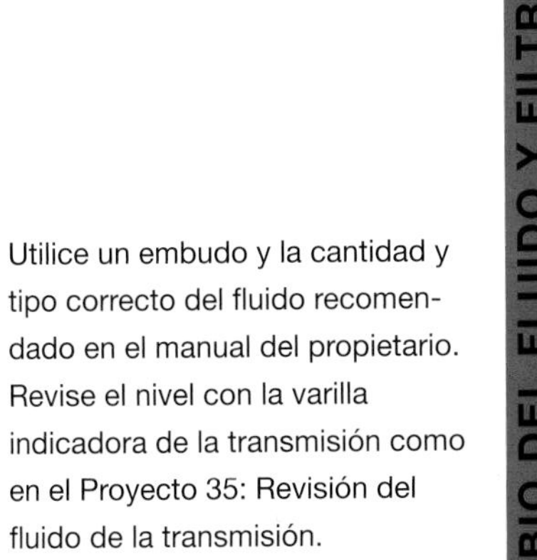

Capítulo 7

Suspensión y dirección

Cómo funciona

Proyectos relacionados con la suspensión y la dirección

 ¡CUIDADO!

CONCEPTO CLAVE

 TECNOLOGÍA DEL PASADO

SUGERENCIA DE MANTENIMIENTO

 TECNOLOGÍA DEL MAÑANA

SUGERENCIA PARA AHORRAR DINERO

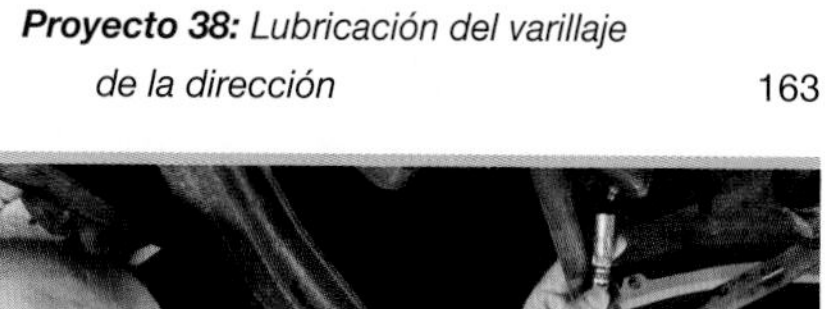

EL AMORTIGUADOR

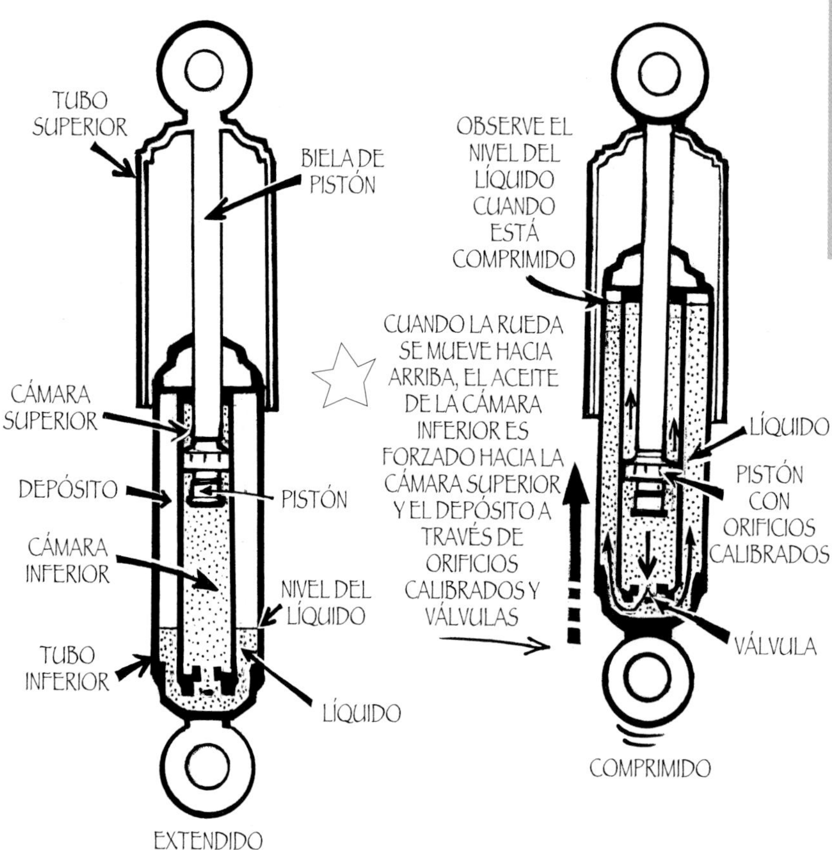

Desde los primeros días del automóvil, los fabricantes han incorporado sistemas de dirección y suspensión en sus vehículos por dos razones muy importantes: para mantener las llantas plantadas firmemente en el pavimento de manera que puedan desarrollar la tracción o agarre necesarios para dirigir, detener y acelerar el vehículo; y en segundo lugar, para hacer este trabajo de manera suave y cómoda para que usted no pase la mitad de su tiempo con el quiropráctico y la otra mitad con el dentista. Los vehículos actuales son mucho más sofisticados y sus sistemas de suspensión y dirección son mucho más eficientes, pero la meta sigue siendo la misma.

Los primeros sistemas de suspensión eran muy simples, con cada eje atornillado al centro de un conjunto de muelles de hojas, que luego se fijaban en el chasis del vehículo. Este sistema de suspensión rudimentario no era nuevo cuando llegaron los vehículos de motor; vea cualquier película del oeste y probablemente observará la vieja calesa de cuatro ruedas tirada por un caballo avanzando sobre simples muelles de hojas.

MUELLES O RESORTES

Las muelles o resortes, ya sean de hojas o en espiral, son como las baterías: almacenan energía. En el mundo del automóvil, las muelles del chasis absorben la energía de impacto cuando una rueda/llanta choca con un tope o pasa por un bache. La muelle se comprime cuando la rueda es impulsada hacia arriba, luego libera esa energía empujando la rueda hacia abajo de manera que mantenga contacto con el pavimento. Sin la muelle, la rueda/llanta no sólo rebotaría literalmente en el camino, sino que la sacudida no le haría nada bien a su columna vertebral ni a su puente dental.

Para controlar el brinco/rebote de la rueda/llanta sobre las muelles, los fabricantes de automóviles han añadido alguna forma de acción de amortiguamiento que controle la velocidad a la cual se comprime y rebota la muelle y la suspensión. Si el dispositivo es independiente de la suspensión y está montado de manera individual en el eje y el chasis, se le conoce como amortiguador. Si el dispositivo está incorporado en el montante —el componente estructural— de la suspensión, entonces es un puntal o strut —un puntal MacPherson, para ser más precisos—.

AMORTIGUADORES Y PUNTALES (STRUTS)

Los amortiguadores y los puntales desempeñan un papel crítico no sólo en la calidad del viaje en su vehículo, sino que aún más importante —desde el punto de vista del rendimiento y la seguridad—, controlan la transferencia del peso y la carga en las llantas cuando usted frena, da vuelta o acelera. Entre mayor sea la carga vertical o peso sobre una llanta, mejor es su tracción, hasta sus límites máximos. Los amortiguadores gastados no hacen esto muy bien y permiten una transferencia rápida y sin control del peso, lo que puede sobrecargar las llantas y reducir el agarre y su habilidad para controlar el vehículo en una maniobra de emergencia.

SISTEMA DE LA DIRECCIÓN

Bueno, en este punto ya tenemos al vehículo suspendido adecuadamente, pero todavía necesitamos ser capaces de girar las ruedas delanteras para guiar el vehículo, ¿verdad? Es decir, el sistema de la dirección. Desde los primeros días de un mecanismo de timón, hasta llegar a los actuales

EL SISTEMA DE DIRECCIÓN DE PIÑÓN Y CREMALLERA

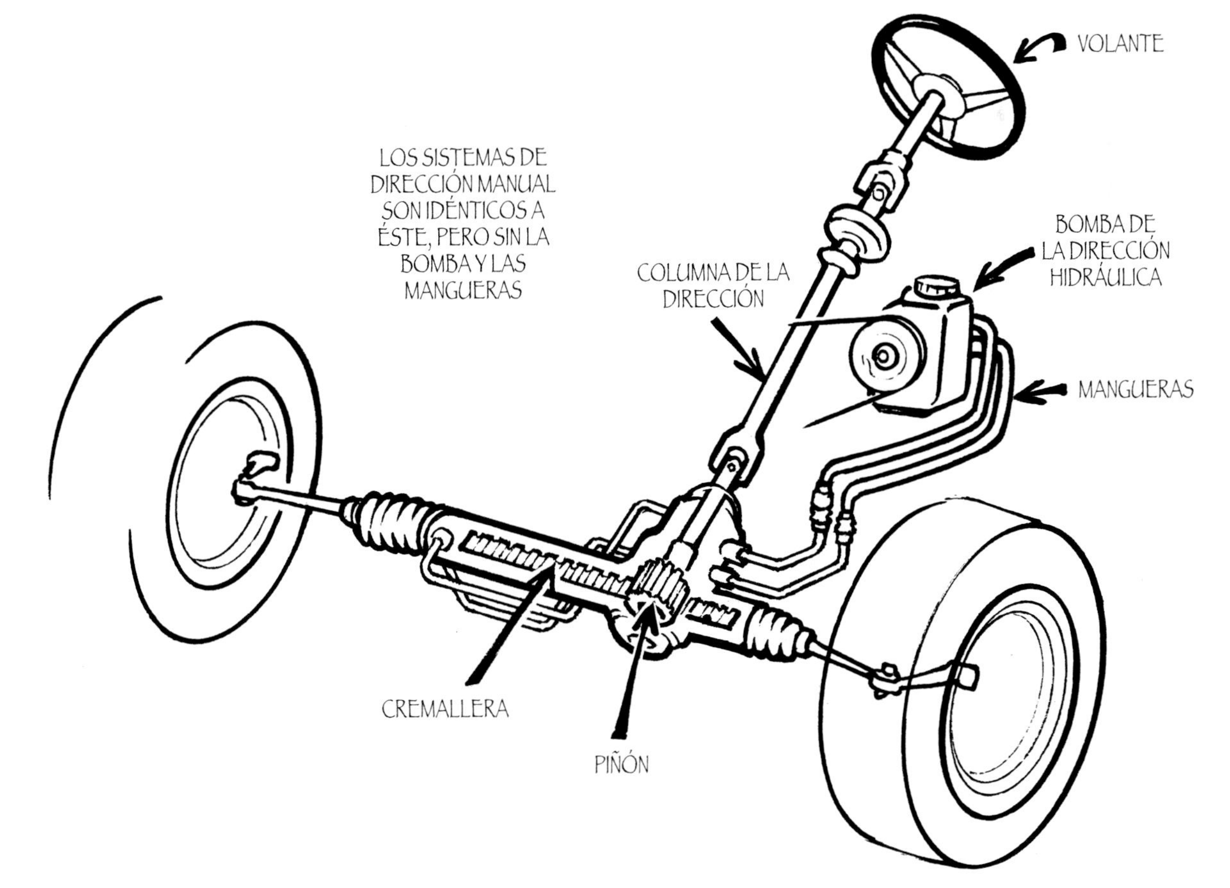

sistemas de dirección electrónicos accionados por cables, el propósito no ha cambiado: permitir al conductor un control instantáneo y completo de la dirección que toma el vehículo. A propósito, los inventores y diseñadores de autos pronto se percataron de que las ruedas delanteras son las que necesitan guiar el vehículo, no las traseras. ¿Alguna vez ha empujado hacia atrás una vagoneta como las que jalan los niños, un triciclo o un carrito de supermercado? Es muy difícil de controlar, ¿verdad?

Los principales componentes en un sistema moderno de la dirección son la caja de dirección, el varillaje que conecta esta caja con las ruedas delanteras y los componentes que permiten que las ruedas delanteras giren de lado a lado. Se utilizan dos tipos de cajas de dirección: el tipo de circulación de bolas y el de piñón y cremallera. Ambos son en realidad diseños de engranaje de tornillo sinfín, con la diferencia de que la caja de dirección de circulación de bolas es muy compacta, utiliza varios cojinetes de bolas de acero para reducir la fricción, y opera el varillaje de la dirección a través de una flecha giratoria en el lado de salida de la caja.

En las últimas décadas, los mecanismos de dirección de piñón y cremallera han ganado popularidad. Como su nombre lo indica, esta caja de dirección tiene un piñón acoplado con una cremallera dentada. Cuando el volante y la flecha de la dirección giran el piñón, éste mueve la cremallera hacia atrás y hacia adelante. La cremallera está conectada con cada rueda delantera y mueve las ruedas a lo largo de su rango de ángulo de dirección.

La dirección con circulación de bolas era y sigue siendo popular en las camionetas y vehículos con chasis por la sencilla razón de que la caja se monta fácilmente en el larguero del bastidor del vehículo en el compartimiento del motor. La dirección de piñón y cremallera se ha vuelto popular en vehículos de chasis y carrocería compuesta, en

ALINEACIÓN QUE PUEDE HACER USTED MISMO

¿Alguna vez ha visto a un técnico automotriz llevar a cabo una alineación moderna de las ruedas? El equipo utilizado está completamente computarizado con dispositivos tipo giroscopio conectados a cada rueda. Están interconectados y, cuando se encuentran montados, alineados y calibrados correctamente, proporcionan al técnico una gran cantidad de información acerca del lugar hacia donde apunta y se inclina cada rueda de su vehículo. Los datos de la convergencia/divergencia (toe), la inclinación (cámber), el ángulo de inclinación del eje (cáster), la línea de centros y el eje de empuje —todos ellos información vital para una correcta alineación— son entregados en forma impresa por una sofisticada computadora. Sigue siendo tarea del técnico hacer estos ajustes de la manera correcta en su vehículo. ¿Todavía le sorprende por qué paga entre 500 y 1000 pesos por este servicio?

¿Le gustaría ser capaz de revisar la alineación (cámber) o la convergencia/divergencia de las ruedas delanteras de su vehículo en su cochera, usando materiales que cuestan menos de 100 pesos y herramientas que usted ya tiene? La siguiente es la lista de materiales y herramientas:

Cinta para medir

Regla metálica de 6 pulgadas, calibrada en dieciseisavas de pulgada

Lápiz y papel

Cuerda para pescar de un solo hilo —no importa la resistencia

Cuatro tramos de tubo de plástico PVC de 2 pulgadas, cortados a la altura de las llantas

Un trozo de gis, o un rollo de cinta adhesiva, para marcar las llantas

Una llave española/ajustable grande, o una llave del tamaño correcto para aflojar las tuercas de ajuste de las barras de acoplamiento

¡Ya está! Eso es todo lo que necesita para hacer una alineación de ruedas tipo pista de carreras. ¿Por qué se le llama alineación de pista de carreras? Sencillo. Cuando un auto de carreras está estacionado en el área de preparación de los autos y no cuenta con equipos o instalaciones para alineación, un corredor pronto aprende a hacerla con lo que está a la mano. Esta alineación que puede hacer usted mismo también se conoce como "acordonar" el auto. La única suposición necesaria es que las dos ruedas traseras estén a la misma distancia de la línea de centros física del vehículo. A menos que el vehículo haya tenido un choque serio y no se haya reparado correctamente, esto no debe ser problema.

Estacione su auto en un pavimento nivelado (el piso de su cochera funcionará perfectamente, gracias) con el volante apuntando justo al frente. De hecho, coloque un pequeño pedazo de cinta adhesiva en la parte superior del volante marcando su posición centrada exacta. Haga rodar el vehículo unos cuantos metros hacia atrás y hacia adelante para asegurarse de que las ruedas están derechas y el volante está centrado.

Ahora, ate la cuerda para pescar de un solo hilo al portaplacas del automóvil, al tubo de escape, a un soporte de la defensa o a cualquier lugar conveniente que esté aproximadamente a la altura de la línea de centros de las ruedas. Luego enrolle la cuerda alrededor del vehículo asegurándose de que cruce la cara de cada rueda/llanta en su línea de centros. Tense la cuerda y átela a alguna parte del chasis.

Jale la cuerda alejándola lo suficiente de cada rueda para deslizar el tramo de tubo PVC contra cada llanta en una posición vertical. Ahora está listo para verificar la alineación.

Primero, tome la regla metálica de 6 pulgadas y mida la distancia entre la cuerda para pescar y la saliente de la pared lateral en la cara frontal de cada rueda trasera. Esta medición deberá ser aproximadamente la misma en los dos lados. Haga en su papel un bosquejo del chasis y las ruedas de su vehículo, y anote estas mediciones enfrente de cada llanta trasera.

Ahora, haga lo mismo en la saliente posterior de cada llanta delantera. Nuevamente, si la alineación de las ruedas delanteras es correcta, estas mediciones deberán ser aproximadamente iguales en ambos lados. Anote estos números atrás de cada llanta delantera en su bosquejo.

Bueno, ¿qué sabe en este punto? Bien, si las mediciones en la parte posterior son las mismas, usted sabe que el vehículo es relativamente rectangular, lo que significa que las ruedas traseras están equidistantes de la línea de centros del vehículo. Si las mediciones en la parte posterior de las dos llantas delanteras son las mismas, usted sabe que el reglaje de la alineación, o convergencia/divergencia, para cada llanta delantera es aproximadamente el mismo.

Si esto es lo que encuentra, el vehículo deberá avanzar relativamente en dirección recta con el volante centrado. Pero usted todavía no sabe si las llantas delanteras están ajustadas con la convergencia/divergencia correcta. Ése es el siguiente paso.

donde el conjunto de la cremallera se atornilla directamente en la estructura de la carrocería.

DIRECCIÓN HIDRÁULICA

Los dos sistemas pueden, y en la mayoría de los casos es así, ser auxiliados mediante algún tipo de energía, lo que significa que hay algún tipo de mecanismo para ayudarle a girar el volante. Esto hace que sea más fácil y menos fatigoso manejar los vehículos más grandes y pesados, y permite relaciones de la dirección más rápidas para facilitar el manejo y las maniobras sin mucho esfuerzo.

Es un poco sorprendente que la asistencia mediante un tipo de energía sea virtualmente obligatoria en los vehículos con tracción delantera y tracción en las cuatros ruedas, sin importar el tamaño y el peso. La potencia del motor, o torque, dirigida a través de los ejes propulsores delanteros, genera una marcada característica de autocentrado que, sin la dirección hidráulica, haría que fuera muy difícil dirigir incluso el automóvil más pequeño con tracción delantera.

Los sistemas convencionales de dirección con auxilio de energía son hidráulicos, lo que significa que una bomba accionada por banda suministra un fluido hidráulico a alta presión que se bombea a la caja de la dirección. Un sistema especial de válvula, denominado válvula de carrete y localizado en la caja de la dirección, controla y dirige la presión hidráulica para ayudarle al conductor a dar vuelta al volante.

¿Qué tan eficaz es la dirección hidráulica? Tan sólo como diversión, en un lugar completamente seguro, como en un estacionamiento abierto, conduzca a 15-25 kilómetros por hora en línea recta y luego apague el motor. Recuerde, sólo puede girar la llave a la posición “off”, no “lock”, con la palanca de cambios en cualquier posición menos “park”. Esto es así para que no pueda bloquear de manera involuntaria la dirección.

Tome el trozo de gis, o un pequeño pedazo de cinta, y marque la ranura o el bloque central de la banda de rodamiento exactamente en la misma ubicación en el frente expuesto de las bandas de rodamiento de las dos ruedas delanteras, tan alto como pueda en la superficie de la banda de rodamiento, sin sobrepasar la parte expuesta más baja del chasis. Ahora, haga que su asistente —su hijo/hija/esposo/esposa/amigo/vecino— sostenga la lengüeta de la cinta para medir en la ranura o el bloque de la banda de rodamiento marcado en uno de los lados, mientras usted jala tensada la cinta para medir y lee la medición en la misma ranura o bloque de la banda de rodamiento en la otra rueda delantera. Anote estas mediciones enfrente de las llantas delanteras en su bosquejo.

Ahora, ponga el vehículo en neutral y hágalo rodar en línea recta hacia adelante o hacia atrás hasta que las marcas de cinta/gis estén tan alto de la parte posterior de las llantas delanteras como se pueda sin que desaparezcan arriba de la parte inferior del chasis. Como antes, haga que su asistente sostenga la lengüeta exactamente en el mismo lugar de su lado, jale de manera recta la cinta para medir —asegurándose de que está justo debajo y sin tocar la estructura del chasis— y lea esta medición. Anótela en la parte posterior de las llantas delanteras en su bosquejo.

Bien, ahora calcule la diferencia entre las dos mediciones. En el mejor de los casos, estarán cercanas, ¡quizá dentro de 1/16 de pulgada! Si la dimensión frontal es menor por una fracción que la posterior, las llantas delanteras tienen convergencia. Si la dimensión frontal es más grande, tienen divergencia. Si la diferencia es considerablemente mayor que 1/16 de pulgada hacia adentro o hacia afuera, las llantas delanteras tienen demasiada convergencia/divergencia.

Si encontró que las llantas delanteras tienen una convergencia exacta de 1/16 de pulgada, su vehículo está alineado correctamente. ¡Sí que tiene suerte! Recuerde, las llantas y las ruedas rebotan sobre topes, pasan sobre baches o pegan contra los bordes de las aceras de manera regular. Las partes de la suspensión, como los brazos de control y el varillaje de la dirección, se flexionan y doblan un poco. Por lo tanto, la alineación puede cambiar, y sin duda lo hará, después de muchos miles de kilómetros de manejo normal.

Regrese por un momento a su bosquejo. Si su medición inicial entre la cuerda para pescar y la saliente posterior en las dos llantas delanteras no fue la misma —incluso si la convergencia/divergencia total que midió con la cinta es correcta—, la alineación no es correcta y es probable que el volante no esté derecho cuando maneje en línea recta hacia adelante y que el vehículo presente cierto grado de descuadramiento. El término descuadramiento es una gran descripción visual de la situación en que el vehículo viaja en línea recta, pero las ruedas traseras van ligeramente a un lado o al otro de las ruedas delanteras. Si usted estuviera manejando en un lugar sucio o con nieve, el vehículo dejaría cuatro huellas de llantas cuando se desplaza en línea recta.

Entonces, ¿cómo puede corregir esto? Mantenga el volante justo hacia el frente, afloje los pernos o contratuercas de la abrazadera en las barras de acoplamiento de la dirección, y ajuste con cuidado sus longitudes para igualar la medición de la cuerda para pescar a la saliente en la parte posterior de cada llanta delantera.

Lo que está haciendo aquí es ajustar la alineación para que la medición de cada llanta delantera al eje de empuje/línea de centros del vehículo sea igual. Ésta es la clave para tener centrado el volante cuando viaja en una línea recta.

Una vez que ha igualado estas dos mediciones con el volante hacia el frente, vuelva a verificar la convergencia/divergencia con la medición de la cinta. Probablemente sea un poco diferente en este momento, pero ya que ahora cada rueda delantera está desviada por la misma cantidad, usted puede restablecer la alineación correcta de la convergencia/divergencia ajustando en la misma cantidad la barra de acoplamiento de cada lado. Haga esto muy poco a poco, y vuelva a verificar su trabajo. Recuerde hacer rodar el vehículo un poco hacia adelante/atrás cada vez que haga un cambio para permitir que la dirección y la suspensión se asienten en una posición sin carga.

¡Nota! Quizá encuentre que la barra de acoplamiento en un lado o en el otro puede tener una cuerda inversa, por lo que debe asegurarse de identificar en qué dirección se mueve el frente de cada llanta/rueda conforme gira el ajustador. Por ejemplo, si la medición de convergencia/divergencia indica demasiada convergencia, necesitará mover el frente de cada llanta delantera hacia afuera una pequeña cantidad. Nuevamente, haga rodar el vehículo medio metro hacia adelante o hacia atrás después de cada ajuste, y vuelva a verificar la convergencia/divergencia.

Acuérdese de volver a apretar los pernos de ajuste o contratuercas de las barras de acoplamiento cuando haya terminado. Eso es, ahora usted es un especialista en alineación de ruedas tipo pista de carreras completamente calificado, y es perfectamente capaz de “acordonar” el vehículo de su hijo/hija/esposo/esposa/amigo/vecino.

Ahora, con el motor apagado, trate de dirigir el vehículo a la derecha y a la izquierda. ¡Sorpresa! Si se requiriera todo ese esfuerzo para conducir un vehículo moderno, ¡sería necesario que usted comenzara a trabajar con su equipo de levantamiento de pesas todos los días!

Recuerde, en una prueba sencilla como ésta también se pierde el auxilio para el sistema de frenado, por lo que tendrá que pisar con mucho más fuerza el pedal de los frenos para desacelerar o detener el vehículo. Es por esta razón que sólo debe hacer esto en un lugar completamente seguro y a velocidad muy baja.

Usted se podría preguntar, ¿por qué molestarse haciendo este ejercicio? Le sorprendería descubrir cuántos choques ocurren —muchas veces con resultados trágicos— debido a que los conductores creen que si el motor se para mientras el vehículo está en movimiento, entonces la dirección y los frenos dejan de funcionar. ¡Incorrecto! Definitivamente, la dirección y los frenos sí funcionan con el motor apagado. Tan sólo será necesario aplicar mucho más fuerza para operar los controles. Los frenos y la dirección no se bloquean cuando el motor se apaga. Recuerde esto; algún día podría salvarle la vida.

MANTENIMIENTO Y REPARACIÓN DE LA SUSPENSIÓN/DIRECCIÓN

¿Qué tienen en común los sistemas modernos de la dirección y la suspensión con la mayoría de las baterías de automóvil? Que no son del todo libres de mantenimiento. Muchos fabricantes de automóviles incorporan boquillas zerk —pequeñas boquillas de engrase— en las partes móviles de los componentes de sus sistemas de dirección y suspensión. Las rótulas, que son los puntos móviles de la suspensión que permiten que las ruedas delanteras se muevan hacia la derecha y hacia la izquierda, y los extremos de las barras de acoplamiento, que conectan el varillaje de la dirección con las ruedas, necesitan lubricarse en cada cambio de aceite. El engrase de estas boquillas hace dos cosas. Primero, limpia la junta móvil, expulsando de la misma basura, sales, arenas o mugre. Y, por supuesto, lubrica la junta para que tenga una vida máxima.

Bueno, dos preguntas. ¿Sabe usted si su vehículo tiene boquillas zerk que se puedan engrasar? Revise el manual del propietario. Y, si usted hace el cambio de aceite y el filtro de su vehículo en un taller —en particular en un taller de bajo costo y lubricación rápida—, ¿sabe si este cambio de aceite de bajo costo incluye la lubricación de la suspensión y la dirección? Si no está incluida y su vehículo está equipado con boquillas de engrase, pague unos cuantos pesos más para asegurarse de que sea en verdad un cambio de aceite con servicio completo.

De hecho, demos un paso más en relación con este concepto. Cuando haga el cambio de aceite de su vehículo, pídale al técnico que haga la inspección visual y la revisión física de los componentes de la dirección y la suspensión. Las rótulas cuentan con indicadores visuales de desgaste, los cuales indican desgaste cuando sobresalen por encima de la fundición de la rótula. Para determinar si hay juego en exceso en el extremo de una barra de acoplamiento de la dirección, cubra la junta con la mano enguantada y pídale a alguien que mueva un poco el volante hacia uno y otro lado. Esto revelará si hay algún juego considerable en la junta. Empujando hacia arriba y hacia abajo el brazo auxiliar —la articulación con el larguero del bastidor que está en el lado opuesto de la caja de la dirección con circulación de bolas continua—, se puede identificar si hay algún desgaste serio.

Los componentes móviles de la dirección, si tienen un desgaste considerable, deberán ser reemplazados. Esto no sólo apretará una dirección floja y reducirá el juego en el centro del volante, sino que también proporcionará al vehículo mayor estabilidad en línea recta y mejorará la respuesta de la dirección y la seguridad en una maniobra de emergencia. ¿Es suficiente lo que se ha dicho?

AMORTIGUADORES Y PUNTALES (STRUTS) ¿CUÁNDO CAMBIARLOS?

No hay componentes en un vehículo moderno que se hagan viejos y se deterioren con mayor sutileza que los amortiguadores o los puntales (struts). El cambio en su comportamiento se da de manera gradual a lo largo de decenas de miles de kilómetros. Es como mirarse en el espejo y luego ver su fotografía de la preparatoria. . . no se había dado cuenta de cuánto ha cambiado, ¿verdad?

Un amortiguador o un puntal con una falla es relativamente fácil de identificar. Fugas de aceite hidráulico de la unidad, junto con ruidos metálicos sordos y una disminución considerable en la calidad del viaje son pistas importantes. Por ejemplo, si usted inconscientemente comienza a soltar el volante al acercarse a un cruce de ferrocarril accidentado debido al violento movimiento del volante, bueno, entonces tome nota de este aviso y haga que revisen con cuidado los amortiguadores, la suspensión y la dirección.

Pero en la mayoría de los casos, ya sea que usted haya comprado el vehículo usado con una cantidad considerable de kilómetros recorridos, por lo que no tiene elementos para comparar la calidad de la suspensión y el viaje, o haya tenido el vehículo desde nuevo, simplemente no ha puesto atención o notado el sutil deterioro que ha sufrido con el tiempo.

Por lo tanto, el plan es el siguiente. Instale amortiguadores o puntales nuevos en su vehículo cuando éste haya recorrido entre 100 000 o 160 000 kilómetros. En otras palabras, cambie los amortiguadores o los puntales una vez durante la expectativa de vida del vehículo, a menos que antes haya evidencia de desgaste o falla.

Los amortiguadores actuales son mucho, mucho mejores que los de las generaciones anteriores. Mejores diseños y materiales significan mejores componentes y de mayor duración. En el nivel más alto del espectro automotriz, los amortiguadores y puntales de alta calidad en los vehículos de mayor costo pueden durar virtualmente toda la vida del automóvil.

En el otro extremo del espectro, los amortiguadores y puntales en los vehículos más sencillos y baratos sufren un desgaste considerable después de 80 000 kilómetros.

Es su vehículo, usted decide. ¿Qué tan importante son para usted un viaje de calidad y una respuesta precisa y controlada en maniobras de emergencia? Recuerde, la acción de los amortiguadores y los puntales es crítica para la transferencia del peso y el control de su vehículo. . . ¡crítica!

Los amortiguadores estándar no estructurales, que son aquellos que sólo se atornillan al chasis y al brazo de la suspensión, son fáciles de reemplazar. No sostienen el vehículo, por lo que desatornillarlos e instalar repuestos es una tarea relativamente sencilla.

ALINEACIÓN

CONVERGENCIA/ DIVERGENCIA (TOE)

VISTA SUPERIOR

FRENTE

CONVERGENCIA

DIVERGENCIA

INCLINACIÓN (CÁMBER)

INCLINACIÓN NEGATIVA

INCLINACIÓN POSITIVA

Puntales MacPherson

Los puntales MacPherson, por otra parte, tienen el amortiguador incorporado en el soporte estructural o puntal, lo cual requiere un esfuerzo de desmontaje considerable para su reemplazo.

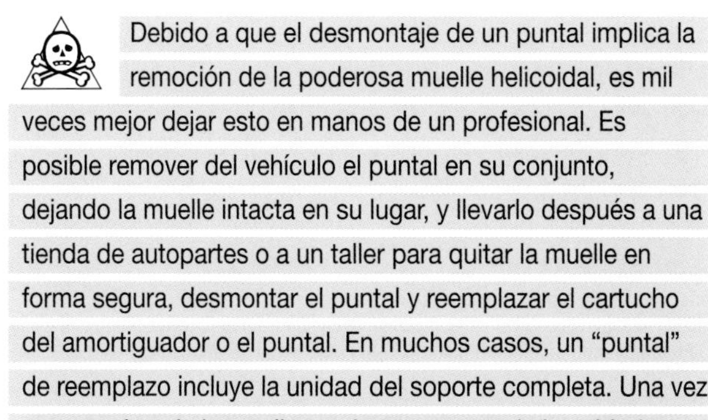

Debido a que el desmontaje de un puntal implica la remoción de la poderosa muelle helicoidal, es mil veces mejor dejar esto en manos de un profesional. Es posible remover del vehículo el puntal en su conjunto, dejando la muelle intacta en su lugar, y llevarlo después a una tienda de autopartes o a un taller para quitar la muelle en forma segura, desmontar el puntal y reemplazar el cartucho del amortiguador o el puntal. En muchos casos, un "puntal" de reemplazo incluye la unidad del soporte completa. Una vez que se reinstala la muelle en el montante, toda la unidad se puede volver a atornillar al vehículo.

En la parte superior de un puntal MacPherson está el conjunto de cojinetes de la placa del puntal que permite que éste gire a lo largo de todo el rango del ángulo de la dirección. En la mayoría de los casos, si está reemplazando el puntal debido al desgaste, tiene sentido reemplazar al mismo tiempo el conjunto de cojinetes.

REVISIÓN DE LA ALINEACIÓN

Siempre que se desmonten los puntales del vehículo, será necesario revisar la alineación de las ruedas delanteras para asegurarse de que los ajustes de la convergencia/divergencia (toe), la inclinación (cámber) y el ángulo de inclinación del eje (cáster) sigan siendo los correctos.

Convergencia/divergencia (toe)

La convergencia/divergencia describe hacia dónde están apuntando las dos ruedas delanteras con la dirección completamente de frente. Convergencia significa que cada una de las llantas delanteras está apuntando un poco hacia adentro. Unas líneas rectas trazadas justo en la dirección en la que apunta cada llanta se cruzarían en un punto a una distancia en frente del vehículo. Divergencia, por otra parte, indicaría que cada llanta delantera está apuntando un poco hacia afuera, de tal manera que las líneas trazadas para indicar hacia dónde está apuntando cada llanta se cruzarían a cierta distancia detrás del vehículo.

La importancia del ajuste correcto de la convergencia/divergencia es principalmente para evitar el desgaste de las llantas. Unas ruedas delanteras desalineadas tienden a comerse sus llantas con rapidez, en particular en los vehículos más grandes como camionetas y vehículos utilitarios deportivos (SUV). La mayoría de los fabricantes de automóviles consideran apropiado un pequeño incremento de la convergencia en las llantas delanteras, tal vez de 1/16 de pulgada.

Inclinación (cámber)

¿Por qué hay convergencia? Debido a la inclinación (cámber), por supuesto. Sí, lo sé; en este momento es como si le hablara en chino, pero simplifiquemos el asunto visualizando la acción de andar en bicicleta. Se acuerda cómo hacerlo, ¿verdad? Si está andando en bicicleta en línea recta, no sólo está derecho el manubrio, sino la bicicleta misma está perfectamente perpendicular con respecto al pavimento. Ahora, pregúntese esto: ¿Cómo doy la vuelta en una bicicleta? ¿Realmente le doy vuelta al manubrio? ¿O simplemente pienso "vuelta" y me inclino en esa dirección?

Sí, se trata mucho más de la acción de inclinarse que la de darle la vuelta al manubrio. Al inclinar las ruedas en movimiento en una dirección, éstas darán la vuelta en esa dirección. Entre más se incline usted, más pronunciada será la vuelta. Pero tenga cuidado; ¡si se inclina demasiado estaremos hablando de raspones, lesiones e inclusive de huesos rotos!

Inclinación positiva

La fuerza que obliga a que su bicicleta dé vuelta se conoce como precesión giroscópica, y describe cómo una rueda que está girando tiende a dar vuelta hacia la dirección en que está inclinada. Lo anterior se aplica a las ruedas delanteras de su vehículo de motor. En reposo, con las ruedas apuntando al frente, las ruedas delanteras presentan un cámber, o una inclinación ligera hacia afuera en la parte superior. Obsérvelas de frente; la parte superior de la llanta está un poco inclinada hacia afuera con respecto a la parte inferior de la llanta. Esto se conoce como inclinación positiva, y la suspensión está ajustada de esta forma a fin de permitir que la llanta quede asentada de manera plana en un camino ligeramente abombado. El abombado en el camino está allí para el drenaje, por supuesto.

Así, con cada rueda delantera inclinada un poco hacia afuera, ¿hacia dónde quieren girar? Hacia afuera, correcto. Por lo tanto, hay allí una pequeña cantidad de convergencia para neutralizar esta característica y ayudar a estabilizar la dirección cuando se viaja en línea recta. Esta estabilidad en el centro ayuda a que sea fácil y no requiera esfuerzo conducir a lo largo de la carretera, debido a que usted no tiene que mover de un lado a otro la dirección para mantener el vehículo en dirección recta.

Inclinación negativa (y una sugerencia de NASCAR)

Ahora, si el frente estuviera ajustado con inclinación negativa, ¿cómo estarían alineadas las ruedas delanteras? ¿Con divergencia? Muy bien, ya está entendiendo. La próxima vez que vea una carrera de la serie NASCAR, observe con atención la inclinación de las ruedas delanteras cuando el coche de carreras va en una recta. Se ve como una inclinación negativa con la parte superior de cada llanta inclinada visiblemente hacia adentro, ¿cierto? Están ajustadas de esta manera para permitir que la superficie de contacto de la llanta ruede hacia adentro a medida que aumenta la carga del viraje, manteniendo así en forma plana el borde de rodadura de la llanta sobre el pavimento para un máximo agarre. En la mayoría de los casos, las ruedas delanteras tendrán una ligera divergencia para compensar la precesión giroscópica que intenta hacerlas girar hacia adentro. Es curioso todo este material, ¿verdad? ¡Ahora usted puede impresionar a sus amigos la próxima vez que esté viendo la carrera de Daytona!

Ángulo de inclinación del eje (cáster)

Un componente más de la alineación de las ruedas es el ángulo de inclinación del eje (cáster). Se refiere a la inclinación longitudinal del eje vertical del soporte o puntal. La forma más sencilla de entender el ángulo de inclinación del eje consiste en visualizar una línea trazada a través del centro de las rótulas superior e inferior, o a través de la línea de centros del puntal. El ángulo de inclinación del eje se mide como el número de grados que la parte superior de esta línea está inclinada hacia la parte posterior del vehículo. La razón de que el soporte o puntal estén inclinados hacia atrás en la parte superior es proporcionar una característica de autocentrado a la dirección. Cuando el vehículo se está moviendo hacia adelante y usted suelta el volante después de dar una vuelta, las ruedas delanteras y el volante tienden a regresar a la posición recta de frente, ¿verdad? Ésa es la función del ángulo de inclinación del eje de la dirección.

El ángulo de inclinación del eje funciona en ambas direcciones de viaje. ¿Ha notado alguna vez que cuando le da vuelta al volante mientras avanza en reversa, el volante tiende a seguir dando vuelta? Se trata del ángulo de inclinación del eje en acción. . . ¡en reversa!

¿QUÉ HACE LA ALINEACIÓN?

Bueno, regresemos a su automóvil o camioneta. Una alineación correcta no sólo tiene una enorme influencia en el desgaste de las llantas, sino que también influye en la estabilidad de la dirección, la comodidad y el control. Cada vez que revise la presión de las llantas de su vehículo, o le estén haciendo un servicio de rutina, mire con detenimiento el patrón de desgaste de las llantas. Si comienza a ver algún tipo de desgaste poco usual

—ramificación como de plumas, formación de copas escalonadas, desgaste en el borde interior o exterior—, haga que le revisen la alineación y se la corrijan si es necesario. Una vida más larga de las llantas compensará con creces el costo de la alineación.

La alineación moderna de las ruedas se conoce a menudo como alineación de las cuatro ruedas. Aguarde un minuto, usted dijo que las llantas traseras no se pueden alinear, ¿o sí? Bueno, en algunos casos —en los vehículos con suspensiones traseras independientes— pueden y deben verificarse de manera periódica. Pero la alineación de las cuatro ruedas en realidad se refiere a la alineación de las ruedas delanteras en relación con la dirección en la que apuntan las ruedas traseras. Identificando la línea de centros física del vehículo e identificando después el eje de empuje —que es el producto del lugar hacia el que apuntan las dos ruedas traseras—, se pueden alinear de manera correcta las llantas delanteras para permitir que el vehículo avance perfectamente en línea recta, con el volante perfectamente centrado. Así, no tendrán la tendencia a jalarse, errar o desviarse en cualquier dirección sobre un pavimento nivelado —casi con las manos libres, pero por supuesto, ¡no intente este truco en casa!—. El segundo beneficio de una alineación correcta de las cuatro ruedas es, como se indicó antes, una vida y un rendimiento máximos de las llantas.

Las alineaciones más exactas se hacen con los nuevos equipos para alineación con cámaras que usan reflectores en las ruedas.

SISTEMAS ACTIVOS PARA LA SUSPENSIÓN—EL FUTURO ES AHORA

Justo cuando usted logró dominar la jerga o terminología de las suspensiones automotrices, las cosas cambian. Los fabricantes de automóviles están concentrando importantes esfuerzos de diseño e ingeniería en el desarrollo de sistemas activos para la suspensión y sistemas de dirección completamente electrónicos. Estos esfuerzos son una continuación de la integración de la electrónica moderna en nuestros automóviles. ¡Las computadoras ahora son las que dirigen!, desde la inyección electrónica de combustible, la gestión electrónica del motor y el control electrónico de la transmisión hasta los sistemas de frenos antibloqueo, el control de la estabilidad y la tracción, y ahora la suspensión activa y la dirección electrónica. ¿Será porque ellas son más inteligentes y mejores conductoras que nosotros? Se lo dejo para que lo piense.

Los sistemas activos de la suspensión son mucho más sencillos que los sistemas convencionales de muelles/amortiguadores/puntales. Unos sensores diminutos monitorean la altura del viaje, el movimiento de la suspensión, el ritmo y el viaje, y alimentan esta información a una computadora que controla los cilindros hidráulicos o neumáticos, que se mueven virtualmente de manera instantánea para mantener un control preciso de la carga o peso sobre cada rueda/llanta. De esta forma, el sistema hace una lectura del tope que lo hace detenerse, levanta la rueda al ritmo exacto necesario para mantener el parche de contacto de la llanta y la carga para mantener la tracción, luego extiende o baja la rueda durante el rebote, manteniendo de nueva cuenta una carga perfecta sobre la llanta.

Los sensores de la dirección electrónica se incorporaron primero en los sistemas de dirección convencionales con refuerzo hidráulico para permitir una asistencia variable para la dirección con base en lo que el vehículo estaba haciendo en ese momento. Más asistencia para maniobras a baja velocidad y para estacionarse, menos asistencia a la velocidad en carretera para una estabilidad en línea recta.

Ahora, la dirección electrónica ha ido un paso más allá. Un motor eléctrico, controlado por la computadora de la dirección, mueve el varillaje de la dirección con base en comandos que se le envían eléctricamente. ¡No hay conexión mecánica entre el volante y el motor de la dirección! No se preocupe, las aeronaves comerciales y militares han contado durante décadas con controles por completo electrónicos. Si funcionan para ellos, ¡también funcionarán para usted!

Puede encontrar estos modernos sistemas computarizados para la suspensión y la dirección en varios de los vehículos más costosos actuales, y sin duda, los encontrará en los vehículos que prevalezcan en el futuro. ■

TABLA PARA SOLUCIÓN DE PROBLEMAS DE LA SUSPENSIÓN/DIRECCIÓN

PROBLEMA	CAUSAS PROBABLES	ACCIONES PARA LA REPARACIÓN
EL VOLANTE NO SE MANTIENE DERECHO CUANDO SE MANEJA DE FRENTE	Alineación incorrecta	Haga que revisen la alineación en el taller de reparaciones. Si la alineación es incorrecta, que se la hagan
	Daño en el chasis, la suspensión y/o la dirección	Que el taller de carrocerías inspeccione y revise el chasis y la suspensión para ver si tiene daños
EL AUTO SE VA O SE JALA HACIA LA DERECHA O LA IZQUIERDA	Baja presión en las llantas	Revise la presión de las llantas e infle las cuatro a la presión en lb/pulg^2 recomendada por el fabricante. *(Proyecto 39: Revisión de la presión de las llantas)*
	Llanta o llantas desgastadas o dañadas	Vea si las llantas presentan problemas obvios (bolas, puntos planos o desgaste inusual) *(Proyecto 40: Evaluación del desgaste de las llantas)*
	Alineación incorrecta	Haga que le revisen la alineación en el taller de reparaciones. Si la alineación es incorrecta, que se la hagan
	Daño en el chasis, la suspensión y/o la dirección	Que el taller de carrocerías inspeccione y revise el chasis y la suspensión para ver si tiene daños
	Problema en los frenos	Vea la tabla de solución de problemas de los frenos; vea la sección sobre **El auto se va o se jala hacia la derecha o la izquierda**
JUEGO EN EXCESO EN LA DIRECCIÓN	Desgaste de la caja de la dirección/barra de acoplamiento/barra de dirección/brazo auxiliar/rótula	Reemplace los componentes desgastados y que le hagan la alineación de las ruedas delanteras
SONIDO METÁLICO SORDO EN LA DIRECCIÓN	El acoplador del eje de la dirección está desgastado	Revise si hay juego excesivo en el acoplador en el eje/columna de la dirección. Si hay juego excesivo, reemplace el acoplador del eje de la dirección y/o la junta universal
LA ASISTENCIA HIDRÁULICA FALLA O ES INCONSISTENTE	La banda de la dirección hidráulica está floja o rota	Revise la condición de la banda de la dirección hidráulica y apriétela para darle tensión; reemplace la banda si es necesario
	Bajo nivel del líquido de la dirección hidráulica	Revise el nivel del líquido de la dirección hidráulica en el depósito. Llene con el líquido correcto. (Vea en el manual del propietario el tipo de fluido y las instrucciones acerca del nivel) *(Proyecto 37: Revisión del fluido de la dirección hidráulica)*
	Problema de la válvula de carrete con el mecanismo de dirección	Haga que un profesional le revise el mecanismo de la dirección

TABLA PARA SOLUCIÓN DE PROBLEMAS DE LA SUSPENSIÓN/DIRECCIÓN

PROBLEMA	CAUSAS PROBABLES	ACCIONES PARA LA REPARACIÓN
FUERTE CHILLIDO CUANDO SE LE DA VUELTA AL VOLANTE	Bajo nivel del líquido de la dirección hidráulica	Revise el nivel del líquido en el depósito de la dirección hidráulica. Llene con el líquido correcto si es necesario. (Vea en el manual del propietario el tipo de fluido y las instrucciones acerca del nivel) *(Proyecto 37: Revisión del fluido de la dirección hidráulica)*
	Desgaste en la bomba de la dirección	Reemplace la bomba de la dirección hidráulica
CHARCOS DE LÍQUIDO ROJIZO DEBAJO DEL AUTO	Fuga de líquido de la dirección hidráulica	Revise las mangueras/conexiones; apriételas si es posible
		Reemplace la manguera que tiene fuga
		Fuga en el sello delantero en la bomba de la dirección hidráulica; reemplace el sello o la bomba
LA SUSPENSIÓN TRAQUETEA O HACE RUIDOS METÁLICOS SORDOS	Amortiguador suelto	Apriete los pernos de montaje
	Bujes y/o los puntales desgastados	Reemplace los bujes y los puntales
	Desgaste, daño o falla del cartucho del amortiguador o puntal	Haga que le instalen amortiguadores o puntales de reemplazo en el taller de reparaciones
	Varilla de la barra estabilizadora desgastada o rota	Reemplazar la varilla en el taller de reparaciones
	Buje del brazo de control desgastado	Reemplazar el buje en el taller de reparaciones
	Muelle helicoidal rota	Reemplazar muelle helicoidal en el taller
	Desgaste de la placa de asiento superior del puntal	Haga que el taller le reemplace la placa de asiento
ALTURA DISPAREJA EN EL VIAJE	Resorte o barra de torsión dañados o desgastados	Lleve el auto al taller y haga que le reemplacen el resorte y/o que le ajusten la barra de torsión
	Daño en el sistema/componente de la suspensión neumática	Haga que un profesional revise el sistema
BAJA CALIDAD DEL VIAJE	Llantas infladas incorrectamente	Cambie la presión de las cuatro llantas a la presión en lb/pulg^2 recomendada por el fabricante
	Amortiguadores o puntales desgastados o dañados	Haga que le instalen amortiguadores o puntales de reemplazo en el taller de reparaciones
	Componente de la suspensión desgastado/dañado	Haga que le inspeccionen la suspensión en el taller de reparaciones
EL AUTO REBOTA/EL VOLANTE SE SACUDE DESPUÉS DE CRUZAR UN TOPE	Amortiguadores/puntales desgastados	Haga que le reemplacen los amortiguadores/ puntales en el taller de reparaciones

Proyecto 37

Revisión del fluido de la dirección hidráulica

TALENTO: 1

TIEMPO: 5 minutos

HERRAMIENTAS: Varilla indicadora del nivel

COSTO: $0

SUGERENCIA: La varilla tal vez tenga marcados los niveles en caliente y en frío; utilice la marca apropiada.

1 El depósito del líquido de la dirección hidráulica por lo general está marcado con claridad. Deberá estar cerca del frente del motor, o al otro lado de la transmisión, donde la bomba de la dirección hidráulica es impulsada por una polea.

2 Con el motor apagado y relativamente frío, gire la tapa en el sentido contrario a las manecillas del reloj y ábrala.

3 La varilla indicadora muestra el nivel en frío. Algunas varillas de la dirección hidráulica tienen marcas en frío y en caliente. Si el nivel está bajo, llene el sistema con el líquido apropiado para dirección hidráulica. Revise el manual del propietario para ver las recomendaciones específicas acerca del fluido.

SUGERENCIA: los vehículos no consumen el líquido de la dirección hidráulica. Si el nivel del líquido está bajo, revise si hay indicios de fugas en el sistema y en el piso.

Proyecto 38

Lubricación del varillaje de la dirección

TALENTO: 2

TIEMPO: 30 minutos

HERRAMIENTAS:
Pistola engrasadora

COSTO: Menos de $10 por la grasa

SUGERENCIA:
No llene demasiado las conexiones.

1 El varillaje de la dirección en muchos vehículos (pero no en todos) incluye conexiones para engrasado, denominadas boquillas zerk, que le permiten lubricar las juntas del varillaje.

2 Conecte el acoplador en el extremo de la manguera de la pistola engrasadora sobre cada conexión y bombee cuidadosamente hasta que vea que la bolsa de hule comienza a hincharse, luego deténgase. Por lo general será suficiente con tres o cuatro bombeadas. No lubrique en exceso la conexión, pues podría romper la bolsa de hule. Limpie toda la grasa en exceso con un trapo de taller o una toalla de papel.

Capítulo 8

Llantas y ruedas

Cómo funciona

Proyectos relacionados con las llantas y las ruedas

Piense rápido, ¿cuáles son los componentes más importantes de su automóvil? Antes de responder, piense cómo funciona su vehículo de motor. Cuando quiere que avance, ¿qué hace usted? Pisa el acelerador, ¿correcto? Y para detenerse, pisa el pedal de los frenos, ¿correcto? Y para doblar una esquina le da vuelta al volante. Como conductor, todo lo que está haciendo es pisar un par de pedales y darle la vuelta al volante. El vehículo debe convertir su deseo de "avanzar, detenerse, dirigirse" en una fuerza en el pavimento que en realidad acelere, reduzca la velocidad y cambie la dirección del vehículo.

Y su vehículo hace esto por medio de sus llantas —esas sencillas donas de hule, negras y redondas, montadas en cada rueda—. Qué ironía, los componentes con el menor costo relativo del vehículo son por mucho los más críticos para su operación y desempeño —y para la seguridad de usted—. Ésta es precisamente la razón por la que debe poner una atención plena y completa a sus llantas.

En el mundo de las llantas algunas cosas cambian y algunas cosas permanecen iguales. Al igual que las primeras llantas neumáticas, las llantas actuales siguen siendo de hule, tela y acero y se inflan con aire. Las llantas actuales tienen una tecnología muy sofisticada y materiales de la era espacial que les permiten desarrollar niveles más elevados de desempeño y duran decenas de miles de kilómetros más que sus contrapartes anteriores.

Las llantas actuales pueden desempeñarse muy bien en una amplia variedad de condiciones del camino —secos, mojados, con lodo, con nieve y hielo— y al mismo tiempo proporcionan un viaje suave y silencioso, resistiendo pinchaduras de clavos, tornillos y desechos tirados en el camino, y dando entre 80 000 y 120 000 kilómetros o más de servicio. Y todo esto a un costo entre 500 y 1500 pesos por una llanta de automóvil de pasajeros para todas las estaciones del año. Si está buscando la ganga de todos los tiempos en los automóviles, ya la encontró: ¡las llantas!

ASPECTOS BÁSICOS EN LA COMPRA DE LLANTAS

Así pues, cuando va a comprar llantas nuevas, ¿qué cosas le preocupan más? ¿El precio? ¿La garantía? ¿La vida de la llanta? Todo esto es importante, obviamente, pero no olvide concentrarse en la principal tarea de las llantas: agarrarse al pavimento para proporcionar tracción a su vehículo para que avance, se detenga y pueda ser dirigido. Los aspectos claves en el agarre —una buena imagen visual de la forma en que una llanta desarrolla tracción— son la construcción de los costados del neumático, el compuesto del hule y el diseño de la banda de rodamiento. Ésa es la razón por la que encontrará llantas del mismo tamaño que se ofrecen como llantas para todas las estaciones del año, para carretera, para invierno, para nieve y llantas con diseño para máximo rendimiento. Cada una de ellas representa una combinación particular de diseño y especificaciones de materiales para maximizar esa característica particular del desempeño de la llanta.

Algunos ejemplos sencillos ilustran lo anterior.

Las llantas de **alto rendimiento** se caracterizan normalmente por un hule más suave en el compuesto de la banda de rodamiento para un mejor agarre, un costado más corto (menor relación entre la altura y el ancho de la llanta/perfil) para una respuesta más rápida de la dirección y menor flexión del costado (protección lateral), y un diseño de la banda de rodamiento que maximiza la cantidad de hule en el pavimento.

COMPARACIÓN DE LAS BANDAS DE RODAMIENTO

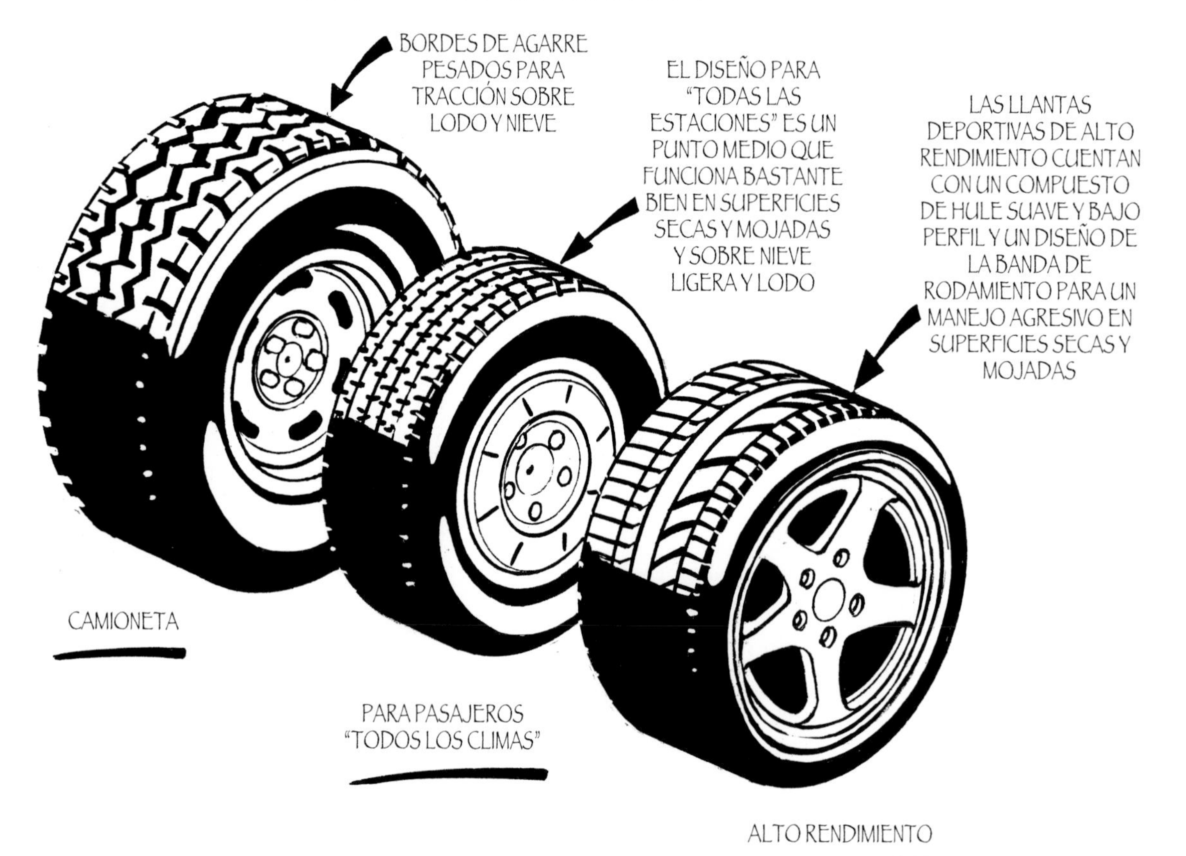

Las llantas **para nieve**, por otra parte, se caracterizan por bordes de agarre profundos de la banda de rodamiento y ranuras anchas que mueven la nieve fuera de la banda, y un diseño relativamente angosto para atravesar la nieve en lugar de ir sobre ella.

Las llantas **para todas las estaciones del año** tienen un diseño intermedio que se caracteriza por muchas hendeduras finas o ranuras, en la superficie de la banda de rodamiento para bombear o desplazar el agua que está debajo de la llanta, junto con un diseño silencioso y de larga vida que da decenas de miles de kilómetros de servicio bajo cualesquiera condiciones.

EVALUACIÓN DEL DESGASTE DE LAS LLANTAS

Recuerde el aspecto sin lugar a dudas clave en las llantas automotrices: qué tan bien se agarra al pavimento la superficie de la banda de rodamiento de la llanta. La llanta sólo puede hacer esto si está en buenas condiciones, inflada adecuadamente y sin un desgaste anormal —¡o que esté por completo desgastada!—. Entre más profunda sea la superficie de la banda de rodamiento (las llantas nuevas para automóviles de pasajeros vienen en general con unos 8 milímetros de profundidad en el ancho de banda), mejor puede la llanta agarrarse al pavimento en condiciones mojadas. Las ranuras de la superficie de la banda de rodamiento son, literalmente, una bomba de agua a la que se le puede asignar una capacidad en litros por hora. A medida que se desgasta la llanta y las ranuras de la banda de rodamiento se hacen menos profundas, la eficiencia de la acción de bombeo se reduce. Esto significa que la eficiencia de una llanta con sólo 2.5 milímetros de profundidad en la banda de rodamiento para mantener la tracción en condiciones mojadas y resbalosas no estará siquiera cerca de la misma llanta con una profundidad como la que tenía cuando estaba nueva. El mensaje aquí es que no debe esperar hasta que los indicadores de desgaste de la banda de rodamiento comiencen a rondar los 1.5-2.5 milímetros de profundidad restante en la banda de rodamiento. Reemplace las llantas de su vehículo cuando la profundidad de la banda de rodamiento sea inferior a 3-4 milímetros. Esto por la sencilla razón de que es mejor estar seguro que arrepentido.

PRESIÓN DE LAS LLANTAS

El otro factor clave en el desempeño de una llanta es la presión a la que está inflada. Revise en la puerta, la guantera o en el manual del propietario las recomendaciones del fabricante para la presión de las llantas; las siguientes son las presiones correctas para el inflado de llantas en los vehículos: para automóviles de pasajeros, las presiones serán normalmente de 28 a 40 lb/pulg^2; para las camionetas, el rango es de 35 a 50 lb/pulg^2. Observe que cada llanta también tendrá una presión máxima para la máxima capacidad de carga, aunque las presiones correctas para su vehículo son las que recomienda el fabricante del automóvil.

Pero mejor vamos a simplificar esto. Para cualquier vehículo de motor (automóvil o camioneta), nunca deje que las presiones de las llantas desciendan por debajo de unas 30 lb/pulg^2 cuando están frías. A presiones de 30 lb/pulg^2 o

DESCIFRANDO LOS NÚMEROS

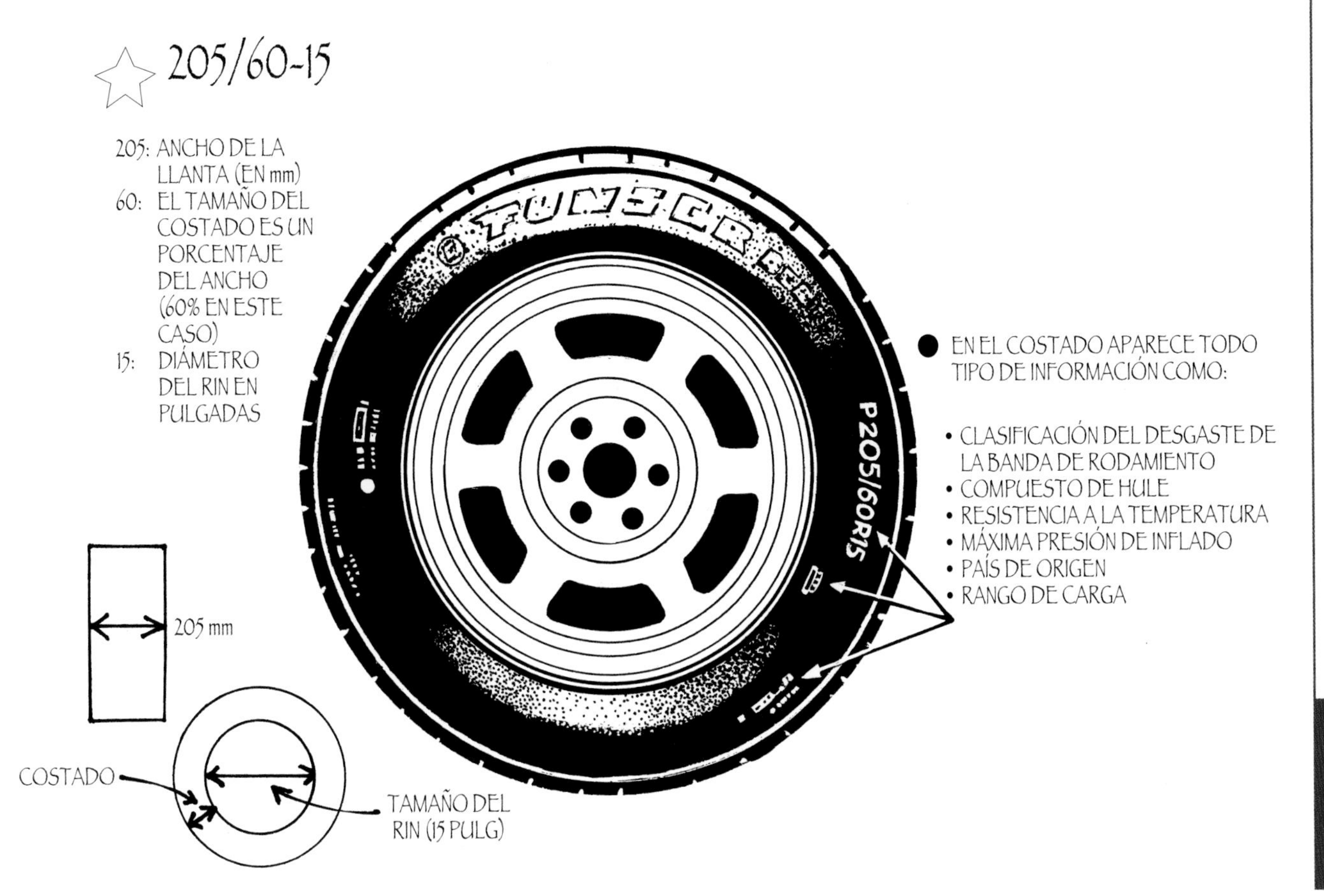

superiores, el costado de la llanta estará estable y responderá a cambios rápidos de dirección, la superficie de la banda de rodamiento mantendrá contacto total con el pavimento, las temperaturas de operación se mantendrán estables y seguras, y la llanta desarrollará la máxima tracción y dará el máximo kilometraje. Ésta es una regla empírica sólida, pero, una vez más, verifique las recomendaciones exactas para la presión que le dé el fabricante del automóvil.

Ah, claro, mantenga estas presiones revisando sus llantas una vez al mes. Las llantas tienen el curioso hábito de perder presión lentamente. El aire puede escaparse a través de la porosidad microscópica de la llanta misma —¡o la perforación no tan microscópica dejada por un clavo!—. El aire también puede fugarse del área del rin de la llanta —donde la llanta se encuentra y asienta en el rin— y a través de la porosidad del rin mismo, en particular en las ruedas de aluminio y aleación. Y por último, la presión de las llantas descenderá debido simplemente a cambios en la temperatura del aire exterior. En otoño e invierno, la presión de las llantas descenderá aproximadamente 1 libra por cada disminución de 10 grados Fahrenheit (5 grados Celsius) en la temperatura del aire. Esto significa que una llanta con una presión de aire un tanto baja, tal vez de 25 lb/pulg^2 en agosto, podría tener menos de 20 lb/pulg^2 en enero, un candidato idóneo para una llanta desinflada en el momento y lugar más inapropiados, después de la jornada de trabajo, ¡en un estacionamiento oscuro y congelado!

LOS NÚMEROS EN LAS LLANTAS

Cuando usted compra un nuevo juego de llantas, la factura muestra la marca, el modelo y el tamaño de la llanta. El tamaño está indicado por una descripción métrica. Por ejemplo, P205/60R15 89H o LT265/75R16 C.

P Llanta de automóvil de pasajeros; LT llanta de camioneta

205 Ancho de sección en milímetros—el ancho real de la llanta desde la saliente del costado interior hasta la saliente del costado exterior

60 Relación de aspecto—la relación entre la altura del costado de la llanta y su ancho de sección, 60 define a una llanta con una altura del costado que corresponde al 60 por ciento de su ancho de sección

R Construcción radial—significa que la llanta está construida con sus cuerdas o bandas estructurales tendidas a través de la distancia más corta de reborde a reborde, exactamente perpendiculares al eje de rodamiento de la llanta; las llantas radiales se desempeñan mucho mejor y han reemplazado completamente a las anteriores llantas diagonales convencionales ("bias-ply")

15 El diámetro nominal del rin en pulgadas

89 Índice de carga de la llanta—define la carga máxima en libras que la llanta puede soportar verticalmente de manera segura cuando está inflada a una presión específica

C Rango de carga para llanta de camioneta—define el rango de las cargas horizontales que puede manejar la llanta; entre mayor sea el rango de carga, de B hasta G, más rígido es el costado; particularmente útil para mover remolques

H Clasificación de velocidad de la llanta—define la velocidad máxima para la que está clasificada la llanta; una clasificación H indica una velocidad máxima de 210 kilómetros por hora

BALANCEO DE UNA RUEDA

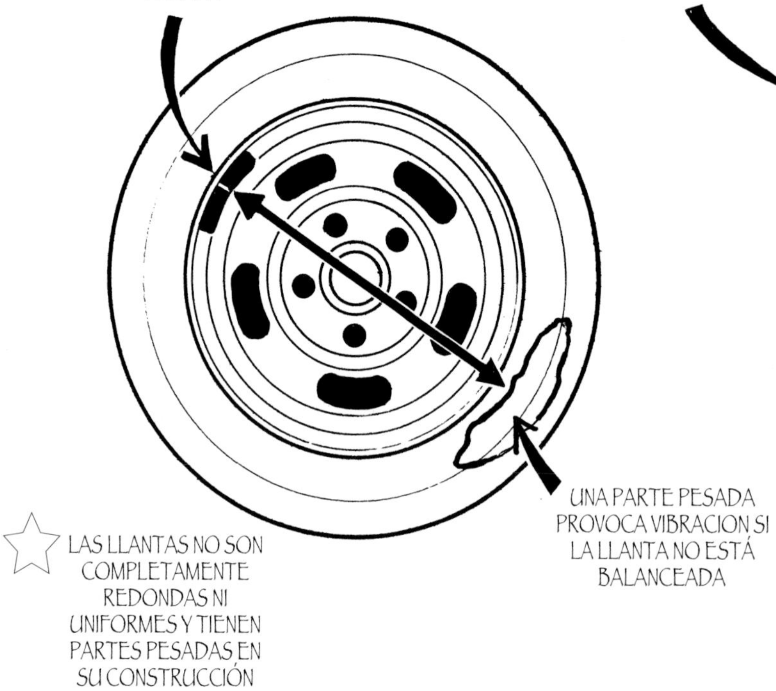

UNOS PESOS DE PLOMO SE COLOCAN OPUESTOS A LA PARTE PESADA

LA FORMACIÓN DE COPAS O ESCALONAMIENTOS ES UN DESGASTE NO UNIFORME PROVOCADO POR UNA LLANTA DESBALANCEADA (TAMBIÉN POR UNA SUSPENSIÓN CON FALLAS, DESGASTE DE LOS RODAMIENTOS DE LA RUEDA O DEL VARILLAJE DE LA DIRECCIÓN)

UNA PARTE PESADA PROVOCA VIBRACION SI LA LLANTA NO ESTÁ BALANCEADA

LAS LLANTAS NO SON COMPLETAMENTE REDONDAS NI UNIFORMES Y TIENEN PARTES PESADAS EN SU CONSTRUCCIÓN

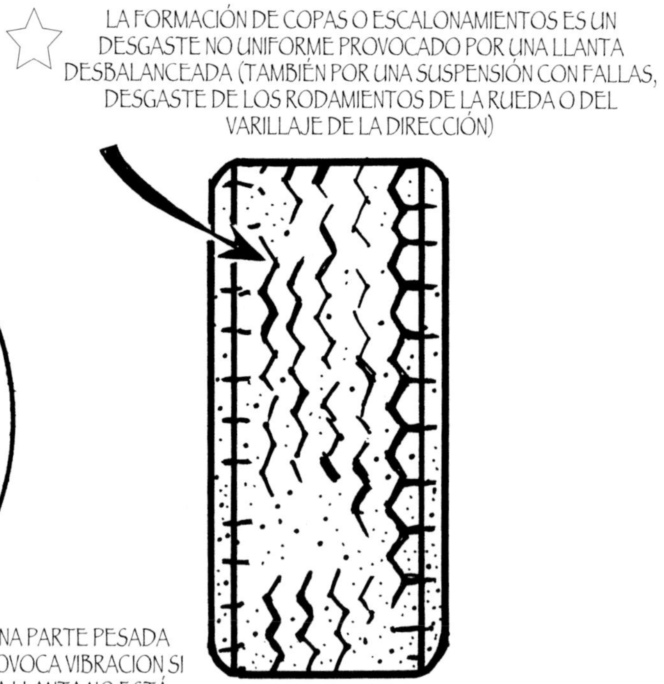

MÁS LETRAS Y NÚMEROS

Las llantas actuales tienen una gran cantidad de información estampada en el costado de la llanta. Además del nombre del fabricante de la llanta y el modelo, en el costado también encontrará información que incluye la siguiente:

Radial—como se describió en la sección anterior, construcción con cuerdas radiales

Sin cámara—como el nombre lo indica, no se requiere cámara, ya que la superficie interior del forro de la llanta está vulcanizada para sellarla completamente, eliminando la necesidad de una cámara

Número de capas en la banda de rodamiento/costado de la llanta—el número y clasificación de las capas en la construcción y la banda de rodamiento de la llanta

Carga máxima/presión máxima—la presión a la que la llanta puede soportar su máxima carga vertical; una vez más, no es necesariamente la presión correcta de inflado para ese vehículo

DOT—Código de la norma de seguridad del Departamento de Transporte de Estados Unidos

Desgaste de la banda de rodamiento—la clasificación comparativa del fabricante de la llanta de las características de desgaste de esta llanta; entre mayor sea el número, más tardará la llanta en desgastarse

Tracción—Clasificación AA, A, B o C; la clasificación del fabricante de la llanta para la capacidad de tracción en condiciones secas y mojadas combinadas, en donde AA es la mejor y C es aceptable.

Temperatura—Clasificación A, B y C; la clasificación del fabricante de la llanta para la habilidad de la llanta para soportar el calor, en donde A es la mejor.

LLANTAS PARA LODO Y NIEVE

Si usted vive en un clima donde los caminos están mojados, cubiertos con nieve o congelados una buena parte del año, asegúrese de que las llantas que elija para su vehículo estén diseñadas para desempeñarse bien en condiciones resbalosas. La Asociación de Fabricantes de Hule ha desarrollado un conjunto específico de normas para las llantas usadas en lodo y nieve (M&S). La designación M&S en el costado especifica una norma para el número y ángulo de ranuras en la banda de rodamiento a fin de ayudar a asegurar que la llanta será eficiente en el bombeo de agua debajo de la banda de rodamiento, con objeto de maximizar la tracción en condiciones mojadas y resbalosas. Si en su rutina de manejo están incluidas estas condiciones, busque/pida llantas con clasificación M&S para su auto de pasajeros o camioneta.

CUIDADO DE SUS LLANTAS

Las llantas automotrices son resistentes —muy, muy resistentes—. Las instalamos, inflamos y atornillamos a nuestros vehículos, y luego nos olvidamos de ellas. No obstante, ellas continúan cuidándonos y protegiéndonos al proporcionar una tracción excelente en una amplia variedad de condiciones, kilómetro tras kilómetro, día tras día, año tras año —aun cuando no mantenemos su presión, pegamos con ellas en los bordes de las aceras y pasamos por baches—. Como lo dije, son resistentes.

Pero no son a prueba de balas. Las llantas todavía sufren pinchaduras por tornillos, clavos, desechos dejados en el camino y negligencia de su propietario. Las llantas desinfladas o pinchadas todavía fallan; tan sólo vea los trozos de llantas y restos de hule al lado de cualquier camino o carretera. Y las fallas en las llantas siguen contribuyendo a choques, lesiones y accidentes fatales.

Por lo tanto. . . cuide sus llantas. Como se mencionó antes, revise la presión de las llantas una vez al mes o con mayor frecuencia si identifica un problema en una llanta con una fuga lenta. Un medidor digital para llantas de 100 pesos en la guantera es una inversión sencilla y barata en un equipo de lo más avanzado en tecnología para medir la presión de las llantas. Revise la presión de las llantas cuando estén frías (antes de echar a andar el vehículo) para tener una base consistente de comparación.

No olvide revisar periódicamente la llanta de refacción. No le gustaría encontrarla desinflada justo cuando la necesita, ¿verdad? Y la siguiente es una sugerencia: lleve una o dos latas de inflador de llantas en aerosol en su cajuela. Esto no soluciona de manera permanente una llanta desinflada y, si la llanta está muy dañada o abierta, este producto no ayudará. Pero si la fuga lenta por fin dejó desinflada la llanta en el vecindario equivocado y en el clima equivocado, inyectar una lata de inflador de llantas podría habilitarla lo suficiente para permitirle llegar a un lugar seguro o a una vulcanizadora.

Recuerde, si utiliza productos como éstos, debe reparar o reemplazar su llanta tan pronto como le sea posible. No olvide comentárselo al encargado o al técnico para que pueda sacar con seguridad el gas para inflado y el material de sellado antes de tratar de reparar la llanta.

Cualquier llanta que pierda más de un par de libras de presión al mes, deberá ser revisada por un profesional. Las fugas en los rebordes alrededor del rin —particularmente comunes con el segundo y tercer juego de llantas montadas en el rin— pueden corregirse rompiendo el reborde para la llanta del rin, y limpiando y puliendo después el área del reborde para eliminar la corrosión y aplicando un sellador especial para prevenir fugas futuras.

Inspección visual

Obviamente, si una llanta está perdiendo aire, vea y sienta si hay pinchaduras. Inspeccione visualmente toda la superficie de la banda de rodamiento para buscar el clavo o la cabeza de tornillo que está enfrente de usted. Si la llanta todavía está inflada, probablemente no querrá sacar el clavo o el tornillo, porque entonces tendrá la oportunidad de ver en vivo y a todo color cómo se desinfla la llanta ante sus ojos.

Observe si hay cortes profundos en la superficie de la banda de rodamiento, o cortes/rajaduras en el costado que pudieran indicar un problema serio o estructural en la llanta. Y por último, póngase un par de guantes para trabajo ligero o de jardín y recorra suavemente con sus manos toda la superficie de la banda de rodamiento de la llanta. Cualesquiera protuberancias, hinchazones o irregularidades indican una potencial separación interna de una banda, daño físico del armazón o un patrón irregular de desgaste provocado por un problema de la suspensión o la dirección.

Mientras está haciendo esto, revise la profundidad restante de la banda de rodamiento en cada llanta. Un pequeño y barato medidor de profundidad de la banda de rodamiento de las llantas sólo cuesta unos cuantos pesos, y si llegara a olvidar dicho medidor en casa, utilice una moneda de aproximadamente 2 cm de diámetro. Inserte la moneda, con el dibujo hacia abajo, en la ranura más profunda de la banda que pueda encontrar. Si la parte superior del dibujo se alcanza a ver por encima de la banda de rodamiento, es momento de reemplazar la llanta.

¿Vale la pena todo este esfuerzo tan sólo por una llanta de 750 pesos? ¿Cuánto vale su vehículo, su vida o la de su familia? Mantener las llantas infladas correctamente e identificar y corregir el inicio de un patrón inusual de desgaste maximizarán la expectativa de vida de la llanta y su kilometraje. Agregue a esto la rotación frecuente de las llantas para que el desgaste sea igual en las cuatro llantas, y aprovechará al máximo el valor de cada llanta de su vehículo.

Hablando de los patrones de rotación de las llantas, los de rotación cruzada están de regreso. En el caso de vehículos con tracción trasera y tracción en las cuatro llantas, pase las llantas delanteras a la esquina posterior opuesta, y pase las llantas traseras directamente hacia el frente. En el caso de vehículos con tracción delantera, intercambie las llantas traseras en las esquinas delanteras opuestas y pase las llantas delanteras a la parte posterior del mismo lado. Haga la rotación de sus llantas cada 10 000-15 000 kilómetros, lo cual ocurre de manera conveniente cada tercer cambio de aceite.

Por favor tenga presente que muchas de las llantas actuales de alto rendimiento son direccionales, lo que significa que están diseñadas para girar en una sola dirección. A menos que desmonte la llanta del rin, la voltee y la vuelva a montar, la única rotación que puede hacer es intercambiar las llantas de adelante a atrás en el mismo lado.

Además, hay unos cuantos vehículos que tienen llantas de propietario en cada esquina —vienen a la mente los nuevos Corvette—. Las llantas no sólo son direccionales, sino que tienen diferentes tamaños en el frente y atrás. Con estos vehículos no es posible, ni necesaria, la rotación de llantas.

REEMPLAZO DE LAS LLANTAS

Si ha hecho la rotación de sus llantas de manera regular, si las ha mantenido a la presión correcta y ha logrado evitar

ASPECTOS BÁSICOS DE LOS RODAMIENTOS DE LAS RUEDAS

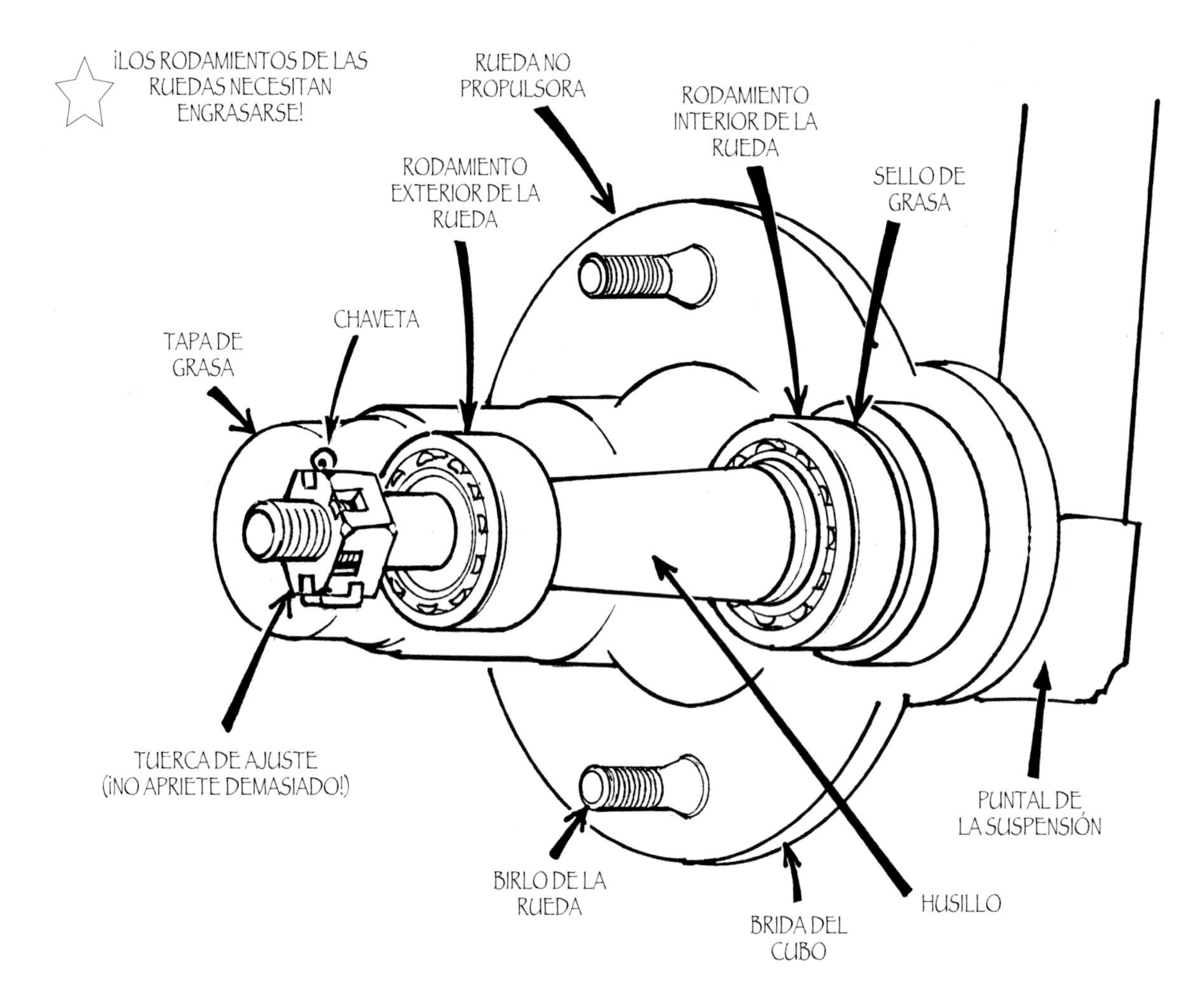

que choquen con los bordes de las aceras y baches, será capaz de reemplazar el juego de llantas completo al mismo tiempo, y ésa siempre es la mejor política. Instalar un juego completo y nuevo de llantas significa que continuará teniendo un juego de llantas del mismo tipo de la marca, modelo y tamaño correctos para su vehículo.

Pero, ¿qué pasa si no hizo la rotación de sus llantas de manera regular y el par delantero o el par trasero se desgastan primero? ¿O si un enorme bache le ganó la partida a una de sus llantas? O tal vez usted no se preocupó de revisar la alineación y una de las llantas delanteras sufrió un gran desgaste. ¿Puede reemplazar sólo una llanta? ¿O sólo un par?

Desde luego, pero asegúrese bien de encontrar una llanta o un par de llantas del mismo tipo para instalarlas en su vehículo. Aun cuando la llanta puede tener la misma designación de tamaño, a menos que sea un reemplazo directo, o mejor aún, que sea de la marca, modelo y tamaño exactos, podría terminar teniendo en su vehículo llantas que no son del mismo tipo.

Un juego completo de llantas del mismo tipo tiene una importancia crítica en vehículos con tracción en las cuatro ruedas. Los sistemas de transmisión de los vehículos no trabajan bien con llantas de tamaños o diámetros diferentes, aun cuando la diferencia sea muy pequeña. Puede presentarse un daño considerable en los diferenciales de la transmisión si las dos llantas del vehículo son de un tamaño diferente, o incluso cuando se desgastan de tal modo que la diferencia en los diámetros de rodamiento es mayor que unos cuantos milímetros.

Si está dispuesto a hacerlo, puede verificar el diámetro con una sencilla medición con una cinta y un trozo de gis. Marque el costado de la llanta y el pavimento en el centro de su área o zona de contacto, luego haga rodar el vehículo hacia adelante una vuelta completa de la llanta y marque el pavimento adyacente a la marca de gis que está en el costado. Ahora, simplemente mida la distancia —la circunferencia de la llanta— con la cinta para medir. Repita lo anterior para las otras llantas de su vehículo y compare sus mediciones. Una falta de correspondencia significativa podría conducir a problemas de la transmisión y a un desgaste prematuro de las llantas de los ejes propulsores.

Es realmente sencillo: cuide sus llantas y éstas cuidarán de usted y de su familia. ■

TABLA PARA SOLUCIÓN DE PROBLEMAS DE LLANTAS Y RUEDAS

PROBLEMA	CAUSAS PROBABLES	ACCIONES PARA LA REPARACIÓN
VIBRACIÓN O PULSACIÓN EN EL VOLANTE O EN EL CHASIS	Baja presión de las llantas	Revise la presión de las llantas e infle las cuatro a la presión recomendada por el fabricante del automóvil *(Proyecto 39: Revisión de la presión de las llantas)*
	Llanta o llantas desgastadas o dañadas	Inspeccione las llantas para buscar problemas obvios (protuberancias, puntos planos o desgaste inusual) *(Proyecto 40: Evaluación del desgaste de las llantas)*
	Llantas o ruedas desbalanceadas	Haga que le vuelvan a balancear las llantas en el taller. Nota: si un balanceo estándar de llantas no corrige su problema de vibración, busque un taller con un equipo de balanceo “Road Force” más avanzado
EL EXTREMO TRASERO DEL VEHÍCULO SE SIENTE SUELTO O INESTABLE	Llanta trasera muy baja o desinflada	Oríllese con cuidado al lado del camino y revise la llanta. Si está pinchada, reemplácela con la refacción. NOTA: haga que le inspeccionen/reparen la llanta en un taller de llantas. *(Proyecto 41: Cambio de una llanta)*
	La llanta o la rueda no son completamente redondas	Inspeccione visualmente el rin y la llanta para buscar problemas obvios. Si no ve ninguno, lleve la llanta a un taller de reparaciones y haga que revisen la llanta para ver si tiene daños, si está descentrada (la llanta/rueda es como un disco de fonógrafo combado que genera un bamboleo al rodar por el camino) y no está redonda (la llanta/rueda tiene forma de huevo y genera un movimiento pulsante al rodar por el camino)
VIBRACIÓN EN LOS FRENOS	Vea **Tabla de solución de problemas de los frenos**	
PROTUBERANCIA EN EL COSTADO Y/O SUPERFICIE DISTORSIONADA DE LA BANDA DE RODAMIENTO	Llanta dañada por impacto/separación de banda/banda de rodamiento	Haga que le reemplacen la llanta
DESGASTE NO UNIFORME DE LA BANDA DE RODAMIENTO DE LAS LLANTAS	Las llantas no están balanceadas correctamente	Haga que le vuelvan a balancear las llantas en el taller
	Las llantas/ruedas no están alineadas correctamente	Haga que le alineen las llantas/ruedas en el taller
LLANTA DESGASTADA EN EL CENTRO	Llanta demasiado inflada	Desinfle la llanta hasta la presión recomendada por el fabricante. *(Proyecto 39: Revisión de la presión de las llantas, Proyecto 42: Rotación de las llantas)*
LLANTA DESGASTADA EN LOS DOS BORDES EXTERIORES	Llanta poco inflada	Infle la llanta a la presión recomendada por el fabricante. *(Proyecto 39: Revisión de la presión de las llantas, Proyecto 42: Rotación de las llantas)*
LLANTA DESGASTADA EN EL BORDE INTERIOR O EXTERIOR	Problema de alineación	Lleve la llanta al taller y haga que le revisen la alineación de las ruedas
FORMACIÓN DE COPAS ESCALONADAS EN EL EXTREMO DE LA LLANTA	Problema de alineación/suspensión	Lleve la llanta al taller y haga que le revisen la alineación de las ruedas
	Las llantas no se rotaron en los intervalos apropiados	
EL COSTADO DE LA LLANTA ESTÁ DAÑADO, CORTADO O ESTRIADO	Llanta dañada	Haga que un profesional revise la llanta para determinar su seguridad. Reemplácela si es necesario
LA LLANTA ESTÁ ALTERADA POR EL CLIMA O TIENE PEQUEÑAS GRIETAS EN EL COSTADO	Llanta vieja, alterada por el clima	Reemplace la llanta
RUEDA DAÑADA O DOBLADA		Reemplace o repare la rueda doblada o dañada
LLANTA DESINFLADA, LLANTA BAJA O LLANTA CON UNA FUGA LENTA	Pequeño orificio en la llanta, reborde con fuga, vástago de válvula (pivote) defectuoso	Lleve la llanta a un taller para una reparación profesional

Proyecto 39

Revisión de la presión de las llantas

TALENTO: 1

TIEMPO: 10 minutos

HERRAMIENTAS: Medidor

COSTO: Costo de la herramienta: $20–100

SUGERENCIA: Las llantas pierden en promedio 1 lb/pulg^2 al mes, por lo que debe revisarlas e inflarlas a la presión correcta para un servicio más duradero y seguro.

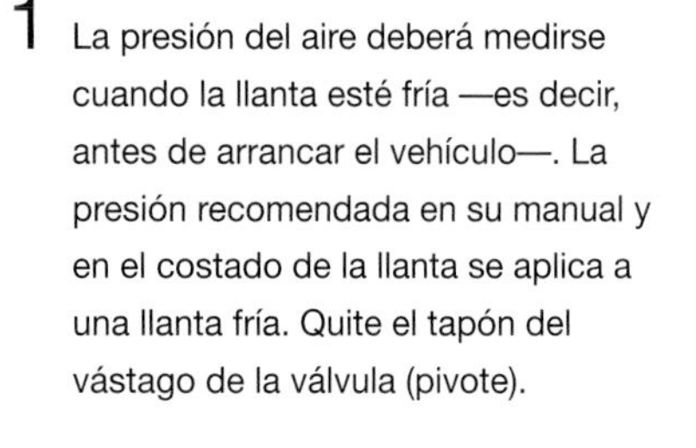

1 La presión del aire deberá medirse cuando la llanta esté fría —es decir, antes de arrancar el vehículo—. La presión recomendada en su manual y en el costado de la llanta se aplica a una llanta fría. Quite el tapón del vástago de la válvula (pivote).

2 Coloque el medidor en el vástago de la válvula de manera que el receptáculo del medidor se acople en escuadra.

3 La presión dentro de la llanta obligará a que salga una varilla graduada de la parte posterior en un medidor de este tipo. También puede comprar un medidor de carátula redonda en donde la presión la indica una aguja. Su mejor opción es un medidor digital para la presión de las llantas.

4 Retire el medidor y lea la presión en un lugar con buena luz.

SUGERENCIA: recuerde también revisar e inflar su llanta de refacción para que esté lista cuando la necesite. Revise las llantas una vez al mes y mantenga la presión correcta para un manejo seguro y una larga vida de las llantas.

Proyecto 40

Evaluación del desgaste de las llantas

TALENTO: 1

TIEMPO: 10 minutos

HERRAMIENTAS:
Una moneda de aproximadamente 2 cm de diámetro o un medidor de profundidad de la banda de rodamiento

COSTO: Costo de la herramienta: de unos cuantos centavos a $80

SUGERENCIA:
El desgaste debe ser parejo sobre la superficie de la banda de rodamiento. Si no es así, la llanta no ha sido inflada correctamente, o hay un problema de alineación o en la suspensión.

1 No es fácil saber a simple vista si una llanta está buena o desgastada. La llanta de la derecha está buena; la llanta de la izquierda ya debe ser reemplazada.

2 Un viejo truco para medir el desgaste de las llantas es la prueba con una moneda de 2 cm de diámetro aproximadamente. Inserte la moneda en la banda de rodamiento de la llanta con el dibujo apuntando hacia abajo. Si alcanza a ver la parte superior del dibujo, ya debe reemplazar la llanta.

3 Una llanta nueva tiene considerablemente más profundidad en la banda de rodamiento. Esa profundidad cuenta con canales a través de los cuales puede escapar la lluvia, la nieve y el lodo para que la llanta no avance sobre ellos. Cuando la profundidad no es mucha, la tracción disminuye de manera sensible.

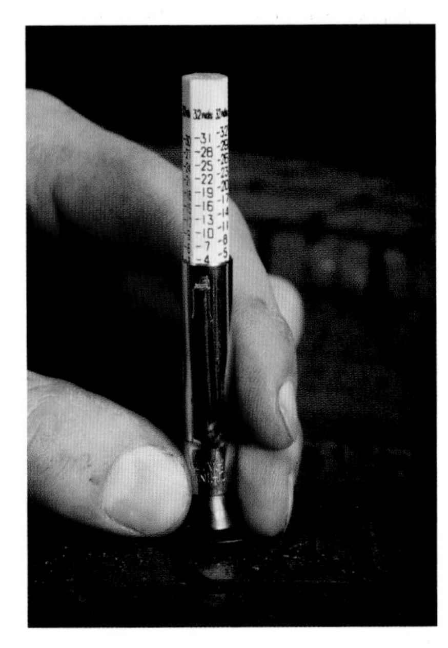

4 Un medidor de profundidad de la banda de rodamiento es una herramienta barata. Éste muestra la profundidad en incrementos de 1/32 de pulgada (0.8 milímetros). La más desgastada de nuestras dos llantas muestra aproximadamente sólo 3/32 de pulgada (2.4 milímetros) de profundidad de la banda de rodamiento, lo que significa que ya debe reemplazarse.

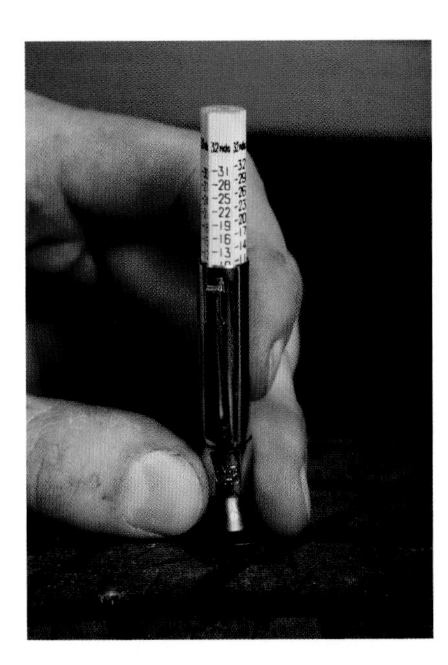

5 La llanta buena tiene aproximadamente 10/32 de pulgada (7.9 milímetros).

Proyecto 41

Cambio de una llanta

TALENTO: 2

TIEMPO: 15–45 minutos

HERRAMIENTAS:
Gato del vehículo, llave para las tuercas de las ruedas y llanta de refacción

COSTO: $0

SUGERENCIA:
Revise su llanta de refacción y manténgala inflada a la presión de las llantas que están montadas, para que le pueda servir cuando la necesite.

1 Cualquier persona que conduce un vehículo debe saber cómo cambiar una llanta. Lo primero es saber en qué parte del vehículo está el gato, la llave para las tuercas de las ruedas y la llanta de refacción. Las herramientas de esta minivan se encuentran debajo de una cubierta en la parte posterior. En el interior de la cubierta se encuentran las instrucciones.

El vehículo debe estar en terreno plano para el cambio de una llanta. Nunca levante con gato un vehículo en un terreno inclinado ya que el vehículo puede rodar o resbalar cuando las ruedas se levantan del piso. Use guantes para protegerse las manos.

2 Con la llanta en el piso, afloje las tuercas para que giren con facilidad una vez que levante el vehículo. Si levanta primero el vehículo, la llanta girará cuando haga fuerza con la llave para tuercas.

3 El gato está diseñado para colocarse en un lugar particular. En los vehículos modernos el punto para levantarlos con frecuencia se encuentra donde se juntan chapas metálicas formando una arista, denominada doblez. Revise las instrucciones del gato o del manual del propietario. Este gato de tijera se eleva cuando gira una tuerca que está en un extremo. La llave que gira la tuerca es la misma que se usa para aflojar las tuercas de la rueda.

No trabaje debajo de un vehículo levantado por un gato para llantas. El gato no ofrece una elevación adecuada, ni estabilidad, ni seguridad para ese fin.

4 Con las tuercas aflojadas, levante el vehículo hasta que la llanta libre el piso. Quite las tuercas, jale la llanta para sacarla y colóquela a un lado.

SUGERENCIA: si las tuercas están muy apretadas para que las pueda girar, coloque de manera segura la llave en una tuerca con el mango apuntando hacia la izquierda, y luego presione con el pie para tener mejor palanca.

5 La llanta de refacción de este Dodge Caravan está sujeta bajo el extremo posterior de la camioneta. Para bajarla, ponga la tapa de plástico en el piso, dejando expuesta una tuerca que puede girar con la llave del gato. Coloque la llave en la tuerca y gire en sentido contrario a las manecillas del reloj.

6 Esta palanca libera la llanta de refacción. Revise el manual del propietario para consultar el procedimiento para liberar la refacción en su automóvil.

7 Levante la llanta de refacción y colóquela en los birlos de la rueda. Si está demasiado pesada para levantarla con las manos, siéntese en el piso enfrente del espacio para la rueda y utilice sus pies para ayudarse a levantar la rueda a su posición. Atornille las tuercas en los birlos y apriételos manualmente con la llave. Baje el gato hasta que la banda de rodamiento haga contacto con el piso, pero no ponga el peso completo del vehículo. De esta forma, la rueda no girará cuando apriete completamente las tuercas empleando un patrón cruzado. Revise nuevamente que todas las tuercas estén bien apretadas, baje el vehículo, guarde el gato y ponga la llanta pinchada en la parte trasera.

SUGERENCIA: restituya la llanta de refacción tan pronto como pueda, incluso si no es una refacción "mini". Si no lo hace, puede necesitar una refacción nuevamente y no contar con ella.

Proyecto 42

Rotación de las llantas

TALENTO: 2

TIEMPO: 60 minutos

HERRAMIENTAS:
Gato, gatos fijos, llave para las tuercas de las ruedas

COSTO: $0

SUGERENCIA:
Marque las llantas con gis antes de quitarlas para saber de dónde es cada una y en dónde va.

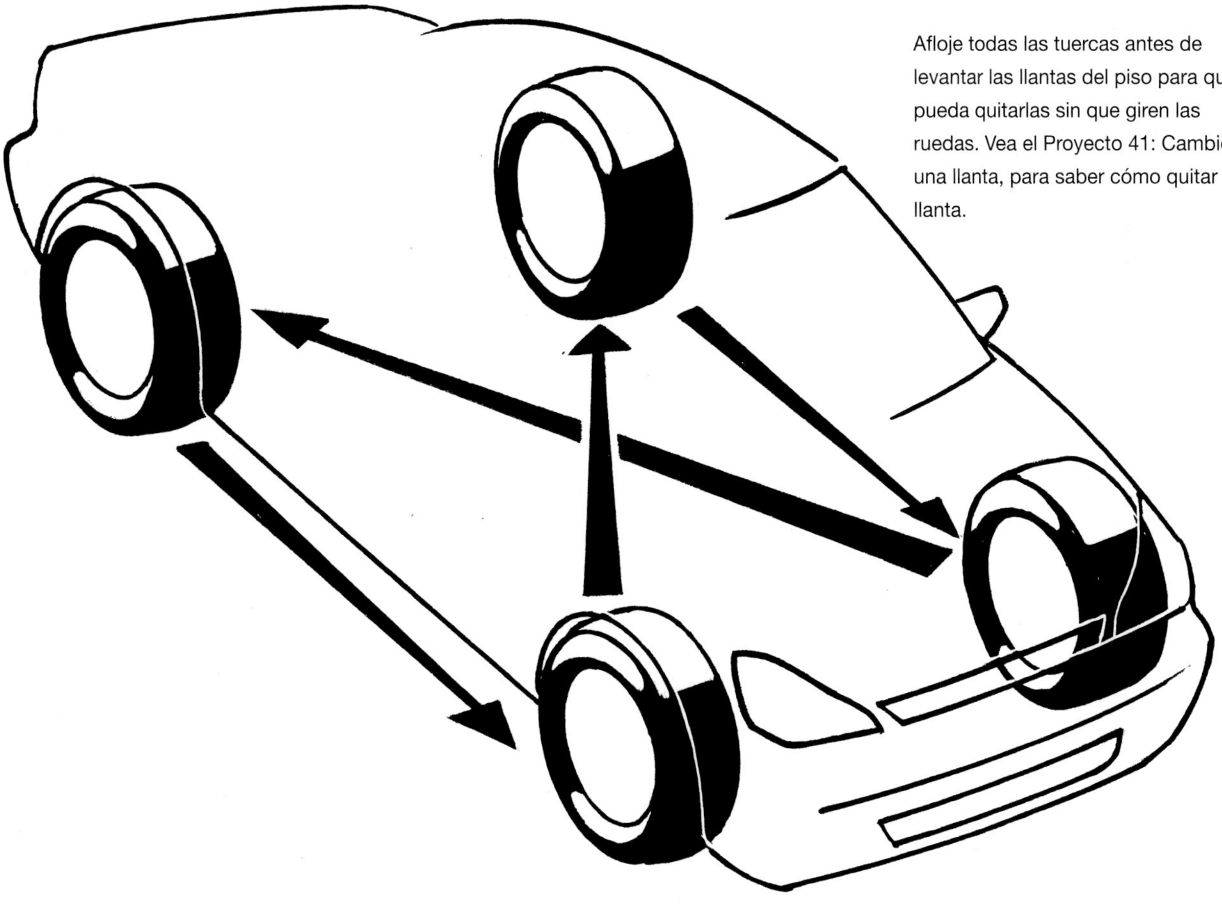

1 Si su vehículo tiene llantas y ruedas del mismo tamaño tanto adelante como atrás, usted puede rotarlas. La forma más sencilla de hacer esto consiste en colocar en forma segura el auto sobre gatos fijos. (En la sección Cómo levantar su auto del capítulo 1 puede ver una descripción de cómo hacerlo.)

Afloje todas las tuercas antes de levantar las llantas del piso para que pueda quitarlas sin que giren las ruedas. Vea el Proyecto 41: Cambio de una llanta, para saber cómo quitar una llanta.

Cómo funcionan

Proyectos relacionados con los frenos

Capítulo 9

Frenos

¡CUIDADO!

CONCEPTO CLAVE

TECNOLOGÍA DEL PASADO

SUGERENCIA DE MANTENIMIENTO

TECNOLOGÍA DEL MAÑANA

SUGERENCIA PARA AHORRAR DINERO

No hay duda sobre ello, el sistema de frenos de su automóvil tiene que funcionar correctamente y detener su vehículo de manera rápida y segura cada vez que usted lo necesite. ¿Cómo funcionan? Piense en las unidades de frenos en cada rueda como si fueran pequeños motores. El motor debajo del cofre convierte mediante combustión la energía del combustible en calor, y luego convierte dicho calor en trabajo mecánico para impulsar al auto, ¿correcto?

Piense en cada unidad de frenos como un "pequeño motor que podría". . . detener su auto. Cada unidad de frenos es un motor. Sólo que funcionan al revés —por así decirlo—, haciendo uso de la fricción. Los frenos convierten la energía del movimiento en calor, el cual disipan en la atmósfera. Y el siguiente es un pequeño e interesante hecho: incluso los frenos del auto familiar más común, ¡son mucho más poderosos que su motor! Dicho de otra manera, los vehículos de motor se detienen mejor de lo que avanzan, ¡lo cual siempre es una buena noticia cuando hay un objeto sólido muy próximo!

Créalo o no, muchos de los primeros vehículos de motor —quizá carruajes con motor sería un mejor término— o no tenían frenos en absoluto o dependían de un sencillo freno de fricción, no muy diferente a la palanca que hacía fricción en la rueda de su primer go-kart (que no es una forma particularmente eficiente de detener un vehículo). Por supuesto, estos carruajes motorizados no eran muy rápidos, además de que no había muchos vehículos u objetos con los cuales chocar, por lo que los motoristas no tenían que preocuparse demasiado por detenerse con rapidez. A medida que aumentó la velocidad de los vehículos, la necesidad de detenerse eficientemente adquirió una importancia cada vez mayor. Los frenos de fricción y los frenos mecánicos operados por cable ofrecían cierto poder para detenerse, pero no eran eficaces ni confiables de manera consistente para detener el vehículo de manera rápida y segura.

FRENOS HIDRÁULICOS

Luego llegó el nacimiento del sistema de frenos hidráulicos, que sigue siendo la base de la tecnología para los frenos en los automóviles actuales. La investigación y el desarrollo están llevando a la industria al diseño de automóviles con controles electrónicos, como las aeronaves modernas, en los que las entradas u órdenes de control se transmitirán electrónicamente a los sistemas correspondientes. Esto significa que tal vez los sistemas de frenos futuros no tendrán una conexión directa entre el pie y los frenos del vehículo. Su pie operará un reóstato o resistor variable que enviará una señal eléctrica variable a una computadora. La computadora interpretará que usted realmente desea detener su vehículo y ordenará a los frenos individuales que apliquen la cantidad precisa de fuerza de frenado necesaria para detener su auto como usted pretende —afortunadamente—.

No hay duda de que en un futuro cercano veremos los sistemas de control electrónico, pero hasta entonces

SISTEMA DE FRENOS HIDRÁULICOS

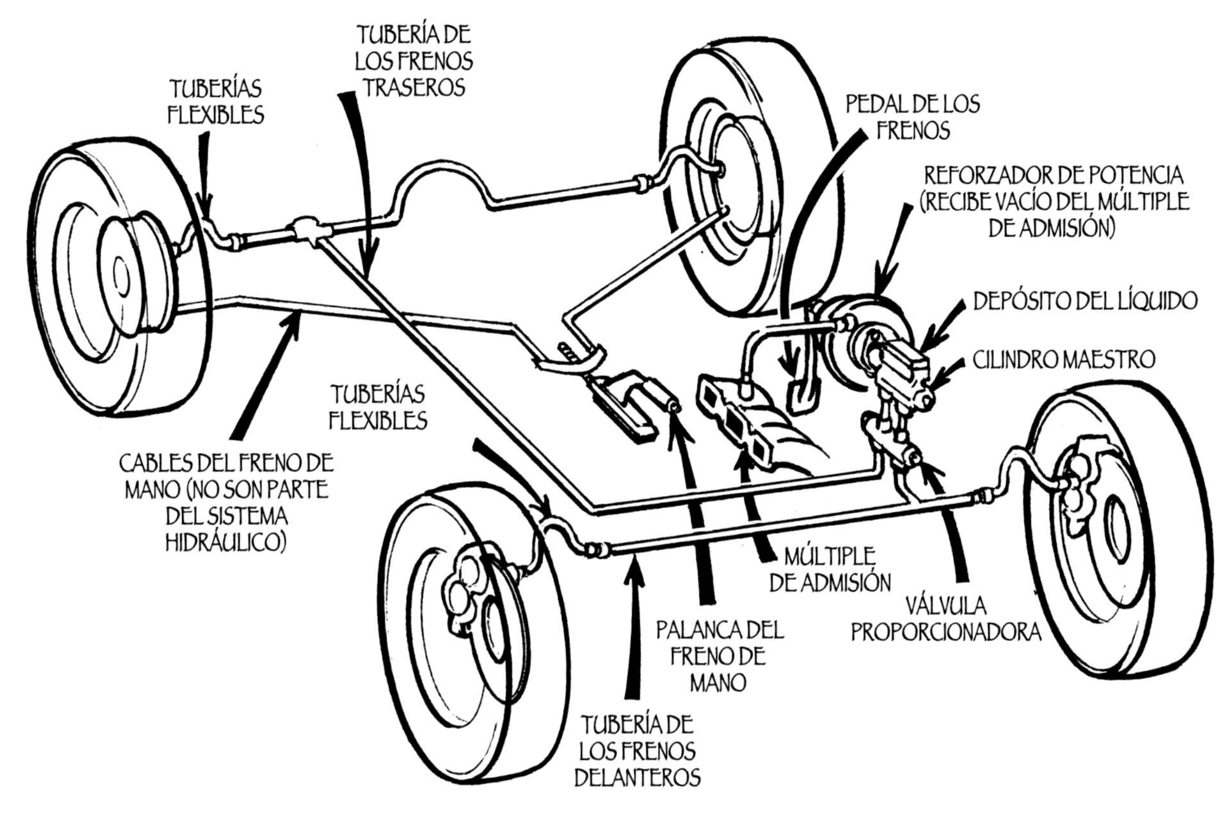

nuestros vehículos de motor continuarán dependiendo de los frenos hidráulicos para detenerse de manera segura y confiable. Incluso con los sistemas actuales de frenos de discos con cilindro maestro doble equipados con sistema de frenos antibloqueo (ABS), tracción y control de estabilidad, los aspectos fundamentales de los sistemas de frenos hidráulicos no han cambiado durante décadas.

¿POR QUÉ HIDRÁULICOS?

Debido a una propiedad fundamental del fluido o aceite hidráulico: no es comprimible. Cuando aplica presión al pedal de los frenos en su vehículo, el varillaje mecánico del pedal mueve una varilla de empuje en el cilindro maestro que fuerza un pistón hacia abajo en la cavidad del cilindro, el cual está lleno de fluido hidráulico. El movimiento de dicho pistón genera una presión hidráulica, la cual se transmite a través de una serie de tuberías interconectadas de los frenos —tubos metálicos y mangueras flexibles— hasta las unidades de frenos individuales en cada rueda. La presión que llega a la unidad de frenos en cada rueda empuja los pistones en la mordaza de freno. Luego la mordaza aprieta las pastillas de los frenos contra el rotor, creando fricción, generando calor, disipando energía y disminuyendo la velocidad del vehículo. En una unidad de frenos de tambor, la presión mueve los pistones en el cilindro de la rueda, el cual empuja las balatas hacia afuera contra la superficie interior del tambor de los frenos, creando fricción y calor, y disminuyendo de esta forma la velocidad del vehículo.

Entre más fuerte pise el pedal, más presión hidráulica se genera en el sistema, más fuerza empuja el material de fricción contra los rotores y/o tambores, más rápido la energía de movimiento se convierte en calor. . . y más rápido se detiene el vehículo. ¡Ahora ya sabe cómo funcionan sus frenos!

La belleza del sistema de frenos hidráulicos es su sencillez básica. El sistema tiene muy pocas partes móviles, es relativamente independiente, se encuentra sellado, la consistencia de su operación es extraordinaria y sorprendente su confiabilidad. Por eso tendrá que ser la tecnología del siglo XXI la que reemplace finalmente los frenos hidráulicos con frenos activados de manera completamente electrónica.

COMPONENTES CLAVE

Fluido/aceite hidráulico—glicol o fluido con base de silicona que es incompresible

Cilindro maestro de freno—cilindro hidráulico de circuito dual en tándem, lo cual significa un cilindro con dos pistones; cada circuito opera la mitad del sistema de frenado; puede ser delantero/trasero o diagonal delantero-derecho/trasero-izquierdo, delantero-izquierdo/trasero-derecho

Válvula proporcionadora—dispositivo hidráulico que equilibra y/o limita la presión hidráulica en los frenos traseros para impedir un bloqueo prematuro de los frenos traseros; se encuentra incorporada en el cilindro maestro o es una válvula separada en la tubería de los frenos hidráulicos traseros

FRENOS DE DISCO

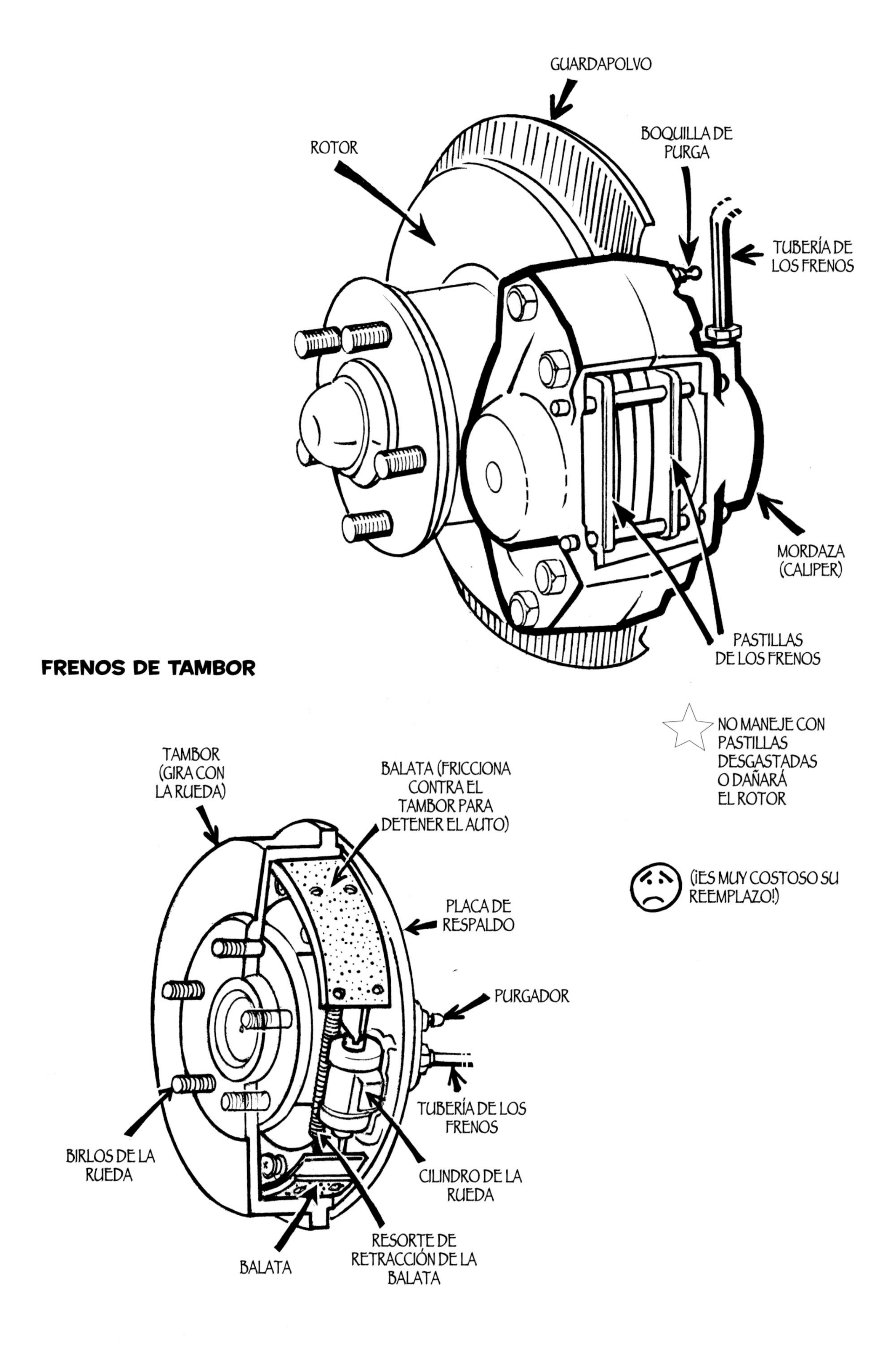

Reforzador de los frenos de potencia—dispositivo hidráulico o de vacío que le ayuda al conductor a aplicar presión en el cilindro maestro; mantiene los requerimientos de presión del pedal de los frenos en un rango confortable

Mordaza de freno de disco—dispositivo hidráulico relativamente sencillo cuyo(s) pistón(es) aprieta(n) las pastillas de los frenos contra el rotor cuando se aplica presión hidráulica, generando de esta forma calor, disipando energía y reduciendo la velocidad del vehículo; se encuentra en las ruedas delanteras de la mayoría de los automóviles y camionetas, y en las cuatro ruedas de los vehículos de mayor rendimiento; actualmente, los sistemas de frenos de disco en las cuatro ruedas se están convirtiendo en la norma en casi todos los autos y camionetas

Rotor o disco de freno—disco plano de hierro fundido montado en el cubo de la rueda que gira con ella, entre las pastillas de los frenos en las mordazas; transfiere la fuerza de los frenos a la rueda/llanta para desacelerar el vehículo

Pastillas de frenos—bloques individuales de material de fricción pegados a una placa pesada y plana de acero y montados en la mordaza como las dos piezas de pan de un sándwich

Cilindro de freno de la rueda—pequeño cilindro hidráulico montado dentro del tambor de los frenos que empuja las dos balatas hacia afuera para que entren en contacto con la superficie de fricción interior del tambor de los frenos, generando calor, disipando energía y reduciendo la velocidad del vehículo; no es tan eficiente como un freno de disco

Tambor de freno—tambor grande de hierro fundido montado en el cubo de la rueda que gira junto con ésta y transfiere la fuerza de los frenos a la rueda/llanta

Balata—material de fricción pegado y/o remachado a una zapata curva montada dentro del tambor de freno, y pivoteada en contacto con la superficie interior del tambor de freno por el cilindro de la rueda

SISTEMAS DE FRENOS ANTIBLOQUEO (ABS)

Bueno, ahora que hemos descrito cómo funcionan los sistemas de frenos hidráulicos, respondamos a esta simple pregunta: ¿qué tan bien detendrán los frenos al vehículo. . . si las ruedas no están tocando el pavimento? No muy bien, desafortunadamente. El punto que hay que recordar aquí es que su deseo de detener el vehículo depende no sólo del desempeño del sistema de los frenos hidráulicos, sino también de la habilidad de las llantas para transmitir eso al pavimento.

Para optimizar la fuerza de frenado de su vehículo en una situación de emergencia, las ruedas necesitan estar patinando un poquito en el pavimento. Literalmente, las ruedas necesitan estar girando justo en el umbral de bloqueo, 10 por ciento más lento que la velocidad de carretera. Esto optimiza la tracción de las llantas, permitiendo una máxima acción de frenado y fuerza para detener el vehículo.

¿Puede usted frenar en el umbral de bloqueo con su vehículo? ¿Alguna vez ha frenado presa del pánico tratando de evitar alguna cosa que está frente a usted, ha bloqueado

SISTEMA DE FRENOS ANTIBLOQUEO (ABS)

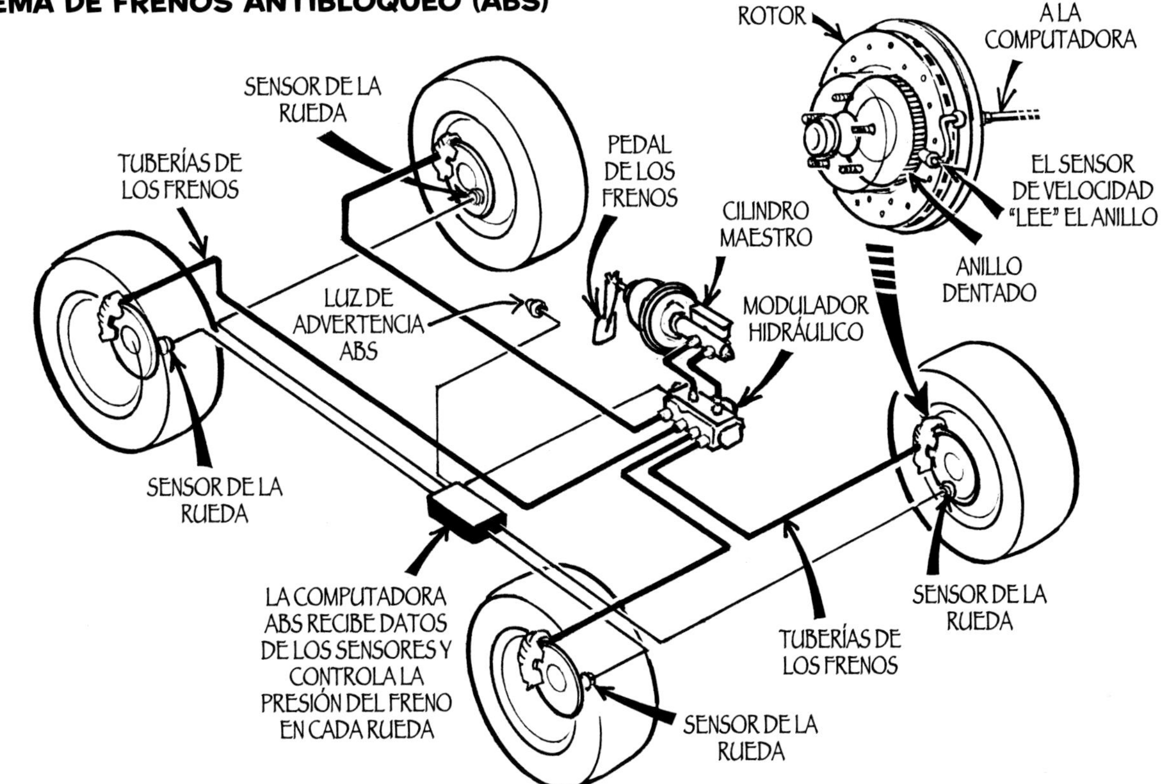

las llantas y ha descubierto que el vehículo no sólo no se detuvo muy bien, sino que tampoco pudo controlar la dirección en absoluto? Piense en una experiencia en condiciones resbalosas, tal vez sobre hielo o nieve, cuando de repente se dio cuenta de que no estaba deteniéndose como usted quería debido a que las llantas se estaban patinando en el pavimento.

Ahora bien, si usted fuera un conductor realmente bueno, podría haber solucionado ese problema modulando un poco la presión en el pedal de los frenos. Reducir gradualmente la presión hasta que las ruedas se desbloquearan podría haberle ayudado a recuperar el agarre de tal modo que usted podría haberse detenido eficientemente o dirigido el vehículo alrededor de la amenaza.

A menos que usted practique esto de manera regular, lo cual no lo haría particularmente popular entre sus vecinos, es difícil de hacer —en particular en el fragor de la batalla cuando usted de veras necesita detenerse realmente antes de chocar con ese objeto sólido—. Si pudiera frenar en el umbral de manera perfecta —aplicando justo la cantidad correcta de presión en el pedal de los frenos para mantener las llantas en el límite mismo de la tracción óptima—, podría hacer que su vehículo se parara tan rápido como fuera capaz de hacerlo el vehículo mismo.

¿Pero podría hacer usted esto la mismísima primera vez que lo necesitara, cuando Pepito sale de repente de entre los carros estacionados detrás de su pelota? En el mejor de los casos, pero probablemente no.

ABS—sistema de frenos antibloqueo. En los términos más sencillos, el ABS es un dispositivo adicional en los sistemas estándar de frenos hidráulicos. Monitoreando la velocidad de giro de cada rueda mediante un sensor de velocidad de las ruedas y alimentando dicha información en un pequeño microprocesador, el sistema ABS puede reconocer el momento en que usted ha pisado muy fuerte el pedal de los frenos y las llantas están en proceso de bloquearse. ¿Cómo sabe esto el sistema? No, no por sus gritos detrás del volante. El sistema identifica que la velocidad de giro de una o más ruedas está disminuyendo más rápido que las otras; ése es el momento del inminente bloqueo de los frenos.

La computadora ABS manda señales a una unidad hidráulica para abrir y cerrar rápidamente en ciclos las válvulas hidráulicas del freno o los frenos individuales que se están bloqueando. Las aberturas cíclicas y muy rápidas de las válvulas purgan justo la presión hidráulica suficiente en esos frenos para mantenerlos en el límite de la tracción óptima. De esta forma, el sistema ABS impide que usted enfrene de más —aplicando demasiada fuerza de frenado, bloqueando las ruedas, perdiendo el control de la dirección y reduciendo la eficiencia de los frenos—. ¡Muchas gracias!

Tan sólo piense, el sistema ABS está ahí de tiempo completo, silencioso, discreto, esperando pacientemente a que usted pise con demasiada fuerza el pedal de los frenos. Entonces el ABS entra al rescate al evitar que las ruedas se bloqueen y que usted pierda el control de su vehículo. ¿Califica eso para considerarlo un héroe?

CONTROL DE TRACCIÓN Y ESTABILIDAD

Los sistemas de control de la tracción y la estabilidad llevan el concepto ABS uno o dos pasos más adelante. Monitoreando las velocidades de giro de las ruedas propulsoras, los sistemas de control de la tracción pueden reducir el giro de las ruedas en condiciones resbalosas, mejorando de esta forma la tracción y el control del manejo. Algunos sistemas pueden aplicar el freno en la rueda propulsora que se está patinando, en tanto que otros reducen la potencia del motor electrónicamente. Otros más combinan ambas características para minimizar la pérdida de tracción al manejar en lluvia, nieve y hielo.

Los sistemas de control de estabilidad agregan sensores que pueden detectar un derrape, es decir, cuando la dirección a la que apunta el vehículo no es la misma que la dirección del desplazamiento —siempre un momento excitante y muchas veces precursor de la pérdida del control—. El sistema aplica una combinación de una acción de frenado individual y una reducción de la potencia del motor para ayudar a recuperar la estabilidad del vehículo. Bueno, ¡y usted que pensaba que era un buen conductor!

Pero recuerde, incluso con toda la sofisticación y beneficios del ABS y los sistemas de control de tracción y estabilidad, el alma y el corazón de la habilidad de su vehículo para detenerse con seguridad es el sistema de frenos hidráulicos y su pie derecho.

MANTENIMIENTO DEL SISTEMA DE FRENOS

Las balatas y las pastillas de frenos son componentes fungibles, lo que significa que se desgastan con el uso normal. La expectativa de vida del material de fricción de los frenos varía dependiendo tanto del estilo de manejo y del ambiente como del tamaño y peso del vehículo. Ésa es la razón por la que los componentes de los frenos deberán inspeccionarse de manera regular. ¿Cuándo? Un buen plan es cada vez que se hace un cambio de aceite. Mientras se está drenando el aceite, usted o el técnico deberán inspeccionar visualmente por lo menos las pastillas de los frenos delanteros, que por lo general pueden verse sin necesidad de quitar las ruedas. Para ayudarle a saber cuándo es momento de unos frenos nuevos, unas pequeñas lengüetas metálicas están montadas en la orilla de las pastillas de los frenos y entran en contacto con el rotor cuando la pastilla está desgastada hasta el 20 por ciento aproximadamente de su espesor original.

Si empieza a escuchar un ligero chirrido cuando le da vuelta al volante o cuando aplica ligeramente los frenos, pero el chirrido se detiene si pisa más fuerte el pedal de los frenos, está recibiendo la notificación oficial de que es momento de revisar las pastillas de los frenos.

Cuando es momento de cambiar las pastillas de los frenos, también es momento de una cuidadosa inspección de los rotores de los frenos para ver si están rayados, descentrados, ovalados y desgastados. Un rayado profundo puede presentarse si usted no hace el reemplazo oportuno de las pastillas, y el material de fricción desgasta la placa de refuerzo de acero hasta el punto en que ésta hace contacto con el rotor. El contacto del acero y hierro fundido a menudo produce un desagradable sonido de esmerilado y arruina el rotor en poco tiempo.

¿Los rotores de los frenos se pueden tornear y maquinar (es decir, que la superficie de frenado se rectifique hasta quedar lisa)? En ocasiones sí, pero muchas veces es más sencillo, mejor y más eficiente reemplazar el rotor en lo que al costo se refiere. Todo rotor de frenos tiene una dimensión de espesor mínimo estampada en el cubo. Si el rotor puede tornearse o esmerilarse hasta restablecer una superficie perfectamente lisa y uniforme y seguir estando por encima de la dimensión mínima, tal vez valdría la pena el torneado. Pero si el desgaste es considerable, o si las ranuras o el rayado son profundos, reemplace el rotor.

El descentramiento, ovalamiento y las variaciones en el espesor del rotor, por lo general son resultado del desgaste normal de los rotores. ¿Cómo sabe usted si los rotores de sus frenos tienen problemas? Síntomas: vibración en el pedal de los frenos y/o el volante cuando aplica los frenos. La vibración es causada por la variación en la superficie del rotor cuando gira. El rotor literalmente se empuja hacia atrás contra las pastillas de los frenos, las cuales se empujan hacia atrás contra el pistón en las mordazas, el cual se empuja hacia atrás contra el fluido hidráulico, el cual se empuja hacia atrás contra el pistón en el cilindro maestro, el cual se empuja hacia atrás contra el varillaje del pedal de los frenos, ¡el cual hace que el pedal de los frenos se empuje hacia atrás contra su pie! ¿Siguió todo eso?

Si ha estado experimentando algún grado de vibración cuando se aplican los frenos, de seguro tendrá que hacer algo con los rotores, ya sea tornearlos o maquinarlos para restablecer la igualdad en su superficie, o reemplazarlos.

Pero las buenas noticias son que si ya es momento de cambiar las pastillas de los frenos, y los rotores están en buena forma, lo único que necesita hacer o que le hagan es raspar las superficies de los rotores con un disco de esmerilar para hacerlas un poco ásperas. Esto ayudará a que las nuevas pastillas se asienten en el rotor para minimizar los chirridos y el ruido y maximizar la eficiencia del frenado de las nuevas pastillas.

Siempre que se instale nuevo material de fricción para frenos, necesita someterse unas cuantas veces a un proceso de ciclo térmico. Esto se hace para eliminar el exceso de agente adhesivo de la superficie del material de fricción y para ayudar a que la pastilla o la balata se amolden a la superficie del rotor o el tambor. A menudo, lo anterior ocurrirá con el manejo normal, pero muchos talleres de frenos calentarán intencionalmente los frenos mediante repetidas aplicaciones intensas de los mismos —en un ambiente de manejo seguro, por supuesto— para asentar rápidamente las pastillas en el rotor. Esto ayuda a reducir el número de clientes que regresan quejándose de frenos que rechinan.

¿Puede usted asentar sus propios frenos nuevos? Sí, siempre y cuando lo haga de manera segura. Busque un tramo largo de camino que le permita ir a una velocidad media —un límite de velocidad de 75 kilómetros por hora está bien—. Acelere con suavidad hasta 50 kilómetros por hora y, asegurándose de que no hay otros vehículos justo detrás de usted, frene con firmeza hasta la velocidad a la que una persona camina sin bloquear las ruedas. Vuelva a acelerar lentamente para dar tiempo a que se enfríen las pastillas y los rotores. Repita el proceso unas 20 veces, luego maneje a velocidad de crucero para enfriar los frenos.

¿Qué se puede decir acerca de los frenos de tambor? Varias camionetas y automóviles de pasajeros todavía utilizan sistemas de frenos de tambor en las ruedas traseras. ¿Por qué? Los frenos de tambor son sencillos y baratos; pero más importante, debido a la considerable transferencia de peso hacia adelante al frenar, los frenos traseros en un vehículo de motor realizan un porcentaje mucho más pequeño de la acción total de frenado. Por lo tanto, aun cuando los frenos de tambor no son tan eficientes en la disipación de calor como los frenos de disco, son perfectamente útiles en las ruedas traseras de muchos vehículos.

Debido a que en la mayoría de los casos no es posible ver las balatas dentro del tambor de los frenos, los tambores deberán quitarse cada vez que se haga una rotación de llantas para inspeccionar las balatas, los cilindros de las ruedas y el herraje de los frenos.

¿MANTENIMIENTO DEL LÍQUIDO DE LOS FRENOS?

Si usted revisa el manual del propietario de muchos de los automóviles más costosos y sofisticados, encontrará una recomendación de servicio para cambiar el líquido de los frenos periódicamente. Ésta es una excelente sugerencia de mantenimiento incluso si usted está manejando un automóvil o camioneta barata. Al igual que la mayoría de los demás líquidos en un automóvil moderno, el líquido de los frenos deberá cambiarse de manera regular para mantener su rendimiento y para minimizar la corrosión en el sistema hidráulico.

Históricamente, el líquido o aceite utilizado en los sistemas de frenos hidráulicos está basado en glicol. Por su propia naturaleza, este fluido es higroscópico, lo que significa que absorberá humedad de la atmósfera. El punto clave es el siguiente: la humedad es algo muy pernicioso en el líquido para frenos. La humedad no sólo promoverá la corrosión en las mordazas, los cilindros de las ruedas, los cilindros maestros, los solenoides del ABS, y en otros componentes costosos de los frenos, sino que incluso el más mínimo porcentaje de humedad en el líquido de los frenos disminuirá en gran medida su punto de ebullición. Y eso significa que el potencial de la temida pérdida de eficacia del frenado aumentará dramáticamente.

Pérdida de eficacia del frenado

La pérdida de eficacia del frenado no ocurre muy a menudo, pero cuando lo hace, acaparará toda su atención. El escenario puede ser parecido al siguiente. Usted va descendiendo por una pendiente larga y continua y necesita aplicar repetidamente una presión moderada al pedal de los frenos para evitar que el vehículo acelere más allá de los límites seguros y legales. Al continuar descendiendo, empieza a observar que el pedal está más cerca del piso cada vez que aplica los frenos. En última instancia, el pedal podría terminar chocando con el piso y, ¡usted necesitará comenzar a bombear el pedal para restablecer el poder de frenado!

Este tipo de pérdida de eficacia en el frenado es ocasionado por la humedad del líquido en las mordazas y/o los cilindros de las ruedas que empieza a hervir. Al hervir, la humedad se convierte en un vapor o gas, que es compresible. En consecuencia, cuando usted pisa el pedal, gran parte de su carrera, si no es que toda, se consume comprimiendo el gas en el sistema en lugar de generar presión hidráulica en el material de fricción.

Una vez que el sistema de los frenos se ha enfriado otra vez, el pedal puede recuperar su operación normal completa. Sin embargo, a menudo el sistema requerirá que se le purgue a fin de eliminar el aire atrapado para restablecer un pedal de frenos firme, sólido y que inspire confianza.

Ésa es la razón por la que vale la pena reemplazar el líquido de los frenos de su automóvil cada dos años. El proceso es sencillo. Utilice una jeringa grande o un tubo con pera de goma para vaciar todo menos 3 milímetros del líquido de ambas cámaras del depósito del cilindro maestro. Rellene el sistema con nuevo líquido para frenos, luego purgue el sistema hasta que todo el líquido original se haya intercambiado con el nuevo. Ahora el sistema no sólo está lleno con líquido para frenos fresco, limpio y libre de humedad para un rendimiento óptimo, sino que toda la humedad y las basuras han sido eliminadas del sistema.

La promesa simple es la siguiente. Reemplazar el líquido de los frenos cada dos años le ayudará a su vehículo a detenerse mejor y de manera más consistente, y los costosos componentes de los frenos durarán más tiempo. ■

TABLA PARA SOLUCIÓN DE PROBLEMAS DEL SISTEMA DE FRENOS

PROBLEMA	CAUSAS PROBABLES	ACCIONES PARA LA REPARACIÓN
SE PRENDE LA LUZ DE ADVERTENCIA DE LOS FRENOS	Nivel bajo del líquido de los frenos	Revise el nivel del líquido de los frenos. Agregue líquido si es necesario. Si el nivel está bajo, haga que un profesional inspeccione el sistema de frenos para ver si hay fugas de líquido. *(Proyecto 43: Revisión del nivel del líquido de los frenos)*
	Pérdida de presión hidráulica/desequilibrio en el sistema de los frenos	Haga que un profesional revise/pruebe el sistema de frenos La pérdida de presión hidráulica en el sistema de frenos presenta un problema serio de seguridad. Haga que remolquen el vehículo al taller si es posible.
	El mecanismo del freno de mano está atascado o no se ha liberado completamente	Verifique que el freno de mano esté liberado completamente. Revise si el cable/varillaje del freno de mano está pegado/atascado. *(Proyecto 45: Reemplazo de rotores y pastillas de los frenos)*
CHIRRIDO AL APLICAR LOS FRENOS	"Cristalización"/acumulación menor de agente adherente en las pastillas y rotores de los frenos	Lije las pastillas/raspe los rotores ligeramente para reasentar las pastillas de los frenos. Si el chirrido persiste, haga que un profesional inspeccione las pastillas/rotores de los frenos. *(Proyecto 45: Reemplazo de rotores y pastillas de los frenos)*
RECHINIDO FUERTE AL APLICAR LOS FRENOS	Pastillas y/o balatas desgastadas; contacto de metal con metal entre la placa de respaldo de la pastilla y el rotor	Reemplace las pastillas y los rotores (frenos de disco); reemplace las balatas y lleve a rectificar los tambores (frenos de tambor). *(Proyecto 45: Reemplazo de rotores y pastillas de los frenos)*

TABLA PARA SOLUCIÓN DE PROBLEMAS DEL SISTEMA DE FRENOS

PROBLEMA	CAUSAS PROBABLES	ACCIONES PARA LA REPARACIÓN
POLVO OSCURO A LOS LADOS DEL VEHÍCULO O EN LOS CUBOS DE LAS RUEDAS	Restos metálicos por desgaste de la pastilla y el rotor	Revise el desgaste de las pastillas de los frenos y reemplácelas si es necesario **Nota:** regularmente aparecerá algo de polvo de frenos en los automóviles modernos con ruedas de aleación; esto tal vez no indique que las pastillas de sus frenos necesiten reemplazarse. *(Proyecto 45: Reemplazo de rotores y pastillas de los frenos)*
LIGERO CHIRRIDO DE LOS FRENOS AUN CUANDO NO SE ESTÉN APLICANDO—EL RUIDO SE DETIENE CUANDO SE APLICAN LOS FRENOS	Las lengüetas indicadoras de desgaste de los frenos hacen contacto con el rotor	Revise el desgaste de las pastillas de los frenos y reemplácelas si es necesario *(Proyecto 45: Reemplazo de rotores y pastillas de los frenos)*
PEDAL DE LOS FRENOS BAJO Y FIRME	Desajuste de los frenos de tambor traseros	Pise varias veces el pedal de los frenos mientras da marcha atrás de manera lenta y segura. Ajuste manualmente las balatas
	Desajuste de los frenos de disco traseros; falla el uso del freno de mano para mantener las mordazas de los frenos de disco traseros ajustadas correctamente	Para ajustar, aplique repetidamente el freno de mano mientras frena un poco a baja velocidad
EL PEDAL DE LOS FRENOS REQUIERE UN ESFUERZO ADICIONAL PARA PRESIONARLO, ESTÁ ALGO BLANDO, Y/O SE REQUIEREN VARIAS CARRERAS PARA QUE SE APLIQUEN LOS FRENOS	No funciona el refuerzo de los frenos	Los frenos son de asistencia de vacío o de asistencia hidráulica. Su manual del propietario deberá indicar qué tipo tiene su auto **Frenos con asistencia de vacío** Apague el motor, bombee el pedal de los frenos Si no hay diferencia en el esfuerzo del pedal, ya no hay refuerzo, revise de inmediato las conexiones de mangueras/válvulas en el reforzador de los frenos para ver si hay fuga de vacío **Frenos con asistencia hidráulica** Revise la operación de la bomba hidráulica/el líquido/la banda (observe que la mayoría de los sistemas de frenos con asistencia hidráulica obtienen la potencia hidráulica de la bomba de la dirección hidráulica)
	Aire atrapado en el sistema de frenos	Purgue los frenos para sacar el aire. Si el problema vuelve a aparecer, haga que un profesional revise el sistema de los frenos hidráulicos. Es posible que haya una falla en el cilindro maestro/la mordaza/el cilindro de la rueda

TABLA PARA SOLUCIÓN DE PROBLEMAS DEL SISTEMA DE FRENOS

PROBLEMA	CAUSAS PROBABLES	ACCIONES PARA LA REPARACIÓN
EL VEHÍCULO "SE JALA" CUANDO SE APLICAN LOS FRENOS	Problema hidráulico con la mordaza/cilindro maestro	Haga que le prueben el sistema hidráulico y, si es necesario, lo reparen en el taller de frenos local
	Presión hidráulica no uniforme del cilindro maestro	Revise/reemplace el cilindro maestro, purgue los frenos
	Atascado el pistón/corredera de la mordaza; frenos delanteros sobrecalentados por la mordaza atascada	Reemplace la mordaza de los frenos, purgue los frenos
	Problema en las llantas (vea la Tabla para la solución de problemas de llantas y ruedas)	
	Problema en la alineación de las ruedas (vea la Tabla para la solución de problemas de la suspensión/dirección)	
VIBRACIÓN/PULSACIÓN EN EL PEDAL DE LOS FRENOS	Rotores/tambores alabeados, descentrados, ovalados; variación en el espesor del rotor	Inspeccione, dé servicio y reemplace los componentes de los frenos
	Deformación del rotor de los frenos por un torque disparejo de las tuercas de la rueda	Aplique el torque correcto a las tuercas de las ruedas
	NOTA: los sistemas de frenos antibloqueo (ABS) pueden generar un traqueteo o pulsación en el pedal de los frenos al activarse. Lea el manual del propietario para ver los detalles en relación con su auto	
POBRE DESEMPEÑO AL FRENAR	No hay acción de los frenos traseros	Haga que un profesional inspeccione/dé servicio al sistema de los frenos
	No hay acción de los frenos delanteros	Haga que un profesional inspeccione/dé servicio al sistema de los frenos
SE PRENDE LA LUZ DEL ABS	La luz del ABS prendida todo el tiempo indica un problema/falla con el ABS	Haga que un profesional revise y diagnostique los códigos de falla del PCM

Proyecto 43

Revisión del nivel del líquido de los frenos

TALENTO: 1

TIEMPO: 5 minutos

HERRAMIENTAS:
Ninguna

COSTO: $0

SUGERENCIA:
Mantenga el líquido de los frenos alejado de la pintura del auto.

1 El depósito del líquido de los frenos se encuentra en la parte superior del cilindro maestro de los frenos, que normalmente está atornillado a la pared contrafuego del lado del conductor arriba del pedal de los frenos.

2 En ocasiones es más fácil ver el nivel del líquido si quita la tapa (vea la fotografía en la página siguiente). El fluido se ve muy bien a través de este depósito. Tiene marcados los niveles mínimo y lleno. Recuerde, el nivel del fluido en este depósito descenderá un poco bajo una operación normal al desgastarse el material de fricción en las pastillas y balatas de los frenos. Más fluido entrará al sistema para ocupar el lugar a medida que los pistones de la mordaza y el cilindro de la rueda se extienden para aplicar la presión de los frenos.

3 Para que el líquido vuelva a su nivel, vierta líquido para frenos de la especificación correcta como lo indica su manual del propietario. La mayoría de los líquidos para frenos atraen agua y deberán cambiarse periódicamente para evitar la corrosión en el sistema.

SUGERENCIA: si el nivel del líquido está bajo, puede indicar que hay una fuga en el sistema que necesita atención.

Proyecto 44

Reemplazo de tambores y balatas

TALENTO: 4

TIEMPO: 60–120 minutos

HERRAMIENTAS: Llave de dados, pinzas

COSTO: $600–1000

SUGERENCIA: Si se le olvida cómo van todas las piezas durante el reemplazo, puede quitar el tambor del otro lado y utilizar ese freno como modelo. O tome una foto digital tan pronto como quite el tambor.

1 Afloje las tuercas traseras, luego levante la parte trasera del vehículo con el gato y colóquelo de manera segura sobre gatos fijos. (Vea en la sección especial del capítulo 1 una explicación rápida sobre cómo levantar su auto.)

2 Deslice el tambor fuera de los birlos de la rueda. Si está pegado, golpéelo ligeramente con un martillo alrededor del borde. Tenga cuidado, los tambores de hierro fundido pueden agrietarse. Pruebe poniendo una tabla sobre el tambor y golpee la tabla. Si el tambor está oxidado o pegado a los birlos de la rueda o en el agujero de centrado, golpee de frente con el martillo sobre la superficie de contacto de la rueda para aflojar el tambor. En algunos vehículos, el tambor puede estar sujeto mediante un tornillo.

SUGERENCIA: después de levantar el auto y dejarlo descansando sobre gatos fijos, libere el freno de emergencia/de mano, pues de lo contrario el tambor quedará retenido.

3 Quite los sujetadores de retención de la balata. Apretando fuerte, los puede quitar con unas pinzas, aunque las tiendas de autopartes venden una herramienta especial barata que facilita mucho esta tarea.

4a Quite los resortes de retracción, los cuales unen una balata con otra. En algunos vehículos es más fácil quitar primero el o los resortes superiores; en otros, es más fácil comenzar con el o los resortes inferiores. En este Dodge Stratus, el resorte inferior es más fácil. Unas pinzas de presión también facilitan esta tarea.

4b

5a Éste es otro tambor con un arreglo del resorte diferente para que pueda compararlos. Observe los sujetadores de retención de la balata redondos en este caso.

SUGERENCIA: los resortes de los frenos pueden oxidarse y romperse. Compre un juego de resortes para frenos cuando reemplace los frenos. Abra el empaque y anote la colocación y orientación de cada resorte nuevo antes de quitar los viejos.

5b

6 Cuando los resortes se quiten, las balatas se separarán.

7 La balata de atrás normalmente estará unida a un varillaje y a un cable que va al freno de mano/emergencia. Utilice unas pinzas para empujar hacia atrás el retenedor de resorte y quite el cable de la balata.

8 Habiendo quitado los sujetadores de retención, el resorte y el cable del freno de mano, saque las balatas. Asegúrese de que nadie toque el pedal de los frenos con los tambores quitados, y asegúrese de que los pistones del cilindro de la rueda no se extiendan demasiado cuando quite las balatas.

Una vez que se han quitado las balatas, levante el borde de los hules en cada extremo del cilindro de la rueda para ver si hay líquido de frenos y evidencia de fugas.

9 Cuando usted frena, las balatas son empujadas en los tambores.

10 La instalación de los nuevos tambores y pastillas se hace de manera inversa a la remoción de los viejos.

Proyecto 45

Reemplazo de rotores y pastillas de los frenos

TALENTO: 4

TIEMPO: 60–90 minutos

HERRAMIENTAS:
Pinzas, llave de dados, desarmador, pedazo de alambre para colgar la mordaza

COSTO: $250–600

SUGERENCIA:
Para reparaciones más avanzadas, es invaluable un manual de servicio de fábrica. La agencia puede solicitar uno para la marca y modelo de su auto.

1 Con el auto en el piso, afloje las tuercas de las ruedas, levante la parte delantera del auto y colóquelo de manera segura en gatos fijos. (Vea en la sección especial del capítulo 1 una explicación rápida sobre cómo levantar su auto.)

2 Quite la rueda y afloje las tuercas o pernos que sujetan la mordaza de los frenos, que es donde se sujetan las pastillas. Puede ser necesaria una herramienta especial o una llave de dados, por lo general hexagonal.

3 Utilice un desarmador para hacer con cuidado un poco de palanca sobre la parte trasera de la pastilla interior para crear un espacio entre las pastillas y el rotor (disco de frenos). Ahora quite los pernos de sujeción y levante la mordaza para sacarla del rotor.

4 Cuelgue la mordaza en la suspensión delantera con un pedazo de alambre para que no haya esfuerzo en la manguera del freno.

5 Jale el rotor para sacarlo de los birlos de la rueda.

Nota: algunos rotores forman parte del cubo, o incluso están remachados a él, y pueden requerir el desmontaje y reempacamiento de los rodamientos de la rueda delantera. Verifique con su proveedor de autopartes el arreglo específico para su vehículo. El reempacamiento de rodamientos requiere habilidad y precisión y puede ir más allá de lo que usted está dispuesto a enfrentar.

6 Haga palanca sobre las pastillas para sacarlas de la mordaza, teniendo mucho cuidado de no dañar el pistón y su hule de protección. Algunas pastillas tienen sujetadores de presión, algunas tienen muescas y bordes para mantenerlas en su lugar, y algunas tienen lengüetas para mantenerlas en su lugar. Estudie la pastilla y la mordaza y encontrará cómo sacarla.

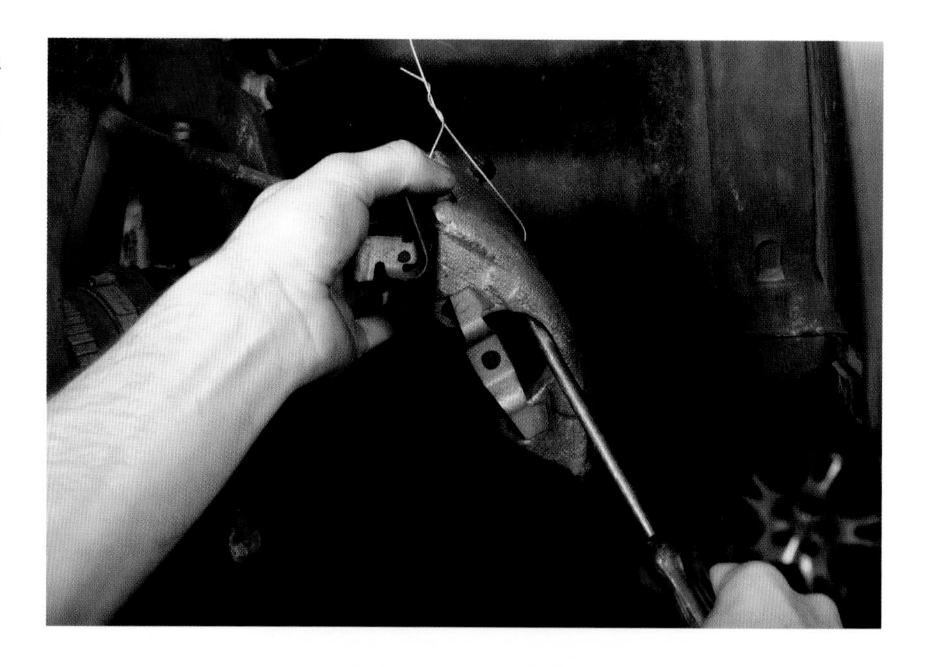

7 Aquí hay varias pastillas de frenos en diversas condiciones.

Pastillas de la derecha: la más gruesa está en buenas condiciones. La otra se encuentra casi al final de su vida. Una regla empírica es que un espesor de 6 milímetros está bien, pero un espesor de 3 milímetros indica que ya requiere reemplazo. Espesores menores de 3 milímetros requieren el reemplazo inmediato de las pastillas para evitar que la eficiencia del frenado se reduzca más y se tengan que hacer reparaciones más costosas.

Pastillas de la izquierda: estas pastillas están delgadas y cristalizadas. La cristalización es una especie de pulido de la pastilla, que reduce su coeficiente de fricción y la eficiencia de frenado.

8 Antes de instalar las pastillas nuevas, necesitará forzar el pistón hacia atrás de la mordaza para crear espacio para la pastilla nueva que es más gruesa. Utilice un tornillo de mano que empuje contra la pastilla de frenos vieja para empujar el pistón hasta atrás en la mordaza. Haga esto lenta, suave y cuidadosamente para asegurarse de que el pistón no se clave o haga cuña en el hueco de la mordaza.

Nota: cuando haga esto, es una buena idea insertar una manguera de hule sobre el tornillo de purga, apuntarla a un pequeño contenedor y abrir el tornillo de purga tan sólo un poco para permitir que el líquido escape mientras empuja el pistón de la mordaza hacia atrás. Esto impide que el líquido de los frenos sea empujado hacia atrás a la unidad ABS y al cilindro maestro, lo que podría llevar humedad, corrosión y residuos a estos sensibles y costosos componentes.

Nota: si está cambiando las pastillas de los frenos en las mordazas traseras, tal vez necesite una herramienta especial que haga girar el pistón mientras es empujado hacia atrás en la mordaza. Esto restablece el mecanismo de trinquete operado por el freno de mano. Si no se hace girar el pistón, se pueden causar daños permanentes a este mecanismo. Puede rentar o comprar esta herramienta en la mayoría de las tiendas de autopartes.

9 Reinstale el rotor y las pastillas nuevas en el orden inverso de desmontaje. Quite de uno por uno los frenos de una rueda, de manera que si se confunde se pueda referir al otro lado para saber la colocación y orientación de las piezas.

Monte las nuevas pastillas de manera segura en ambas mitades de la mordaza según las especificaciones. Reinstale la mordaza en su montaje y apriete firmemente los pernos de montaje de la mordaza. Siempre es una buena idea apretarlos según las especificaciones correctas con una llave de torque.

Una vez que las nuevas pastillas y la mordaza están instaladas correctamente, empuje varias veces el pedal de los frenos para mover las nuevas pastillas en contacto con los rotores y asegurarse de que tiene un pedal de los frenos sólido y firme.

TALENTO: 3

TIEMPO: 45–60 minutos

HERRAMIENTAS: Llave mixta, manguera, contenedor

COSTO: $60–80 del líquido para frenos

SUGERENCIA: El líquido para frenos es higroscópico, lo que significa que absorbe agua. Utilice una botella nueva y sellada para mejores resultados y deshágase del líquido viejo de acuerdo con la reglamentación en su localidad.

Proyecto 46

Purgado del sistema de frenos

1 En la parte posterior del tambor y de la mordaza de los frenos hay un tornillo o boquilla para purgar los frenos. El de esta foto tiene un tapón de hule para evitar que entre basura en él. Quite el tapón si lo hay. Para asegurarse de que el tornillo de purga abra con facilidad, aplique una gota de lubricante o aerosol penetrante. Es muy fácil romper un tornillo de purga, por lo que debe tomarse su tiempo y utilizar una llave de corona (de estrías).

2 Coloque la llave en el tornillo de purga e inserte un pedazo de tubería limpia sobre la boquilla. Coloque el otro extremo en un contenedor que tenga una pequeña cantidad de líquido para frenos. Pida a un ayudante que se siente en el asiento del conductor con la ventana abierta para que pueda escucharlo.

3 Comience con el freno lo más alejado del cilindro maestro, generalmente atrás a la derecha. Luego purgue en secuencia la mordaza de la parte trasera izquierda, la de la parte derecha delantera y finalmente la de la parte delantera izquierda. Siga esta secuencia de purga por lo menos dos veces para purgar completamente el sistema e intercambiar todo el líquido de frenos viejo por líquido fresco y nuevo.

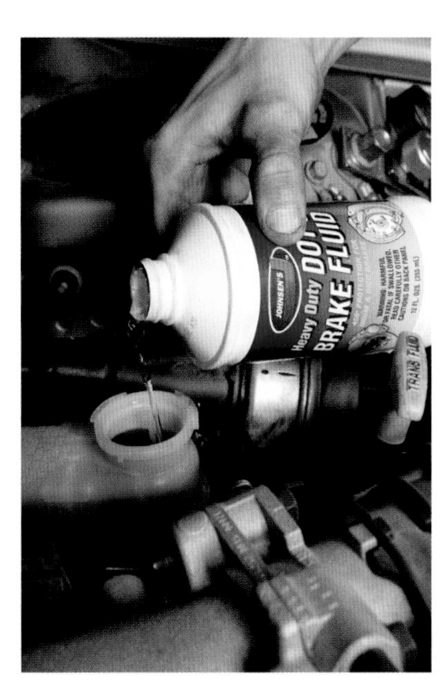

El procedimiento para la purga de cada freno es el siguiente:

1) Diga a su ayudante que bombee el pedal del freno.
2) Después de bombear varias veces —tres o cuatro carreras completas del pedal—, diga a su ayudante "aguanta".
3) El ayudante sostiene el pedal en el fondo de su carrera mientras usted abre el tornillo de purga. Saldrá líquido y aire en forma de burbujas.
4) Apriete el tornillo.
5) Diga "suéltalo" o "libéralo", para que su ayudante libere el pedal.
6) Repita el proceso varias veces con cada freno, hasta que sólo salga líquido limpio sin burbujas de aire durante el paso tres.

4 Conforme purgue el sistema, el depósito se vaciará. Revíselo y rellénelo después de purgar cada unidad de frenos para asegurar que no se quede seco, ya que esto podría introducir nuevamente aire al sistema y tendría que volver a iniciar todo el proceso otra vez.

Capítulo 10

Sistema de escape

Cómo funciona

¡CUIDADO!

CONCEPTO CLAVE

TECNOLOGÍA DEL PASADO

SUGERENCIA DE MANTENIMIENTO

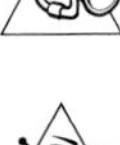
TECNOLOGÍA DEL MAÑANA

SUGERENCIA PARA AHORRAR DINERO

Para la mayoría de los propietarios de vehículos, el sistema de escape es un factor al que no le dan importancia. Hoy en día, muchos fabricantes de automóviles utilizan acero inoxidable aluminizado en la construcción de los tubos de escape y silenciadores que están instalados en sus vehículos. Este material resistente a la corrosión convierte a todo el sistema de escape en un componente que durará casi toda la vida del vehículo.

Ésa es una buena noticia para los propietarios de automóviles. Por lo general, las palabras "escape","silenciador" y "tubo de escape" ni siquiera llegan a cruzar por nuestra mente, hasta que de repente escuchamos un fuerte rugido cuando el silenciador se parte y se abre o se desprende del tubo de escape. En ocasiones esto va seguido de fuertes rechinidos cuando el silenciador o tubo se arrastra por la carretera. Aun cuando el sistema de escape de nuestro automóvil ocupa un lugar poco importante en la lista de nuestras prioridades, en realidad es un sistema clave en la operación segura, eficiente y silenciosa de nuestros vehículos.

ASPECTOS BÁSICOS DEL SISTEMA DE ESCAPE

La idea básica detrás del sistema de escape es dirigir los calientes y ruidosos gases de escape producidos por el proceso de combustión del motor a través del múltiple de escape. Por lo general éste es un colector de escape de hierro fundido atornillado directamente a la culata de cilindros del motor, que va a un tramo sellado de la tubería, a través de un silenciador y finalmente a través de un tubo de escape hasta la parte posterior del automóvil.

El objetivo es simple: llevar los gases del escape potencialmente nocivos a la parte posterior y descargarlos a la atmósfera detrás del vehículo. En el camino, dirigirlos a través de un silenciador para que absorban un gran porcentaje del sonido de la combustión para silenciar el escape hasta un punto que permita tener una conversación razonable y mantener la cordura dentro de la cabina.

CONVERTIDOR CATALÍTICO

En la era automotriz moderna, hay otra tarea importante para el escape: limpiar los gases del escape de hidrocarburos no quemados. Esto se logra agregando un componente más al sistema: el convertidor catalítico. Este convertidor es una caja parecida al silenciador que está llena con un material especial que ayuda a oxidar/quemar la gasolina que pudiera haber salido del motor sin ser quemada. El material utilizado para los convertidores catalíticos es platino o paladio, ambos metales preciosos cuentan con la característica única de poder ser calentados a temperaturas extraordinarias para ayudar a terminar el proceso de combustión de la mezcla de aire/combustible que sale del motor. Como resultado de lo anterior, este catalizador reduce las emisiones de hidrocarburos (HC) que salen del tubo de escape.

SENSORES DE OXÍGENO

Los vehículos de motor modernos también incorporan un componente más al sistema de escape: un pequeño sensor de oxígeno montado entre el motor y el convertidor catalítico. Este pequeño dispositivo electrónico compara el porcentaje de oxígeno en el escape con el porcentaje de oxígeno en la atmósfera, genera una señal de bajo voltaje que representa dicha relación, y envía dicha señal a la computadora de gestión del motor cientos de veces por segundo. La señal proveniente del sensor de oxígeno le permite al PCM ajustar

EL SISTEMA DE ESCAPE

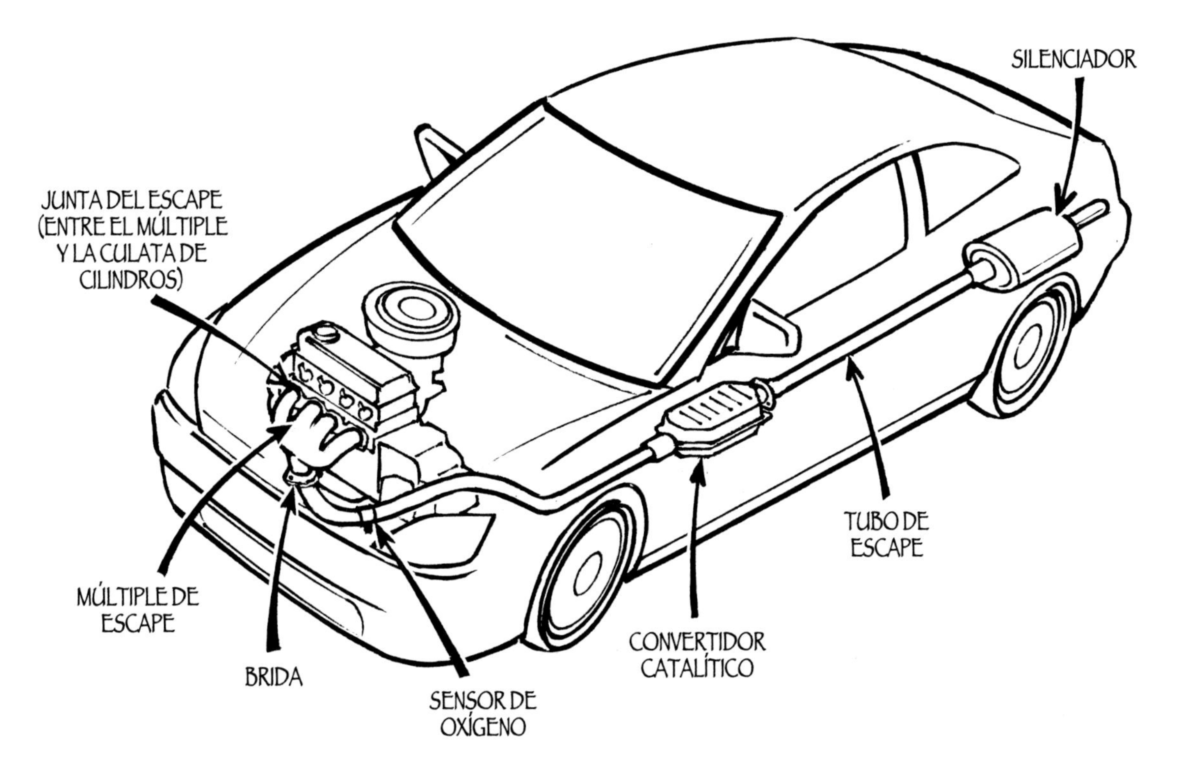

la entrega de combustible para obtener una eficiencia y rendimiento óptimos, y para reducir las emisiones hasta un valor mínimo.

Desde 1995 o 1996 aproximadamente, los sensores de oxígeno y todo el sistema de gestión del motor se han vuelto más sofisticados, y ahora incluyen un segundo sensor de oxígeno detrás del convertidor catalítico. Este sensor monitorea la eficiencia del catalizador para ayudarle a confirmar que el sensor de oxígeno delantero está haciendo un buen trabajo al reducir el porcentaje de combustible no quemado en el escape, es decir, mantener una relación óptima de aire/combustible, y de esta forma reducir la carga de trabajo del convertidor catalítico.

MANTENIMIENTO DEL SISTEMA DE ESCAPE

En términos de mantenimiento y reparación, los componentes del sistema de escape caen, en gran parte, en la categoría de "si no está descompuesto, no lo repare" —que siempre ha sido popular entre los propietarios de automóviles— (con excepción de los sensores de oxígeno que se cubrirán posteriormente en este capítulo). Obviamente, todo el sistema de escape necesita estar intacto y sellado para hacer correctamente su trabajo de silenciar el motor hasta un nivel tolerable, protegiendo a los ocupantes en la cabina de los gases de escape y monóxido de carbono, catalizando cualquier combustible no quemado, y proporcionando la señal del sensor de oxígeno al PCM. Cualquier daño físico o fugas necesitan corregirse inmediatamente.

DIAGNÓSTICO Y CAUSAS DE LAS FALLAS EN EL SISTEMA DE ESCAPE

¿Cómo puede saber cuando hay un problema? Oh, no me escuchó por el ruido del motor. . . Confíe en mí, ¡se dará cuenta! El ruido del escape aumentará en decibeles y en agudeza. ¡Pensará que una locomotora está a punto de pasarle por encima! El motor sonará más fuerte, particularmente al acelerar; e incluso al bajar una pendiente o al desacelerar, podrá escuchar como si algo explotara en el escape. Siempre que note un cambio de sonido proveniente del escape, haga que revisen todo su sistema de escape para ver si presenta daños o fugas.

¿De dónde podría provenir un daño al sistema de escape? La señal podría ser que alguna noche pasó por encima de un ladrillo que no pudo ver. Los objetos grandes sobre los que pasa el vehículo pueden romper físicamente, aplastar o perforar los tubos de escape y los silenciadores.

Pero la principal causa de las fallas en el sistema de escape es nuestra vieja amiga la oxidación-corrosión con C mayúscula. La parte exterior del sistema de escape no sólo es vulnerable a la humedad, las sales, la basura, la arena y a otros restos del camino que pueden producir oxidación, sino también a los subproductos primarios del motor de combustión interna, como agua y ácidos de la combustión, que pueden dañarlo. Estos elementos se depositan en el sistema de escape y corroen el metal. Por eso los tubos de escape y

silenciadores de acero templado que se usaron durante tantas generaciones en los vehículos de motor, se oxidaban más rápido que el tiempo que tarda un cubo de hielo en derretirse en un té en un caluroso día de verano. De hecho, si usted vive en una zona de fácil oxidación, en donde la lluvia ácida y las sales del camino son los enemigos número uno de los automóviles, tal vez pueda escuchar cómo se oxida y corroe su sistema de escape en un día tranquilo (aunque esperamos que tenga algo mejor que hacer).

A menudo, la corrosión se hará presente primero en el punto más bajo de todo el sistema de escape. Esto podría ser en un doblez en un rincón en el escape o en el tubo de escape, o una costura en el silenciador. Una vez que comienza la oxidación, sólo es cuestión de tiempo.

Por esa razón, no es una mala idea reemplazar un silenciador oxidado por uno que tenga una garantía de por vida. Además, pídale a su mecánico que le haga una pequeña perforación de 1/8 de pulgada en la parte más baja del silenciador; esto ayudará a drenar la humedad/agua que se acumula, y puede ayudar a prolongar la vida del silenciador.

CONSEJOS PARA EL CAMBIO DEL SISTEMA DE ESCAPE

Cuando se vea obligado a reemplazar componentes del sistema de escape, si es que llega a ocurrir, recuerde el viejo dicho: "recogerás lo que siembras". Los silenciadores y tubos de escape más baratos podrían silenciar su vehículo nuevamente, pero el acero dulce de pared delgada se oxidará rápidamente, en particular en áreas donde se usa sal en los caminos durante el invierno. Sería mejor que comprara componentes de alta calidad para su sistema de escape y que éstos tuvieran una garantía de por vida, particularmente si piensa conservar el vehículo por lo menos durante otros tres a cinco años.

Si su silenciador con garantía para toda la vida llega a fallar, aun cuando los componentes de reemplazo estén garantizados por el tiempo que usted posea el vehículo, tal vez tenga que comprar nuevos suspensores, abrazaderas y, en algunos casos, nuevas secciones de tubo. El múltiple de escape que está atornillado a la culata de cilindros por lo general no necesita servicio o reemplazo. El hierro fundido es apropiado para miles de ciclos de calor, desde una temperatura fría al arranque hasta 1 400 grados Fahrenheit (760 grados Celsius) en los gases del escape provenientes del motor. Ocasionalmente, un múltiple de escape se pandeará o agrietará, creando una fuga de escape muy estridente que suena como una chispa haciendo arco con la tierra; un sonido de chasquido que se amplifica durante la aceleración. Si esto ocurre, es necesario obtener un nuevo múltiple de escape. Aun cuando tal vez sea posible soldar la grieta, probablemente no valgan la pena el tiempo, el esfuerzo y el riesgo de que vuelva a agrietarse.

MANTENIMIENTO DEL SENSOR DE OXÍGENO

Hay dos componentes del sistema de escape que sí necesitan mantenimiento. Muchos fabricantes de automóviles recomiendan reemplazar el sensor de oxígeno a

EL CONVERTIDOR CATALÍTICO

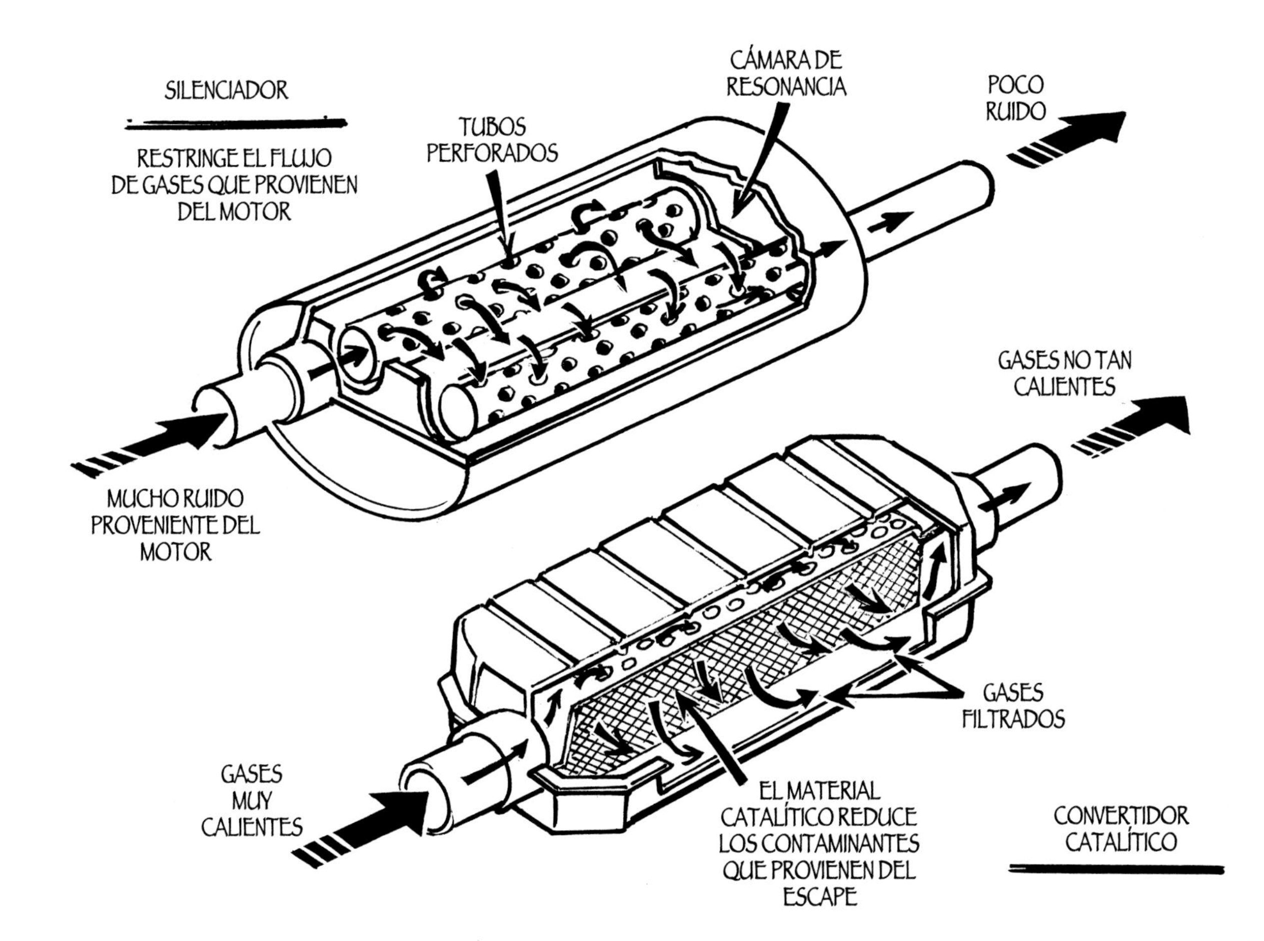

intervalos específicos de kilometraje, normalmente en el rango de 120,000 a 200,000 kilómetros. ¿Por qué? Debido a que el rendimiento de un sensor se deteriora con el tiempo. Su capacidad de conteo cruzado —la velocidad a la cual reconoce los cambios en el porcentaje de oxígeno en el escape y envía la señal al PCM— puede verse disminuida hasta el punto en que el sistema de gestión del motor ya no pueda optimizar la relación de aire/combustible. Los síntomas son muy sutiles; a menos de que usted revise regularmente y de manera exacta su kilometraje por unidad de combustible, tal vez nunca se dé cuenta de la pérdida de 1/2 a 1 kilómetro por litro en la economía del combustible por un sensor de oxígeno lento.

En muchas formas, el reemplazo del o los sensores de oxígeno entre el motor y el convertidor catalítico es la mejor afinación que puede tener un vehículo moderno con 150,000 kilómetros. El reemplazo de un sensor de oxígeno lento con seguridad producirá la mejora más notable en el desempeño y la economía. Puesto que los costos de combustible están aumentando continuamente, cuando le instalen bujías nuevas, asegúrese de que revisen el desempeño de su sensor de oxígeno y su capacidad de conteo cruzado cuando le hagan la afinación a los 150,000 kilómetros.

El reemplazo de un sensor de oxígeno no es difícil y puede ser un proyecto que puede hacer usted mismo. La mayoría de los sensores tienen el mismo tamaño hexagonal de una vieja bujía de 13/16 de pulgada. Por lo general, una llave española grande y una buena cantidad de penetrante en aerosol servirán para esto. Con el sistema relativamente frío, localice y rocíe abundantemente el botón, o rosca del sensor de oxígeno con el penetrante. Repita esto varias veces más, incluso durante un período de varios días. Luego, cuando crea que es el momento indicado —con guantes y anteojos de seguridad— y el vehículo esté en una posición segura que le permita el acceso y espacio adecuados para poder hacer palanca, desenchufe el sensor, monte la llave y presione con firmeza —lo que significa que debe empujar tan fuerte como pueda—. Nunca jale la llave hacia usted, a menos que quiera tener un nuevo par de dientes delanteros. Si puede aflojar el sensor, simplemente desatorníllelo del tubo, instale el repuesto, enchúfelo en el arnés, y listo. ¡Acaba de afinar su auto!

En los vehículos fabricados después de 1995 con sensores de oxígeno delantero y trasero, el sensor de oxígeno detrás del convertidor catalítico no necesita reemplazarse a menos que falle. Es el mismo caso para el convertidor catalítico. Aun cuando hay cierta evidencia de que el rendimiento del convertidor catalítico disminuye después de varias decenas de miles de kilómetros, ningún fabricante recomienda un reemplazo periódico.

Sin embargo, los convertidores catalíticos sí llegan a fallar. Pueden descomponerse a causa de las mezclas excesivamente ricas de aire/combustible que alimentan a los convertidores de demasiado combustible sin quemar. Esto hace que el convertidor trabaje mucho más a temperaturas mucho más elevadas para oxidar el combustible no quemado. ¿Alguna vez ha llegado a percibir el desagradable olor a huevo podrido proveniente del escape de su vehículo? No es raro percibir ligeramente este olor durante los primeros momentos después de arrancar en frío, pero una vez que el auto ha alcanzado su plena temperatura de operación, entonces ya no tendrá que disculparse con sus pasajeros diciendo: "¡No fui yo, es el carro!".

Los convertidores catalíticos que operan de manera consistente con temperaturas más elevadas de lo normal para hacer su trabajo de catalizar el combustible no quemado, tienden a fallar prematuramente. A menudo es una falla mecánica de la matriz o de la estructura que está en el interior y que parece una colmena. Una vez que este frágil material comienza a desintegrarse, puede causar un bloqueo del flujo del escape, el sobrecalentamiento de los múltiples de escape y una pérdida considerable de la potencia y economía del combustible.

GARANTÍAS CON RESPECTO A LAS EMISIONES

A propósito, ¿sabía que en algunos países el gobierno federal exige una garantía con respecto a las emisiones a todos los vehículos nuevos, y éste es un requisito desde la década de 1980? Hasta mediados de la década de 1990 y la introducción de los sistemas de gestión del motor OBDII, la garantía de las emisiones a nivel federal era de cinco años/80,000 kilómetros para los componentes relacionados con las emisiones, incluyendo al convertidor catalítico. Desde 1995-1996, la garantía federal se ha incrementado a ocho años/130,000 kilómetros, con una cobertura específica en relación con la computadora y el convertidor catalítico.

FALLA DE LA PANTALLA PROTECTORA CONTRA EL CALOR

Existe otro componente, que es parte del convertidor catalítico, que tiende a fallar en la mayoría de los sistemas de escape modernos: la pantalla protectora contra calor, que protege al convertidor para que no entre en contacto con materiales inflamables como hojas y papel periódico. ¿Recuerda las temperaturas extraordinariamente elevadas que puede alcanzar el convertidor al oxidar el combustible no quemado? Ésa es la razón por la que la pantalla protectora se monta en el convertidor para mantener a distancia cualquier basura e impedir su contacto físico con el convertidor.

¿Alguna vez ha visto los grandes pedazos de metal en forma de almejas o conchas al lado del camino? Efectivamente, son pantallas oxidadas desprendidas de los convertidores catalíticos. ¿Ve por qué es bueno que no nos estacionemos sobre un montón de hojas?

Con los miles de ciclos de calor desde que se arranca hasta que se apaga el motor, las vibraciones del motor que viajan a través del escape y todos los topes y baches que hacen brincar al chasis, no es de sorprender que estas pantallas protectoras tiendan a desprenderse y caerse después de muchos años y decenas de miles de kilómetros recorridos. Y claro, no olvide agregar la oxidación al asunto; este problema es aún más pronunciado en las regiones donde se presenta mucha oxidación.

Tal vez podría presentársele una advertencia de que esta pantalla o escudo de calor va a fallar: un zumbido o cascabeleo pronunciado y molesto; por lo general se puede dar cuenta bajo circunstancias específicas como al ir en marcha mínima en el alto de un semáforo. Si usted se da cuenta antes de que se desprenda por completo, podría ser posible soldar el escudo o afianzarlo de nuevo en su lugar con acero. ¿Conoce a alguien que alguna vez haya hecho esto? Probablemente no.

Y hablando de los aspectos legales, los propietarios de automóviles en algunas ciudades y países específicos deben mandar a revisar y/o probar los sistemas de emisiones de sus vehículos periódicamente —generalmente cada dos años—. La prueba típica implica operar el vehículo en un dinamómetro de chasis mientras que un dispositivo probador especial toma muestras y analiza las emisiones del escape. Una inspección visual confirma que todo el sistema de escape esté intacto, incluyendo el convertidor catalítico, y que el tapón del tanque de gasolina esté en su lugar. ■

TABLA PARA SOLUCIÓN DE PROBLEMAS DEL SISTEMA DE ESCAPE

PROBLEMA	CAUSAS PROBABLES	ACCIONES PARA LA REPARACIÓN
RUGIDO FUERTE DEBAJO DEL AUTO—SE HACE MÁS FUERTE AL PISAR EL ACELERADOR YA SEA QUE EL AUTO ESTÉ O NO EN MOVIMIENTO	Tubo de escape roto u oxidado	Reemplace el tubo
	Silenciador del escape roto u oxidado	Reemplace el silenciador
	Múltiple de escape roto	Reemplace el múltiple de escape
SONIDO DE CHASQUIDO EN EL COFRE	Junta del múltiple de escape reventada	Reemplace la junta del múltiple de escape
	Múltiple de escape agrietado o roto	Reemplace el múltiple de escape
	La chispa del cable de la bujía hace arco con la tierra	Reemplace los cables de las bujías
SONIDO FUERTE DE QUE ALGO SE ESTÁ RASPANDO DEBAJO DEL AUTO	Componente del escape arrastrándose	Amarre bien temporalmente con un gancho para ropa Desprenda la pieza floja para llevar el auto de manera segura al taller Estacione el vehículo en un lugar seguro para hacer esto
PÉRDIDA DE POTENCIA DEL MOTOR	Escape obstruido y/o silenciador o convertidor catalítico tapado/bloqueado	Revise el escape que sale por el tubo. Acerque su mano enguantada a la salida del tubo de escape (pero NO toque el tubo) para ver si se sienten pulsaciones saliendo del tubo de escape. Si hay poco o ningún flujo de escape, lleve el silenciador al taller para su diagnóstico y reparación
	Tubo de escape plisado o doblado	Arrástrese debajo del auto y revise si el tubo está doblado; reemplácelo si es necesario Estacione el vehículo en un lugar seguro para hacer esto. No soporte el vehículo sobre un gato para esta “reparación”
SONIDO DE EXPULSIÓN DE GASES DEBAJO DEL VEHÍCULO	Pequeña fuga en el escape proveniente del tubo/silenciador/conexiones	Para una reparación rápida/barata, pruebe reparar con cinta para tubos de escape; en el taller de silenciadores probablemente se requerirá una reparación más permanente

Capítulo 11

Cuidado del interior y el exterior de su automóvil

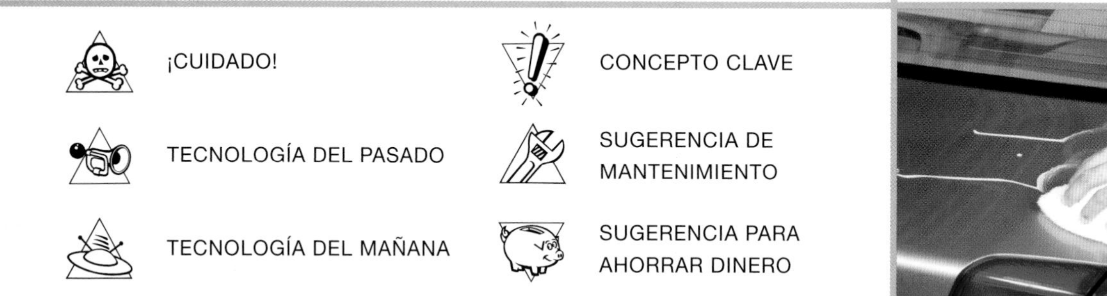

Tener un vehículo limpio y brillante en la entrada de su casa no es sólo una sensación de bienestar personal y una forma divertida de hacer que sus vecinos sientan envidia, es la mejor forma de preservar la apariencia y el valor de su automóvil. Pregunte en cualquier agencia de autos nuevos o usados y le dirán que la apariencia y la primera impresión son la cualidad número uno al vender un vehículo de motor. Además, ¿por qué conducir un auto o camioneta durante años y luego limpiarlo sólo para venderlo?

El programa básico de mantenimiento para un vehículo limpio es aprovechar los servicios de lavado de bajo costo que están disponibles en muchos talleres de servicio y en las gasolineras. Una de cada dos o tres veces que llene su tanque, pague unos cuantos pesos extra para que le hagan el servicio de lavado. Aun cuando los servicios de lavado de auto sencillos no limpian el auto perfectamente, sí eliminan la capa exterior de mugre de las superficies pintadas. Esto es particularmente importante si usted maneja en zonas donde hay nieve, en donde se usa sal y arena para despejar los caminos en invierno.

Pero el lavado automático de autos no es suficiente. No remueve la suciedad, la mugre, el lodo, la sal y la arena de las áreas verdaderamente vulnerables de su vehículo, ¡justo los lugares donde comienza la oxidación! Y recuerde este axioma: la oxidación no descansa. Parafraseando una cita famosa de un ingeniero industrial: "los metales ferrosos prefieren existir en un estado oxidado. Si los dejamos a su suerte en nuestro ambiente, se oxidarán hasta convertirse en polvo". Lo anterior describe con precisión lo que sucede con las chapas metálicas y las piezas estampadas de acero que se utilizan para la construcción de automóviles. Solamente observe los vehículos de 10 o más años de antigüedad que se conducen en las zonas donde hay oxidación. Prácticamente todos ellos muestran las burbujas de pintura y los pedazos cubiertos de oxidación producidos por la corrosión. Es cierto, no se discute que los automóviles actuales están mejor diseñados, mejor construidos y cuentan con más metal galvanizado, por lo que resisten mejor la oxidación. Pero recuerde el axioma: si está hecho de metales ferrosos, con el tiempo se oxidará.

También recuerde que no puede impedir la oxidación, pero puede retardarla. Para eso sirve la pintura de su automóvil. Sí, lo sabemos, usted pensaba que el color rojo encendido era un color intenso y sensacional que atraería la atención de aquellos a quienes a usted le interesa atraer. Pero en realidad, independientemente del color, la tarea de la pintura es proteger el acero y retardar el proceso de corrosión en su vehículo que usted utiliza para alardear. La lección es sencilla: mantenga limpio su vehículo, por dentro y por fuera, de arriba hasta abajo, y se verá mejor y durará más tiempo.

ASPECTOS BÁSICOS DEL LAVADO DEL AUTO

Una vez al mes más o menos —con mayor frecuencia si maneja en caminos sucios/con sal/arena, en invierno, cerca

LOS AUTOS LIMPIOS SE MUEVEN RÁPIDO

de la costa, o cualquier otro ambiente altamente corrosivo— lave el vehículo usted mismo, o pague para que lo haga un profesional.

Definamos un lavado profesional como el proceso de no sólo limpiar perfectamente las superficies pintadas expuestas, sino limpiar/lavar también las salpicaderas, sus partes cóncavas, los bordes interiores de las puertas, el cofre y la cajuela, las defensas y las salpicaderas de los estribos, y la parte inferior del chasis. Grandes cantidades de agua caliente a alta presión hacen maravillas en esta tarea, lo cual significa que el servicio de lavado de autos automático es la mejor herramienta para que usted mismo haga la tarea. Será necesario más de un ciclo de lavado y enjuague para hacer el trabajo correctamente.

Cómo lavar el automóvil en casa

¿Puede hacer usted un trabajo igual de eficaz en la entrada de su casa? Sí, siempre y cuando esté dispuesto a darse el tiempo. Conecte su manguera a la toma de agua caliente en el cuarto de lavado de la ropa sucia, si es posible. Asegúrese de usar un producto para el lavado de automóviles, y no un detergente para ropa o trastes. Estos productos domésticos son demasiado fuertes para la pintura de su vehículo. Si pueden remover la lasaña de la noche anterior de los platos y esas desagradables manchas de grasa de su camisa de trabajo, tenga presente que acabarán con los aceites de la pintura de su auto.

Una buena cubeta, un guante para lavar o una esponja grande, y la boquilla de rocío de su manguera es todo lo que necesita para realizar el trabajo. Ah, y por supuesto, una buena cantidad de toallas viejas limpias. Lave completamente con la manguera todo el auto de arriba hasta abajo, incluyendo la parte de abajo, las partes cóncavas de las salpicaderas, y los bordes interiores de las puertas y los postes de las puertas.

Hablando de puertas, recuerde que la construcción típica de la puerta de un automóvil es doblar y flexionar el panel de la puerta alrededor del marco, dejando los bordes interiores vulnerables a la oxidación. Primero, con la puerta abierta, lave con la manguera los bordes interiores de las puertas con agua caliente. Levante los sellos y juntas y deje que el chorro lave completamente cualquier mugre acumulada. Luego limpie los bordes con su esponja enjabonada y vuelva a lavar con manguera. Repita la operación en cada puerta, y no se le olviden los bordes interiores del cofre, la cajuela, la puerta trasera y la tapa del tanque de la gasolina.

Ahora, lave con la manguera la parte interior del chasis y las partes cóncavas de las salpicaderas —en especial el borde interior de los labios de la salpicadera—. Dirija el chorro de agua caliente a la parte interior de las defensas y las salpicaderas de los estribos, así como a lo largo de la parte inferior del estribo de los peldaños a cada lado del vehículo.

Abra el cofre y la cajuela y lave con cuidado los bordes y las superficies de contacto de las juntas/sellos; luego límpielos con una esponja enjabonada y vuelva a enjuagar. Incluso puede lavar las salpicaderas interiores y la parte inferior de la pared contrafuego en el interior del compartimiento del motor; tan sólo no dirija el chorro de alta presión directamente a los componentes electrónicos delicados del motor.

Una vez que ha limpiado el auto con el chorro de una manguera, es hora de lavar. Es bastante sencillo, sólo asegúrese de que las superficies pintadas estén completamente mojadas, utilice una gran cantidad de su producto para lavado de automóviles, y enjuague su esponja/guante frecuentemente para remover los desechos sólidos. Lave por secciones de arriba a abajo, enjuague frecuentemente, y mantenga mojadas las secciones que ya están limpias hasta que haya terminado todo el trabajo.

Una vez que su auto esté limpio, ponga a trabajar esas toallas secas y esponjosas. Tal vez quiera comprar y usar una escobilla de goma para quitar el exceso de agua antes de secar y así obtener más kilometraje de sus toallas. Seque completamente, incluyendo las molduras y las piezas cromadas. Asegúrese de que los cristales queden sin manchas, y levante las plumas del limpiaparabrisas para dejar limpios los bordes de contacto.

Para terminar, abra las puertas, el cofre, la cajuela, la puerta trasera y/o la tapa del tanque de combustible y seque los bordes interiores de las puertas y los umbrales. Listo, ahora tiene un auto reluciente.

Pulido y encerado

Después del lavado, tal vez quiera pulir y encerar su vehículo. Todo lo que se requiere es un lugar sombreado y más o menos una hora de su tiempo.

Primero que nada, veamos las diferencias entre pulido y encerado. El pulido es un proceso de limpieza diseñado para remover la mugre obstinada y la oxidación ligera (la oxidación se produce cuando el aire deslustra la pintura). El encerado es aplicar una capa protectora a la pintura para repeler la suciedad, la mugre y la luz ultravioleta y prevenir la oxidación.

Por lo tanto, si su auto es nuevo, o por lo menos más o menos nuevo, y la pintura todavía brilla, como si fuera nueva, sólo utilice el encerado. Las ceras modernas para automóviles, ya sean líquidas o en pasta, son mucho más fáciles de aplicar de lo que eran en el pasado. Ya no tiene que frotarlas, esperar hasta que sequen y se conviertan en polvo blanco y luego literalmente restregarlas con toalla para quitarlas. Ahora, simplemente tiene que limpiar frotando con la cera, esperar de 30 a 60 segundos y pulir un poco para quitarla. Aplicar la cera con una pulidora orbital eléctrica no sólo hace el trabajo mucho más fácil, sino que también lo hará la envidia de todos sus vecinos. De ahora en adelante tendrá que esperar a que su vecino le regrese la pulidora cuando usted la quiera utilizar.

Nuevamente, con la cera moderna no tiene que esperar hasta que se seque por completo antes de removerla. La clave es una superficie perfectamente limpia y una cera o sellador modernos. Los selladores tienden a incorporar polímeros para lograr una protección adicional y esa excelente apariencia de recién lavado.

Cómo pulir su automóvil

¿Pero qué puede hacer si la pintura de su vehículo ya no está tan nueva? Aquí es donde entra en juego la palabra "pulir". Los productos para pulir son limpiadores que ayudan a restablecer esa apariencia de nuevo removiendo las oxidaciones ligeras que tienden a quitarle el brillo a la pintura. También pueden remover esa acumulación o película de residuos del camino, los insectos muertos, la resina y demás basura que se pega a la pintura de los vehículos.

Para el entusiasta, es un proceso 1-2-3. Lavar, pulir, encerar. Para los menos entusiastas, la tarea se puede abreviar a un simple proceso 1-2: lavar, pulir/encerar. Los productos que se presentan como cera/limpiador están diseñados precisamente para cumplir este fin, ya que contienen tanto un pulidor para limpiar la superficie como una cera para proteger la pintura. Hacen un trabajo excelente en ambos procesos, por lo que no se sentirá culpable por saltarse el paso del pulido.

Cómo quitar restos de insectos

Si le ha dedicado esta hora adicional a su vehículo, seguro habrá notado algunos defectos en la pintura, un rayón aquí, un rasguño acá, pequeños raspones en las puertas, pequeños trozos descarapelados por la oxidación, incluso restos de insectos difíciles de remover, o resina del camino. Para disolver y remover el material que está pegado en la superficie de la pintura, pruebe con un líquido para remover insectos/resinas/adhesivos en los automóviles. Puede encontrar este producto junto a las ceras y pulidores en la tienda de autopartes.

Cómo reparar los daños en la pintura

La pintura para autos moderna consta de una capa que contiene los pigmentos del color y una capa transparente en la parte superior. Se conoce como el sistema de recubrimiento base y transparente, y es mucho más durable que las pinturas para autos que se usaban antes. La capa transparente es más fuerte y resiste más los raspones/daños simplemente porque no se ha diluido con pigmentos de color, además de que es más fácil de reparar.

Cuando vea que una pequeña área en la pintura está dañada, inspecciónela con cuidado. Si parece ser tan sólo una línea o un arañazo sin que haya cambiado de color, probablemente sólo está en la capa transparente exterior. Si hay un cambio de color en el rasguño o arañazo, tanto la capa transparente como la capa base están dañadas. Si puede ver la capa del fondo, ambas capas han sido penetradas, y si aparece alguna oxidación, el daño ha llegado hasta la lámina metálica.

Para determinar la importancia de la reparación, es necesario fijarse en la profundidad del daño. Si hay alguna oxidación o puede ver una parte del metal sin pintura, haga la reparación lo más pronto posible.

Pero comencemos con un rayón muy ligero en la capa transparente. Primero intente pulir/encerar, luego con un removedor automotriz para quitar las marcas en forma de espiral. También podría ayudar un compuesto muy ligero para pulir, pero pruébelo primero en un área oculta de la pintura para asegurarse de que no le quite el brillo a la capa transparente.

Muchas veces, los arañazos más ligeros desaparecerán con un buen pulido y encerado. Si no es así, y usted quiere que desaparezcan, es posible lijar ligeramente la capa transparente con una lija de grano 600 o papel de lija más fino para remover justo el material suficiente para eliminar el arañazo. Si todavía no está seguro de cómo hacerlo, es mejor dejarle esta tarea a un profesional de automóviles en un taller de carrocerías. Como dice la advertencia: no intente hacer esto en casa. . . ¡a menos que no le importe que se note que metió la mano!

Cómo retocar la pintura

Si el arañazo o rayón ha penetrado completamente la capa de recubrimiento y ya está en la capa de color, la capa de fondo, o si incluso ya ha llegado hasta el metal, es tiempo de retocar la pintura —o de una reparación/repintado profesional—. El primer paso de un retoque que puede hacer usted mismo consiste en aplicar cinta adhesiva para aislar el área del daño/reparación y evitar que convierta ese punto diminuto de oxidación en una enorme área de daño en la pintura. La cinta marca los límites de su reparación, de manera que sin importar qué tanto meta usted la pata, el daño no será muy grande.

El retoque de pintura más sencillo se inicia comprando una pequeña botella o una lata de aerosol de la pintura del color correcto para el retoque. Resista la tentación de utilizar el aerosol como un rociador —recuerde colocar la cinta adhesiva para limitar el tamaño de la reparación—. Si la

pintura sólo está disponible en aerosol, tan sólo rocíe una pequeña cantidad en un vaso de papel y para aplicarla utilice un pequeño pincel o cepillo para pulir uñas.

Trate de aplicarla mediante acción capilar en el arañazo o rayón, en lugar de cepillarla con un pincelazo amplio. Está tratando de rellenar la zona dañada, y no de cubrirla con una tira de pintura. Esto tal vez requiera un par de intentos, y dejar que la pintura se espese un poco antes de cada aplicación puede ayudar con los arañazos en las puertas u otros rayones en superficies verticales. Si le sale mal, no hay problema, simplemente remueva la pintura con un trapo limpio humedecido con removedor de insectos/resina/adhesivo para automóviles, y vuelva a empezar.

Cómo reparar los rayones en las puertas

Si el área dañada es un poco más grande, tal vez un rayón en la puerta hecho por el tonto del estacionamiento, o si a través de la pintura se puede ver metal u oxidación, el proyecto será un poco más grande. Pero recuerde antes que nada limitar el área con cinta adhesiva para que no se haga más grande. Para remover áreas pequeñas de oxidación, corte un pequeño cuadrado de aproximadamente medio centímetro de lado de papel de lija de grano 600, péguelo en la punta de la goma de un lápiz —se puede hacer con saliva— y lije cuidadosamente cualquier oxidación o escamas en la herida. Si todavía quedan manchas color café después de este complejo trabajo de lijado, aplique una pequeña cantidad de convertidor de oxidación —un producto especial que trata la oxidación convirtiéndola en una superficie dura como esmalte—. Como todas las cosas que tienen que ver con los automóviles, los productos convertidores de oxidación están disponibles en. . . su tienda local de autopartes o refaccionaria.

Tal vez quiera agregar una pequeña cantidad de capa para base o sellador (primer) automotriz si todavía se ve el metal oxidado. Nuevamente, puede rociar la capa base o sellador (primer) en aerosol en un vaso de papel y aplicarlo con un pequeño pincel o cepillo. Ahora ya está listo para aplicar el color.

Cuando se hacen correctamente, estas pequeñas reparaciones a la pintura/carrocería que puede hacer usted mismo tienen una garantía 5/50 —no serán visibles cuando el vehículo esté viajando a 10 o más kilómetros por hora o esté a más de 15 metros de distancia—. Y eso es más que suficiente para la mayoría de nosotros. Además, esto lo está haciendo más para proteger el vehículo de la oxidación y daño adicional que por la apariencia del automóvil.

¿Arreglarlo usted mismo o llevarlo al taller?

¿Existe algún criterio para saber si se debe reparar una pequeña área dañada o no? ¿Es un proyecto que puede hacer usted mismo o dejarlo a un profesional?

Hágalo usted mismo si el vehículo ya está un poco viejo, si ya muestra señales de edad/kilometraje, y si no está demasiado obsesionado con su apariencia. Su única preocupación en realidad es detener/retardar cualquier oxidación o corrosión que se puede presentar y prolongar la vida funcional y el valor del vehículo. Hágalo también si tiene el tiempo, la inclinación y la disposición para intentarlo.

Déjeselo a los profesionales. . . ¡en todos los demás casos! Es decir, si el vehículo está nuevo o seminuevo, si lo quiere conservar tan perfecto como sea posible, si el área del daño es mayor que un arañazo pequeño, una desportilladura o un rayón, o si está obsesionado por la apariencia de su vehículo. O mejor aún, si alguien más va a pagar por el trabajo, como una agencia de seguros.

¡Vaya! ¿Vale la pena todo este esfuerzo para mantener el exterior de su vehículo limpio, brillante y libre de oxidación? Sólo usted puede decidir sobre esto. Recuerde lo que dicen los vendedores en la agencia de autos: la apariencia lo es todo. En términos del valor residual, cuando llega el momento de vender o cambiar el vehículo, si está limpio, brillante y libre de daños menores en la carrocería y la pintura, valdrá considerablemente más —¡mucho más!— que si está sucio, desportillado, con raspones y oxidado. ■

Proyecto 47

Limpieza de la tapicería y la alfombra

TALENTO: 1

TIEMPO: 15–30 minutos

HERRAMIENTAS:
Limpiador de calidad para tapicería de automóviles

COSTO: $60–150

SUGERENCIA:
Antes que nada, aspire para remover basuras y suciedad y evitar frotarlas en el área que se va a limpiar

1 Aspire la mancha para recoger cualquier sustancia, junto con la suciedad y el polvo que no desea que se impregne.

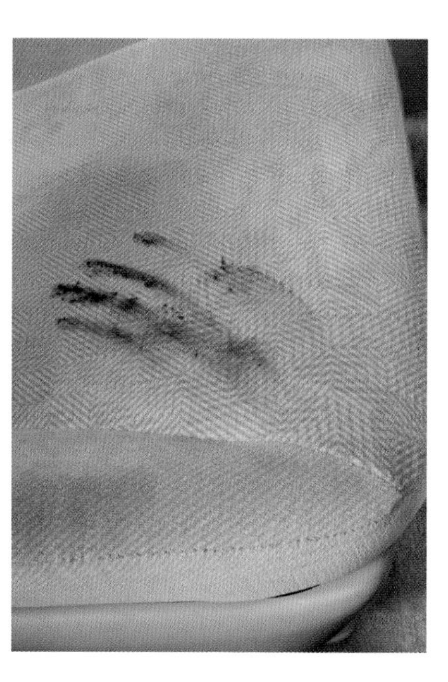

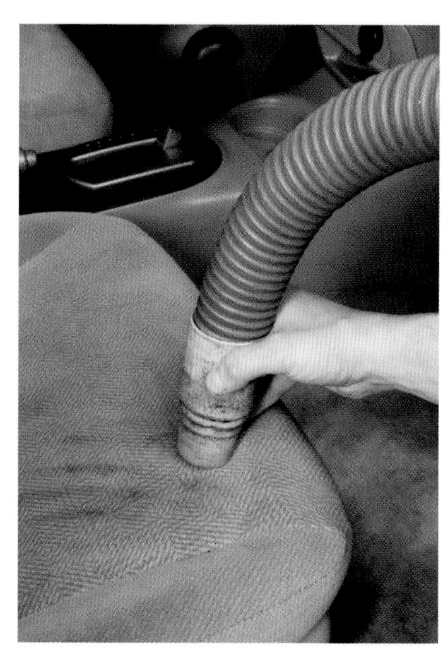

2 Rocíe lo que queda de la mancha con un limpiador de espuma para tapicería. Por lo general se requiere aplicar abundantemente.

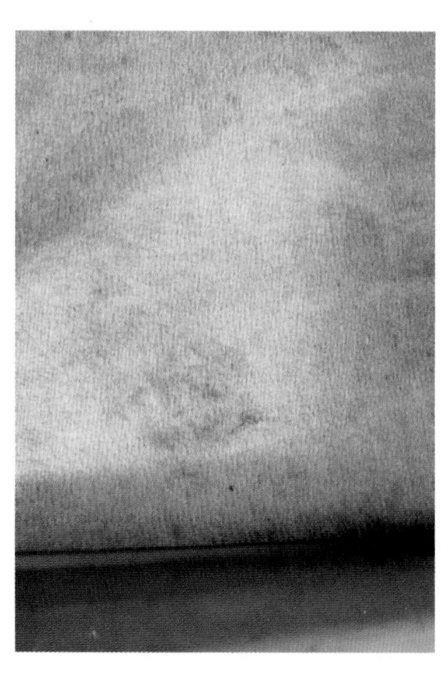

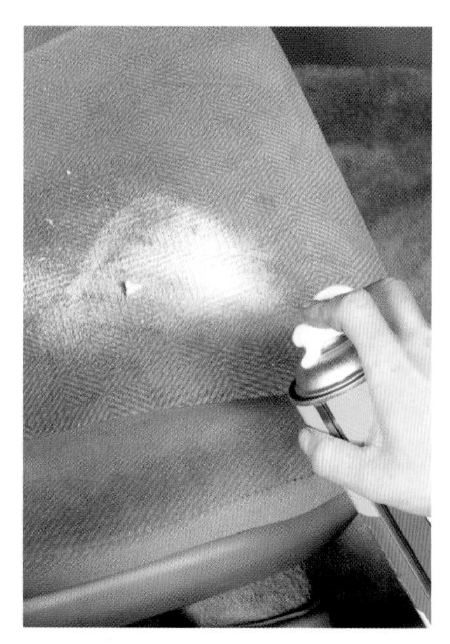

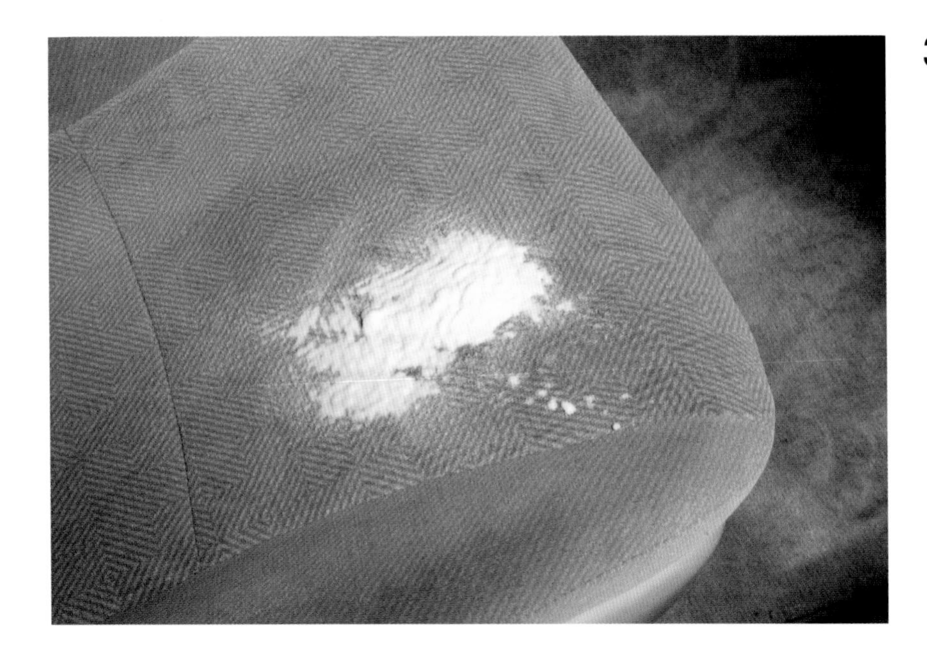

3 Deje que el limpiador haga su trabajo durante el período requerido. En este caso unos cuantos minutos.

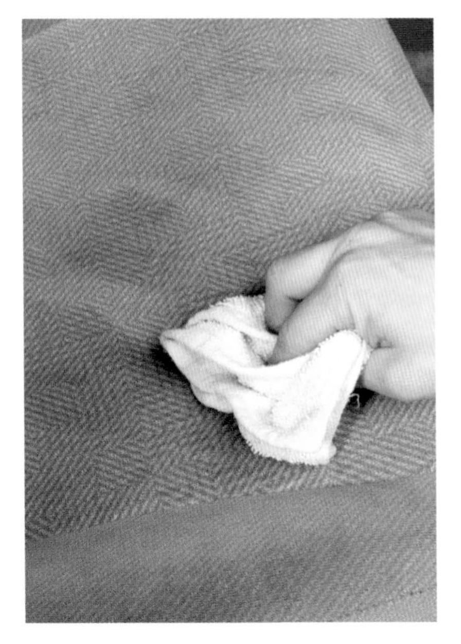

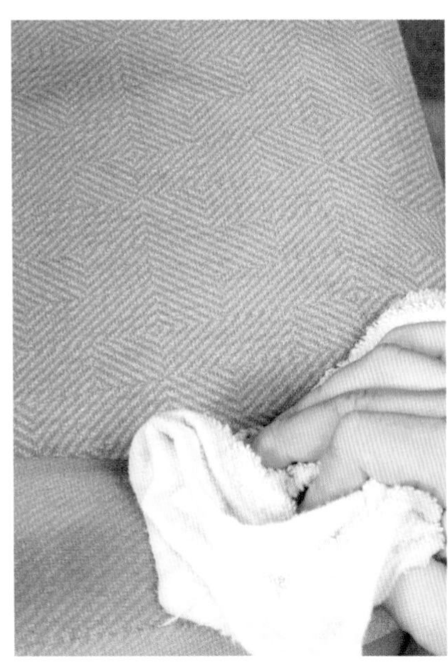

4 Luego limpie con una tela o cepillo limpio y húmedo (utilice lo que se recomiende en la etiqueta del producto).

Una buena aspirada del limpiador de espuma removió toda la mancha sucia/con polvo/grasosa en el asiento de este Honda.

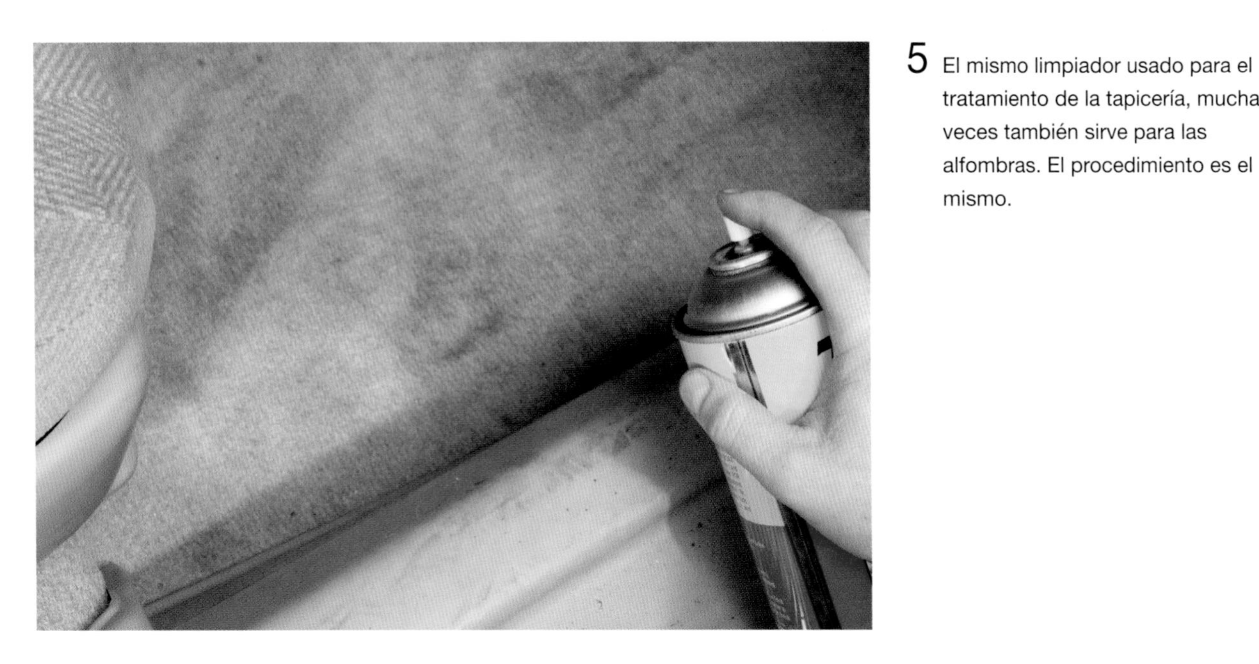

5 El mismo limpiador usado para el tratamiento de la tapicería, muchas veces también sirve para las alfombras. El procedimiento es el mismo.

6 Primero rocíe abundantemente y luego deje que se empape.

7 Limpie con una tela o un cepillo húmedo.

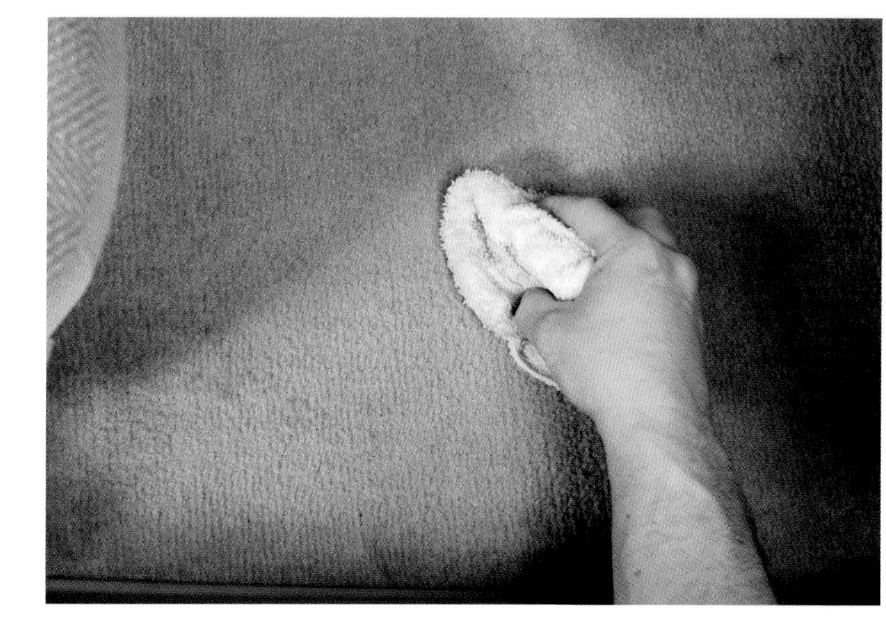

8 Al igual que con la tapicería, se obtuvo un buen resultado.

Proyecto 48

Limpieza de los cristales

TALENTO: 1

TIEMPO: 15–45 minutos, dependiendo del número de ventanas y la cantidad de mugre

HERRAMIENTAS: Trapos limpios y lisos (sin pelusa), limpiador para ventanas

COSTO: $50–150

SUGERENCIA: Unos vidrios limpios atrapan menos luz de los faros de los autos que vienen de frente y mejoran la visibilidad en la noche.

1 Una buena lavada limpiará el exterior de su vehículo, pero la parte interior de los cristales también se ensucia. Una parte proviene del exterior y otra parte es resultado de los gases que provienen de piezas como el tablero de vinil, que dejan una película de grasa en las ventanas. Las marcas de huellas digitales y las marcas dejadas por la nariz de los perros, aumentan la obstrucción. Al remover todas estas marcas se obtiene una mejor visibilidad.

2 Para este trabajo servirá cualquier limpiador comercial de vidrios. Los limpiadores en aerosol para los cristales de los autos ofrecen la ventaja de hacer espuma, por lo que no se corren por el cristal. Aplíquelos con una tela libre de pelusa y limpie toda la superficie incluyendo las esquinas.

Tenga cuidado de no dañar la rejilla de alambre del desempañador o el interior de la ventana trasera.

Proyecto 49

Lavado y encerado del automóvil

TALENTO: 2

TIEMPO: 45–60 minutos

HERRAMIENTAS:
Manguera, esponja, cubeta, trapos, jabón para lavar autos, cera para automóviles

COSTO: Materiales

SUGERENCIA:
Lave en la sombra si es posible, y utilice agua con la misma temperatura que la superficie del auto para evitar una rápida expansión o contracción de la pintura

1 El lavado de su auto es la forma más fácil de hacer que se siga viendo bien, de preservar su acabado y de mantener su valor.

2 Enjuague el auto de arriba hacia abajo para aflojar la mugre y la basura

3 Con un detergente para lavado de autos, haga espuma en una cubeta con agua a temperatura ambiente, enjabone el auto de arriba a abajo con una esponja, enjuagando la esponja en la cubeta con frecuencia.

SUGERENCIA: no utilice jabón para trastes o ropa, que son demasiado fuertes y no están formulados para los acabados de los automóviles.

4 Enjuague con una manguera de arriba a abajo para quitar el jabón del auto.

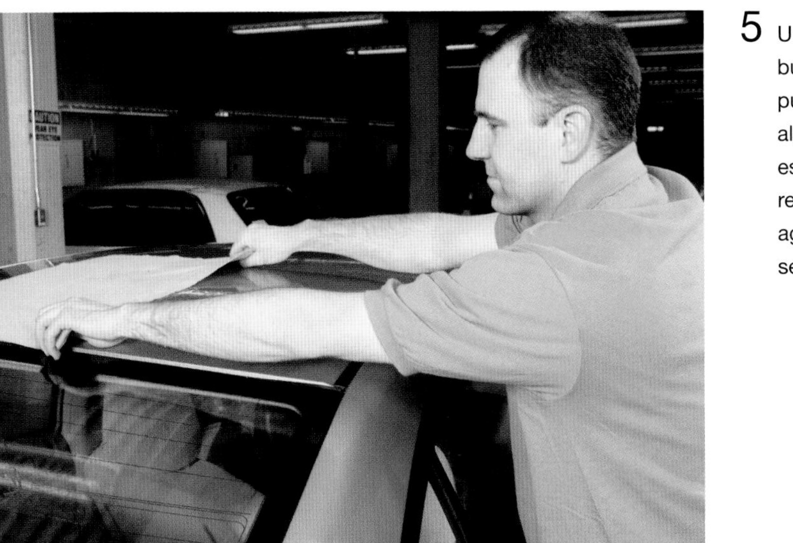

5 Una piel de gamuza o una franela es buena para secar el auto y evitar los puntos de agua, pero una toalla de algodón también sirve muy bien. Un escurridor de goma para autos puede remover primero la mayor parte de agua, haciendo que el proceso de secado sea un poco más rápido.

6 Asegúrese de lavar y secar el interior de las puertas, el cofre, la puerta trasera y la cajuela, y la tapa del tanque de gasolina.

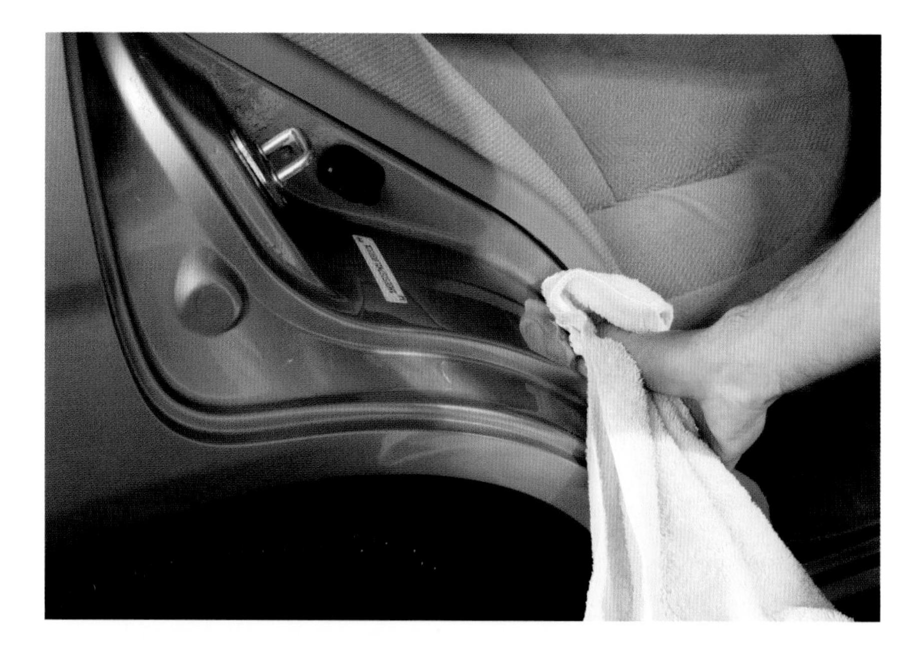

7 Cuando el auto esté completamente limpio, aplique la cera y frote sobre la superficie como se recomienda.

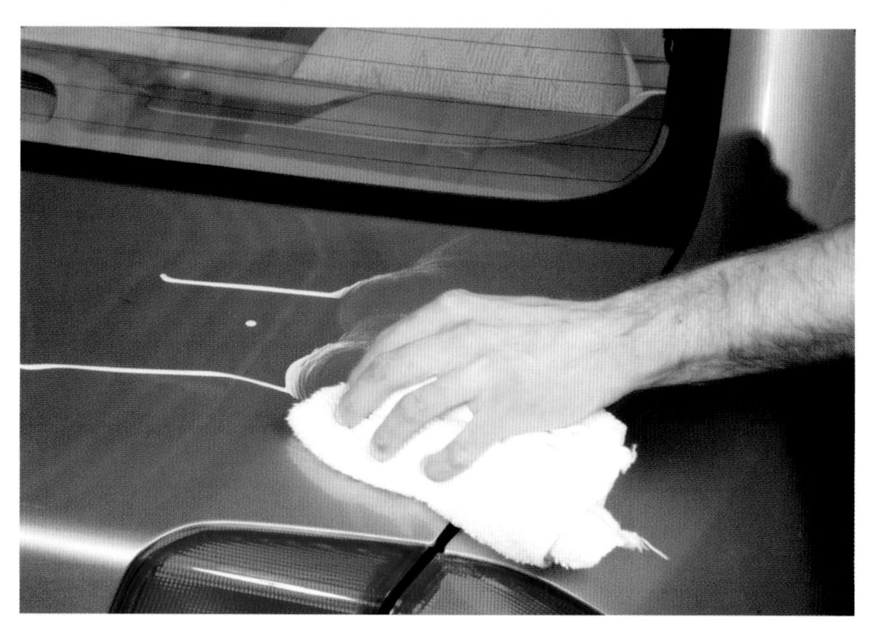

8 Si no va a llevar su auto a una exhibición, simplemente darse el tiempo necesario para frotar la cera y quitarla es más importante que cualquier técnica en particular.

9 Quite la cera con una tela suave, volteándola varias veces para usar las partes limpias.

10 Su vehículo lavado y encerado ahora es resistente al sol, los químicos, excrementos de pájaros y otros materiales corrosivos y dañinos.

Proyecto 50

Retoque de rayones y raspones

TALENTO: 3

TIEMPO: 1–2 horas, dependiendo de las capas

HERRAMIENTAS: Pintura para retoque, cepillo de puntas finas

COSTO: $100–200

SUGERENCIA: Varias aplicaciones ligeras y uniformes son mejor que una sola capa pesada.

1 Los pequeños rayones y raspones no sólo afectan negativamente la apariencia de un auto, sino que también exponen el metal que está debajo a la oxidación. La pintura para retoque puede ayudar a protegerlo contra la corrosión.

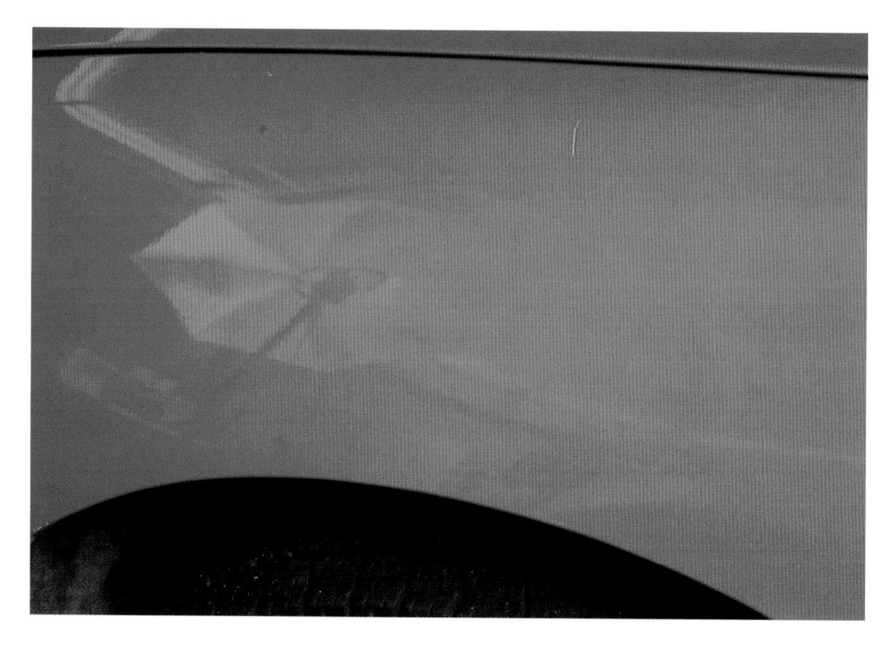

2 Lave el área y seque completamente. Luego limpie con algo para remover los aceites y la grasa, ya sea frotando alcohol o un removedor de insectos/resinas/adhesivos, que puede encontrar en una tienda de autopartes.

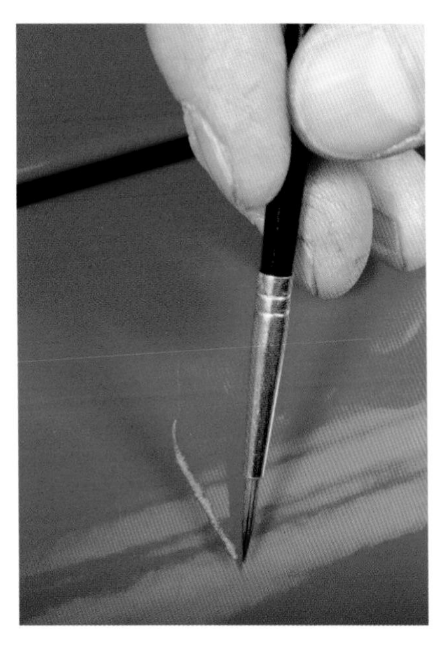

3 El pequeño pincel que viene con la pintura para retoque no es muy preciso y seguramente usted no quedará satisfecho con los resultados. Vaya a una tienda de pasatiempos o a una ferretería y compre un pincel con puntas finas. Si la única pintura para retoque que puede encontrar viene en aerosol, rocíe una pequeña cantidad de pintura en un vaso de papel, y luego utilice el pincel para la aplicación.

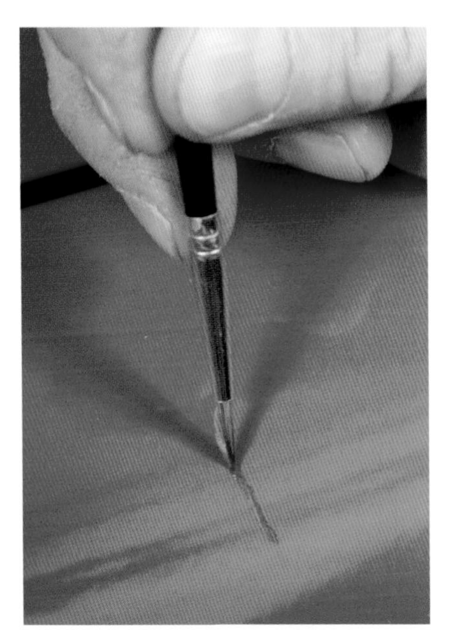

4 Sumerja sólo la punta del pincel en la pintura y, con una mano firme, llene el raspón con un solo trazo. Hágalo con un solo movimiento y trate de mantener la pintura dentro del raspón. La pintura fluirá y se distribuirá para llenar el hueco.

5 Deje secar la pintura durante el período recomendado. Esta pintura requiere que se dejen pasar 30 minutos entre recubrimiento y recubrimiento. Limpie su pincel con adelgazador de pinturas y déjelo secar entre recubrimiento y recubrimiento.

6 Aplique otra capa. Utilice tan sólo un poco de pintura y aplíquela con un solo movimiento.

7 Deje secar, limpiando y secando su pincel nuevamente mientras espera.

8 En este caso se requirieron tres pasadas sobre el raspón. No es perfecto, pero se ve mucho mejor que antes de la reparación y es casi invisible a unos cuantos metros de distancia.

SUGERENCIA: si el rayón o el raspón que está tratando de reparar está un poco oxidado, utilice un pequeño pedazo de lija para remover la oxidación. Trate de pegarlo a la goma de un lápiz nuevo para un lijado exacto. Utilice luego una capa delgada de convertidor de oxidación o sellador (primer), seguido de la pintura.

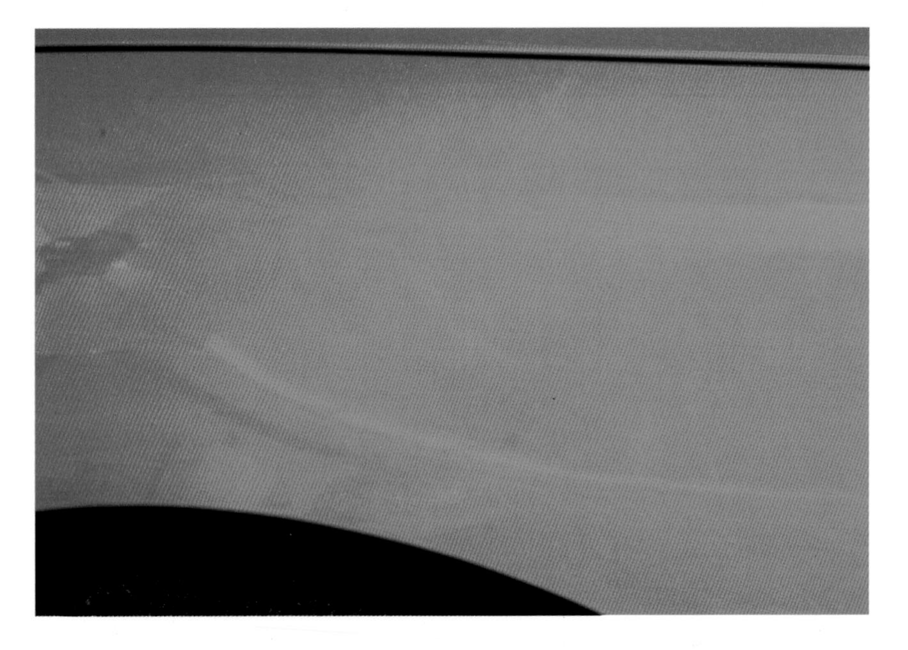

Índice

Nota: los números en negritas indican páginas de proyectos.